KB093842

#수능기초
#10일만에
#감각익히기

10일 격파

Chunjae
Makes
Chunjae

[10일 격파] 사회 영역 사회·문화

개발총괄 조영호
편집개발 중등 사회팀
조판 어시스트하모니
제작 황성진, 조규영

발행일 2021년 4월 30일 초판 2021년 4월 30일 1쇄
발행인 (주)천재교육
주소 서울시 금천구 가산로9길 54
신고번호 제2001-000018호
고객센터 1577-0902
교재 내용문의 (02)3282-1780

10일 격파 사회·문화 빠른 정답 확인

✦1일차

기출 유사 (본문 6~9쪽)

01 ③ 02 ② 03 ③ 04 ③

기초력 집중드릴 (본문 10~16쪽)

01 ③ 02 ② 03 ① 04 ② 05 ③
06 ⑤ 07 ⑤ 08 ③ 09 ⑤ 10 ③
11 ③ 12 ③ 13 ⑤ 14 ① 15 ③
16 ② 17 ② 18 ① 19 ② 20 ④
21 ④

✦2일차

기출 유사 (본문 18~21쪽)

01 ⑤ 02 ④ 03 ② 04 ③

기초력 집중드릴 (본문 22~27쪽)

01 ② 02 ③ 03 ② 04 ⑤ 05 ④
06 ① 07 ② 08 ④ 09 ① 10 ①
11 ④ 12 ⑤ 13 ④ 14 ⑤ 15 ③
16 ⑤ 17 ② 18 ③ 19 ⑤ 20 ⑤
21 ② 22 ② 23 ①

✦3일차

기출 유사 (본문 30~33쪽)

01 ② 02 ① 03 ④ 04 ④

기초력 집중드릴 (본문 34~39쪽)

01 ④ 02 ③ 03 ② 04 ⑤ 05 ①
06 ② 07 ③ 08 ③ 09 ① 10 ③
11 ② 12 ④ 13 ⑤ 14 ④ 15 ⑤
16 ④ 17 ③ 18 ① 19 ⑤ 20 ②
21 ①

✦4일차

기출 유사 (본문 42~45쪽)

01 ④ 02 ⑤ 03 ⑤ 04 ⑤

기초력 집중드릴 (본문 46~51쪽)

01 ③ 02 ④ 03 ② 04 ⑤ 05 ⑤
06 ③ 07 ③ 08 ② 09 ⑤ 10 ④
11 ⑤ 12 ② 13 ⑤ 14 ② 15 ④
16 ② 17 ④ 18 ⑤ 19 ② 20 ④
21 ⑤ 22 ④

✦5일차

기출 유사 (본문 54~55쪽)

01 ① 02 ②

기초력 집중드릴 (본문 56~59쪽)

01 ⑤ 02 ② 03 ④ 04 ⑤ 05 ④
06 ② 07 ② 08 ⑤ 09 ⑤ 10 ①

✦6일차

기출 유사 (본문 62~68쪽)

01 ③ 02 ① 03 ③ 04 ④

기초력 집중드릴 (본문 69~75쪽)

01 ④ 02 ③ 03 ⑤ 04 ⑤ 05 ⑤
06 ③ 07 ⑤ 08 ⑤ 09 ④ 10 ⑤
11 ⑤ 12 ① 13 ③ 14 ④ 15 ②
16 ① 17 ⑤ 18 ② 19 ① 20 ①

✦7일차

기출 유사 (본문 78~81쪽)

01 ④ 02 ③ 03 ⑤ 04 ①

기초력 집중드릴 (본문 82~87쪽)

01 ③ 02 ③ 03 ④ 04 ④ 05 ⑤
06 ④ 07 ① 08 ① 09 ② 10 ⑤
11 ② 12 ④ 13 ⑤ 14 ④ 15 ④
16 ② 17 ⑤ 18 ① 19 ③ 20 ④

✦통합 모의고사 8~10일차

8일차 누구나 100점 1회

1 ② 2 ① 3 ③ 4 ② 5 ③
6 ④ 7 ④ 8 ① 9 ⑤ 10 ④

8일차 누구나 100점 2회

1 ④ 2 ④ 3 ③ 4 ③ 5 ②
6 ② 7 ④ 8 ① 9 ② 10 ②

9일차 수능 기초 예상 문제 1회

1 ③ 2 ③ 3 ④ 4 ② 5 ③
6 ⑤ 7 ② 8 ⑤ 9 ④ 10 ④
11 ③ 12 ③ 13 ② 14 ⑤ 15 ②
16 ③ 17 ② 18 ② 19 ① 20 ①

10일차 수능 기초 예상 문제 2회

1 ③ 2 ② 3 ⑤ 4 ⑤ 5 ④
6 ⑤ 7 ③ 8 ⑤ 9 ③ 10 ①
11 ⑤ 12 ② 13 ① 14 ④ 15 ②
16 ③ 17 ③ 18 ③ 19 ④ 20 ④

빠른 정답 확인

사회탐구 영역

수능 기초 10일 격파 사회·문화

구성과 활용

공부할 내용
해당 일차에서 공부할 내용을 정리하였습니다.

미리보기
오늘 학습할 내용을 만화로 미리 살펴 볼 수 있게 구성하였습니다.

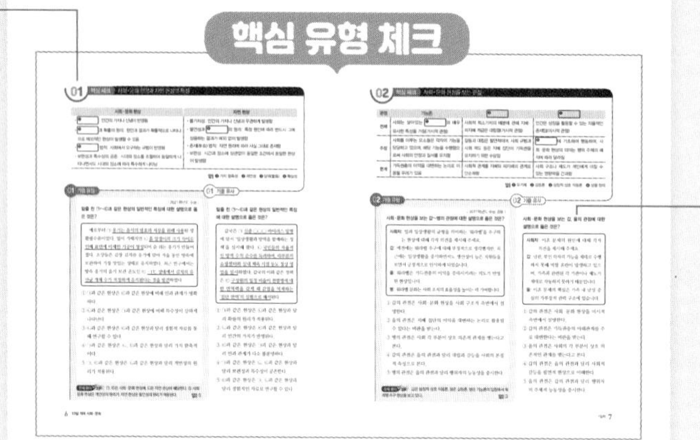

핵심 체크
수능에서 다루게 되는 개념을 정리하였습니다.

기출 유형&기출 유사
수능에서 출제되었던 문제를 변형한 기출 유형과 기출 유사를 제시하여 문제를 완벽히 익힐 수 있게 하였습니다.

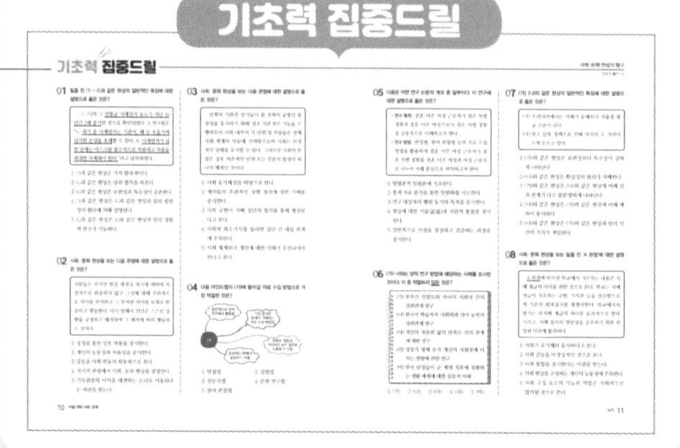

기초력 집중 드릴
수능 기출 문제를 변형하여 실제 수능에서 반드시 맞혀야할 문제를 대비할 수 있게 하였습니다.

차례

10일 동안 공부할 날짜를 정하여 계획에 따라 공부해 보세요.

사회 · 문화 현상의 탐구

오늘 공부할 내용 미리보기

사회 · 문화 현상의 특징

봄이 되면 벚꽃 명소인 거리와 공원에는 사람들로 북적거리고, 벚꽃 명소에는 어김없이 벚꽃 축제가 열린다.

공부할 내용

사회·문화 현상의 연구 방법

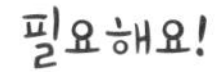

01 핵심 체크 사회·문화 현상과 자연 현상의 특징

사회·문화 현상	자연 현상
• ❶ [　　　]: 인간의 가치나 신념이 반영됨 • ❷ [　　　]과 확률의 원리: 원인과 결과가 확률적으로 나타나므로 예외적인 현상이 발생할 수 있음 • ❸ [　　　] 법칙: 사회에서 요구하는 규범이 반영됨 • 보편성과 특수성의 공존: 시대와 장소를 초월하여 동일하게 나타나면서도 시대와 장소에 따라 특수하게 나타남	• 몰가치성: 인간의 가치나 신념과 무관하게 발생함 • 필연성과 ❹ [　　　]의 원리: 특정 원인에 따라 반드시 그에 상응하는 결과가 예외 없이 발생함 • 존재(存在) 법칙: 자연 원리에 따라 사실 그대로 존재함 • 보편성: 시간과 장소에 상관없이 동일한 조건에서 동일한 현상이 발생함

답| ❶ 가치 함축성 ❷ 개연성 ❸ 당위(當爲) ❹ 확실성

01 기출 유형

| 2021학년도 수능 |

밑줄 친 ㉠~㉢과 같은 현상의 일반적인 특징에 대한 설명으로 옳은 것은?

> 예로부터 ㉠ 옹기는 음식의 발효와 저장을 위해 사용된 생활필수품이었다. 열이 가해지면 ㉡ 흙 알갱이의 크기 차이로 인해 표면에 미세한 기공이 형성되어 숨 쉬는 옹기가 만들어졌다. 조상들은 김장 김치를 옹기에 담아 겨울 동안 땅속에 보관하여 가장 맛있는 상태로 유지하였다. 최근 연구에서는 땅속 옹기의 음식 보관 온도인 ㉢ −1℃ 상태에서 김치의 유산균 개체 수가 적정하게 유지된다는 것을 발견하였다.

① ㉠과 같은 현상은 ㉢과 같은 현상에 비해 인과 관계가 명확하다.
② ㉡과 같은 현상은 ㉠과 같은 현상에 비해 특수성이 강하게 나타난다.
③ ㉡과 같은 현상은 ㉢과 같은 현상과 달리 경험적 자료를 통해 연구할 수 있다.
④ ㉠과 같은 현상은 ㉡, ㉢과 같은 현상과 달리 가치 함축적이다.
⑤ ㉠, ㉢과 같은 현상은 ㉡과 같은 현상과 달리 개연성의 원리가 적용된다.

문제 풀이 TIP ㉠, ㉢은 사회·문화 현상에, ㉡은 자연 현상에 해당한다. ⑤ 사회·문화 현상은 개연성의 원리가, 자연 현상은 필연성의 원리가 적용된다. 답| ⑤

01 기출 유사

밑줄 친 ㉠~㉢과 같은 현상의 일반적인 특징에 대한 설명으로 옳은 것은?

> 갑국은 ㉠ 신종 ○○○ 바이러스 발병에 맞서 '일상생활과 방역을 함께하는 정책'을 실시해 왔다. ㉡ 국민들의 자율적인 방역 수칙 준수를 독려하며, 대부분의 쇼핑센터와 실내 체육 시설 등도 정상 영업을 실시하였다. 갑국의 이와 같은 정책은 ㉢ 구성원의 일정 비율이 전염병에 대한 면역력을 갖게 해 감염을 억제하는 '집단 면역'의 실험으로 해석된다.

① ㉠과 같은 현상은 ㉡과 같은 현상과 달리 확률의 원리가 적용된다.
② ㉡과 같은 현상은 ㉢과 같은 현상과 달리 인간의 가치가 반영된다.
③ ㉢과 같은 현상은 ㉠과 같은 현상과 달리 인과 관계가 다소 불분명하다.
④ ㉠과 같은 현상은 ㉡, ㉢과 같은 현상과 달리 보편성과 특수성이 공존한다.
⑤ ㉢과 같은 현상은 ㉠, ㉡과 같은 현상과 달리 경험적인 자료로 연구할 수 있다.

02 핵심 체크 사회·문화 현상을 보는 관점

관점	기능론	❷	❸
전제	사회는 살아있는 ❶ 와 매우 유사한 특성을 가짐(거시적 관점)	사회적 희소가치의 배분에 관해 지배·피지배 계급은 대립함(거시적 관점)	인간은 상징을 활용할 수 있는 자율적인 존재임(미시적 관점)
주장	사회를 이루는 요소들은 각자의 기능을 담당하고 있으며, 해당 기능을 수행함으로써 사회의 안정과 질서를 유지함	갈등과 대립은 필연적이며, 사회 규범과 사회 제도 등은 지배 집단이 기득권을 유지하기 위한 수단임	❹ 에 기초하여 행동하며, 사회·문화 현상의 의미는 행위 주체의 해석에 따라 달라짐
한계	기득권층의 이익을 대변하는 논리로 이용될 우려가 있음	사회적 관계를 지배와 피지배의 관계로 단순화함	사회 구조나 제도가 개인에게 미칠 수 있는 영향력을 간과함

답| ❶ 유기체 ❷ 갈등론 ❸ 상징적 상호 작용론 ❹ 상황 정의

02 기출 유형

| 2021학년도 수능 응용 |

사회·문화 현상을 보는 갑~병의 관점에 대한 설명으로 옳은 것은?

> **사회자**: 일과 일상생활의 균형을 의미하는 '워라밸'을 추구하는 현상에 대해 각자 의견을 제시해 주세요.
> **갑**: 예전에는 워라밸 추구에 대해 부정적으로 생각했지만, 최근에는 일상생활을 중시하면서도 생산성이 높은 직원들을 보면서 긍정적으로 인식하게 되었습니다.
> **을**: 워라밸은 기득권층의 이익을 증대시키려는 의도가 반영된 현상입니다.
> **병**: 워라밸 문화는 사회 조직의 효율성을 높이는 데 기여합니다.

① 갑의 관점은 사회·문화 현상을 사회 구조적 측면에서 설명한다.
② 을의 관점은 지배 집단의 이익을 대변하는 논리로 활용될 수 있다는 비판을 받는다.
③ 병의 관점은 사회 각 부분이 상호 의존적 관계를 맺는다고 본다.
④ 갑의 관점은 을의 관점과 달리 대립과 갈등을 사회의 본질적 속성으로 본다.
⑤ 병의 관점은 을의 관점과 달리 행위자의 능동성을 중시한다.

문제 풀이 TIP 갑은 상징적 상호 작용론, 을은 갈등론, 병은 기능론의 입장에서 워라밸 추구 현상을 보고 있다.

답| ③

02 기출 유사

사회·문화 현상을 보는 갑, 을의 관점에 대한 설명으로 옳은 것은?

> **사회자**: 이혼 문제의 원인에 대해 각자 의견을 제시해 주세요.
> **갑**: 남편, 부인 각자의 기능을 제대로 수행하지 못해 역할 혼란이 발생하고 있으며, 가족과 관련된 각 기관이나 제도가 제대로 작동하지 못하기 때문입니다.
> **을**: 이혼 문제의 핵심은 가족 내 남성 중심의 가부장적 권력 구조에 있습니다.

① 갑의 관점은 사회·문화 현상을 미시적 측면에서 설명한다.
② 갑의 관점은 기득권층의 이해관계를 주로 대변한다는 비판을 받는다.
③ 을의 관점은 사회의 각 부분이 상호 의존적인 관계를 맺는다고 본다.
④ 갑의 관점은 을의 관점과 달리 사회적 갈등을 필연적 현상으로 이해한다.
⑤ 을의 관점은 갑의 관점과 달리 행위자의 주체적 능동성을 중시한다.

03 핵심 체크 사회·문화 현상의 연구 방법

구분	양적 연구 방법	질적 연구 방법
전제	사회·문화 현상은 자연 현상의 연구 방법과 동일한 연구 방법으로 연구가 가능함 → ❶ ( )	사회·문화 현상은 자연 현상의 연구 방법으로는 정확히 연구할 수 없음 → ❷ ( )
연구 목적	사회·문화 현상의 법칙 발견	사회·문화 현상의 심층적 이해
유용성	• 정밀하고 정확한 연구 결과를 얻을 수 있음. • 일반화된 법칙 발견에 유리함	사회·문화 현상의 내면적 의미를 심층적으로 이해하는 데 유리함
한계	인간의 주관적 영역의 탐구가 어려움	연구자의 주관적 가치가 개입될 우려가 큼

답| ❶ 방법론적 일원론 ❷ 방법론적 이원론

03 기출 유형

| 2019학년도 학평 |

사회·문화 현상의 연구 방법 A, B에 대한 옳은 설명을 〈보기〉에서 고른 것은?

자연 현상과 마찬가지로 사회·문화 현상에도 규칙성이 존재한다고 보는 사람들은 A를 통해 사회·문화 현상을 연구해야 한다고 주장한다. 이와 달리 사회·문화 현상은 행위 주체에 의해 의미가 부여되기 때문에 규칙성을 갖지 않는다고 보는 사람들은 B를 통해 사회·문화 현상을 연구해야 한다고 주장한다.

보기

ㄱ. A는 연구자의 감정 이입적 이해를 중시한다.

ㄴ. B는 통계 분석을 위해 계량화된 자료를 선호한다.

ㄷ. A와 달리 B는 연구 대상자의 의도 및 행위 동기를 심층적으로 이해하는 데 적합하다.

ㄹ. B와 달리 A는 변인 간의 관계 규명을 통한 법칙 발견을 목적으로 한다.

① ㄱ, ㄴ ② ㄱ, ㄷ ③ ㄴ, ㄷ ④ ㄴ, ㄹ ⑤ ㄷ, ㄹ

문제 풀이 TIP 자연 현상과 마찬가지로 사회·문화 현상에도 규칙성이 존재한다고 보는 연구 방법은 양적 연구 방법에 해당한다. 반면에 사회·문화 현상은 행위 주체에 의해 의미가 부여되기 때문에 규칙성을 갖지 않는다고 보는 연구 방법은 질적 연구 방법에 해당한다. 따라서 A는 양적 연구 방법, B는 질적 연구 방법이다. ㄱ. 연구자의 감정 이입적 이해를 중시하는 연구 방법은 질적 연구 방법이다. ㄴ. 통계 분석을 위해 계량화된 자료를 선호하는 연구 방법은 양적 연구 방법이다. **답|** ⑤

03 기출 유사

사회·문화 현상의 연구 방법 A, B에 대한 설명으로 옳은 것은?

A는 사회·문화 현상이 자연 현상과 본질적으로 다른 특성을 지니고 있기 때문에 자연 현상의 연구 방법으로 사회·문화 현상을 연구할 수 없다고 본다. 이와 달리 B는 사회·문화 현상이 자연 현상과 본질적으로 다르지 않으므로 자연 현상의 연구 방법과 동일한 연구 방법으로 사회·문화 현상을 연구할 수 있다고 본다.

① A는 사회·문화 현상의 일반화된 법칙 발견을 중시한다.
② B는 일기, 낙서, 메모 등의 비공식적 자료의 수집을 중시한다.
③ A는 B와 달리 인간 행위의 이면에 담긴 의미 파악을 중시한다.
④ B는 A와 달리 직관적 통찰과 감정 이입적 이해 기법을 통해 자료를 해석한다.
⑤ A와 B 모두 변인 간의 관계 규명을 통한 일반화된 법칙 발견을 목적으로 한다.

04 핵심 체크 자료 수집 방법

질문지법	• 질문지를 조사 대상자에게 제시하여 자료를 수집하는 방법, 양적 연구 활용 • 다수를 대상으로 대량의 자료 수집에 유용, 문맹자에게 사용 곤란, 성의 없는 응답
❶	• 실험 집단에 인위적인 자극을 가한 후 통제 집단과 비교하여 자료를 수집하는 방법, 양적 연구 활용 • 변수 간 인과 관계 파악 용이, 실증적 자료 수집 용이, 완벽한 통제 어려움, 윤리적 문제 발생
❷	• 연구자가 조사 대상자를 직접 만나 대화를 통해 자료를 수집하는 방법, 질적 연구 활용 • 심층적인 자료 수집 가능, 문맹자에게 가능, 시간과 비용이 많이 듦, 연구자의 주관 개입 우려
❸	• 연구자가 조사 대상자의 일상생활 세계에 참여하여 자료를 수집하는 방법, 질적 연구 활용 • 의사소통이 곤란한 집단에도 사용 가능, 자료의 실제성 확보, 시간과 비용이 많이 듦, 연구자의 주관 개입 우려
문헌 연구법	• 기존 연구의 결과물이나 역사적인 문헌을 통해 필요한 정보를 수집하는 방법, 양적·질적 연구 활용 • 시간과 비용 측면에서 효율적임, 문헌의 신뢰성과 정확성 확보 곤란, 연구자의 주관 개입 우려

답 | ❶ 실험법 ❷ 면접법 ❸ 참여 관찰법

04 기출 유형

| 2021학년도 수능 |

자료 수집 방법 A~C의 일반적인 특징에 대한 설명으로 옳은 것은?(단, A~C는 각각 면접법, 실험법, 질문지법 중 하나이다.)

> • 갑은 '운동에 따른 행복도 차이 연구'에 A를 활용하여 무작위로 선정된 성인 200명을 대상으로 주당 운동 시간과 행복 수준을 묻는 문항에 답하게 하였다.
> • 을은 '노년층의 인터넷 이용 양상 연구'에 B를 활용하여 인터넷 동호회 활동을 하고 있는 노인들과의 대화를 통해 비구조화된 질문에 답하게 하였다.
> • 병은 '음악 청취가 암기력에 미치는 영향 연구'에 C를 활용하여 한 집단은 음악이 있는 상태에서, 다른 집단은 음악이 없는 상태에서 단어를 학습한 후 평가 문항에 답하게 했다.

① A는 B에 비해 조사 대상자와의 정서적 교감을 중시한다.
② B는 A와 달리 언어를 매개로 한 상호 작용이 필수적이다.
③ C는 B와 달리 조사 대상자의 반응에 유연하게 대처할 수 있다.
④ B는 A, C와 달리 조사 대상자의 주관적 인식을 파악할 수 있다.
⑤ C는 A, B에 비해 자료 수집 상황에 대한 통제 수준이 높다.

문제 풀이 TiP A는 질문지법, B는 면접법, C는 실험법에 해당한다. 답 | ⑤

04 기출 유사

자료 수집 방법 A, B의 일반적인 특징으로 옳은 것은? (단, A, B는 각각 질문지법, 참여 관찰법 중 하나이다.)

> • 소방관 안전 실태 연구를 위해 A를 활용하여 6개월간 소방관들과 함께 생활하며 관찰하였다.
> • 학교 폭력 경험이 있는 중학생 500명을 대상으로 B를 활용하여 학교 폭력 경험과 학교 생활 만족도와의 상관관계를 분석하였다.

① A는 B와 달리 연구자의 가치가 개입될 가능성이 낮다.
② A는 B와 달리 언어를 매개로 한 상호 작용이 필수적이다.
③ B는 A에 비해 수집된 자료를 통계적으로 처리하기가 용이하다.
④ B는 A에 비해 자료 수집 과정에서 연구자의 유연성이 높다.
⑤ A와 B는 공통적으로 표준화·구조화된 도구를 사용하여 자료를 수집한다.

기초력 집중드릴

01 밑줄 친 ㉠~㉢과 같은 현상의 일반적인 특징에 대한 설명으로 옳은 것은?

> ○○시의 ㉠ 연평균 미세먼지 농도가 지난 10년간 2배 증가한 것으로 확인되었다. A 연구원은 "㉡ 대기 중 미세먼지는 기관지, 폐 등 호흡기에 심각한 손상을 초래할 수 있다. ㉢ 미세먼지가 심한 날에는 마스크를 필수적으로 착용하고 외출을 최대한 자제해야 한다."라고 당부하였다.

① ㉠과 같은 현상은 가치 함축적이다.
② ㉡과 같은 현상은 당위 법칙을 따른다.
③ ㉢과 같은 현상은 보편성과 특수성이 공존한다.
④ ㉠과 같은 현상은 ㉡과 같은 현상과 달리 필연성의 원리에 의해 설명된다.
⑤ ㉡과 같은 현상은 ㉢과 같은 현상과 달리 경험적 연구가 가능하다.

02 사회·문화 현상을 보는 다음 관점에 대한 설명으로 옳은 것은?

> 사람들은 주어진 현실 세계나 자극에 대하여 직접적으로 반응하지 않고 그것에 대해 주관적으로 의미를 부여하고 그 부여된 의미를 토대로 반응하고 행동한다. 다시 말해서 인간은 스스로 상황을 규정하고 해석하며 그 해석에 따라 행동하는 것이다.

① 상징을 통한 상호 작용을 경시한다.
② 개인의 능동성과 자율성을 중시한다.
③ 갈등을 사회 변동의 원동력으로 본다.
④ 거시적 관점에서 사회·문화 현상을 설명한다.
⑤ 기득권층의 이익을 대변하는 논리로 이용된다는 비판을 받는다.

03 사회·문화 현상을 보는 다음 관점에 대한 설명으로 옳은 것은?

> 인체의 기관과 장기들이 몸 전체의 균형인 항상성을 유지하기 위해 상호 의존적인 기능을 수행하듯이 사회 내부의 각 단위 및 부분들은 전체 사회 체계의 작동에 기여함으로써 사회는 안정적인 상태를 유지할 수 있다. 그러므로 사회의 본질은 상호 의존적인 단위 또는 부분의 합성인 하나의 체계인 것이다.

① 사회 유기체설을 바탕으로 한다.
② 개인들의 주관적인 상황 정의에 대한 이해를 중시한다.
③ 사회 규범이 지배 집단의 합의를 통해 형성된다고 본다.
④ 사회적 희소가치를 둘러싼 집단 간 대립 관계에 주목한다.
⑤ 사회 체계보다 개인에 대한 이해가 우선되어야 한다고 본다.

04 다음 마인드맵의 (가)에 들어갈 자료 수집 방법으로 가장 적절한 것은?

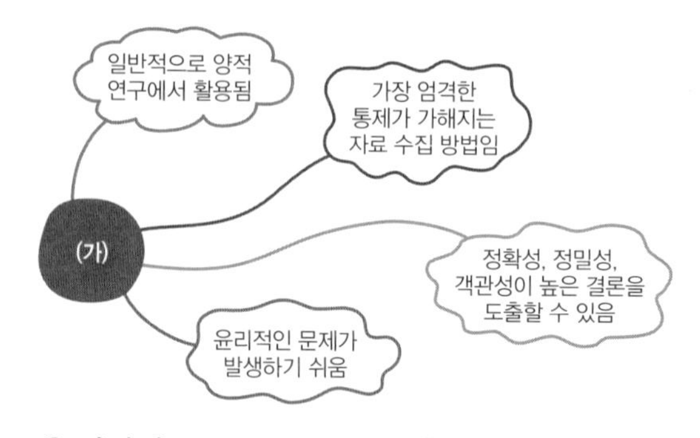

① 면접법 ② 실험법
③ 질문지법 ④ 문헌 연구법
⑤ 참여 관찰법

05 다음은 어떤 연구 논문의 개요 중 일부이다. 이 연구에 대한 설명으로 옳은 것은?

- **연구 목적**: 결혼 이주 여성 근로자가 겪은 차별 경험과 결혼 이주 여성으로서 겪은 차별 경험을 심층적으로 이해하고자 한다.
- **연구 방법**: 면접법, 참여 관찰법 등의 자료 수집 방법을 활용하여 결혼 이주 여성 근로자가 겪은 차별 경험을 결혼 이주 여성과 여성 근로자로 나누어 사례 중심으로 파악하고자 한다.

① 방법론적 일원론에 기초한다.
② 통계 자료 분석을 통한 일반화를 시도한다.
③ 연구 대상자의 행위 동기와 목적을 중시한다.
④ 현상에 대한 기술(記述)과 직관적 통찰을 경시한다.
⑤ 일반적으로 가설을 설정하고 검증하는 과정을 중시한다.

06 (가)~(마)는 양적 연구 방법에 해당하는 사례를 조사한 것이다. 이 중 적절하지 않은 것은?

(가) 부부간 친밀도와 자녀의 사회성 간의 상관관계 연구
(나) 한국어 학습자의 어휘력과 언어 능력의 상관관계 연구
(다) 개인의 계층과 삶의 만족도 간의 관계에 대한 연구
(라) 성장기 형제 수가 개인의 사회성에 미치는 영향에 관한 연구
(마) 한국 남성들이 군 제대 직후에 경험하는 생활 세계에 대한 심층적 이해

① (가) ② (나) ③ (다) ④ (라) ⑤ (마)

07 (가), (나)와 같은 현상의 일반적인 특징에 대한 설명으로 옳은 것은?

(가) 우리나라에서는 서해가 동해보다 겨울철 평균 수온이 낮다.
(나) 암소 감축 정책으로 인해 산지의 소 가격이 크게 오르고 있다.

① (가)와 같은 현상은 보편성보다 특수성이 강하게 나타난다.
② (나)와 같은 현상은 확실성의 원리가 지배한다.
③ (가)와 같은 현상은 (나)와 같은 현상에 비해 인과 관계가 다소 불분명하게 나타난다.
④ (나)와 같은 현상은 (가)와 같은 현상에 비해 예측이 용이하다.
⑤ (나)와 같은 현상은 (가)와 같은 현상과 달리 인간의 가치가 개입된다.

08 사회·문화 현상을 보는 밑줄 친 'A 관점'에 대한 설명으로 옳은 것은?

<u>A 관점</u>에 따르면 학교에서 가르치는 내용은 지배 계급의 이익을 위한 것으로 본다. 학교는 지배 계급이 선호하는 규범, 가치관 등을 전수함으로써 기존의 위계질서를 재생산한다. 학교에서의 평가는 피지배 계급의 자녀를 효과적으로 탈락시키고, 지배 질서의 정당성을 강조하기 위한 위장된 이념에 불과하다.

① 사회가 유기체와 유사하다고 본다.
② 사회 갈등을 비정상적인 것으로 본다.
③ 사회 통합을 경시한다는 비판을 받는다.
④ 사회 현상을 구성하는 개인의 능동성에 주목한다.
⑤ 사회 구성 요소의 기능과 역할은 사회적으로 합의된 것으로 본다.

09 다음 내용에 해당하는 자료 수집 방법에 대한 설명으로 옳지 않은 것은?

- 비구조화·비표준화된 자료 수집 방법이다.
- 일반적으로 질적 자료를 수집할 목적으로 활용된다.
- 래포(rapport) 형성이 조사 목적 달성에 중요한 역할을 한다.

① 대화를 통해 자료를 수집하므로 문맹자에게도 실시할 수 있다.
② 자료 수집 과정에서 조사자가 유연성이나 융통성을 발휘할 수 있다.
③ 심층적인 조사를 위해 소수를 대상으로 수행하는 경우가 일반적이다.
④ 조사자의 편견이나 주관적 가치가 자료 해석 과정에 개입할 우려가 크다.
⑤ 분석 기준이 명확하고 통계 처리가 용이하여 비교 분석 연구에 적합하다.

10 법과 범죄를 보는 다음 관점에 대한 설명으로 옳은 것은?

대부분의 사람들은 사회 전체의 합의를 통해 만들어진 법을 준수한다. 그러나 일부 사람들이 법을 어기고 사회적 희소가치를 획득하려 하는데, 이러한 범죄는 사회의 원활하고 효율적인 기능을 방해하거나 사회의 존립 자체를 위협한다.

① 행위자의 능동성과 자율성을 중시한다.
② 사회 구조를 지배와 피지배 관계로 단순화한다.
③ 사회는 스스로 균형을 유지하려는 속성을 지닌다.
④ 사회의 질서 유지 및 안정 회복 능력을 간과한다.
⑤ 사회·문화 현상에 대한 상황 맥락적 이해를 중시한다.

11 자료 수집 방법 A, B의 일반적인 특징에 대한 옳은 설명을 〈보기〉에서 고른 것은?(단, A, B는 각각 질문지법과 면접법 중 하나이다.)

구분	사례
A	청소년들의 비행 친구 교제 여부와 비행 간의 상관관계를 분석하기 위해 1,000명의 청소년을 대상으로 설문 조사를 진행하였다.
B	가출 청소년의 가출 동기를 이해하기 위해 10명의 가출 청소년을 대상으로 3개월간 6회에 걸쳐 직접 만나 솔직한 이야기를 들었다.

보기

ㄱ. A는 질적 자료를 수집하기에 용이하다.
ㄴ. B는 조사자의 주관적 가치가 개입될 가능성이 크다.
ㄷ. A는 B에 비해 자료 수집 상황에 대한 통제 정도가 높다.
ㄹ. B는 A와 달리 연구 대상자와의 언어적 상호작용이 필수적이다.

① ㄱ, ㄴ ② ㄱ, ㄷ ③ ㄴ, ㄷ ④ ㄴ, ㄹ ⑤ ㄷ, ㄹ

12 다음 사례에서 도출할 수 있는 사회·문화 현상의 특징으로 가장 적절한 것은?

세계 어느 나라, 어느 지역에나 상대방에게 반가움을 표현하는 인사법이 존재한다. 다만 그 방법은 나라와 지역마다 다양하다. 손이나 얼굴 표정으로 표현하는 경우도 있고, 특정한 몸동작이나 음률이 있는 노래로 표현하는 경우도 있다.

① 몰가치적이다.
② 존재 법칙의 지배를 받는다.
③ 보편성과 특수성이 공존한다.
④ 인간의 의지와 무관하게 나타난다.
⑤ 인과 관계가 예외없이 분명하게 나타난다.

13 다음 자료 수집 방법에 대한 설명으로 옳은 것은?

> 폭력적인 게임과 청소년의 폭력 성향 간의 관계를 연구하기 위해 청소년을 대상으로 폭력적인 게임을 하는 횟수와 폭력적 성향을 측정할 수 있는 질문지를 배포하였다. 회수된 질문지를 바탕으로 하여 두 변수의 상관관계를 분석하였다.

① 자료의 실제성을 확보할 수 있다.
② 시간과 비용 측면에서 비효율적이다.
③ 의사소통이 곤란한 대상에게도 적용할 수 있다.
④ 자료 수집 과정에서 조사자가 융통성을 발휘할 수 있다.
⑤ 문자 언어를 통해 조사할 경우 문맹자에게 활용하기 곤란하다.

14 교사의 제안을 바르게 이행하지 못한 학생은?

교사: 질적 연구 방법과 관련된 사례를 조사해 보도록 할까요?

갑: 개인의 계층과 삶의 만족도 간의 상관관계 연구에 대해 조사해 볼게요!

을: 밀레니엄 세대들이 일과 여가에 부여하는 의미에 대한 연구를 조사해 볼게요!

병: 베이비붐 세대들의 삶을 통해 일과 은퇴의 경험적 의미에 대한 연구를 조사해 볼게요!

정: 귀농인들의 농촌 생활 적응 과정 및 인생관 변화에 대한 생애사 연구를 조사해 볼게요!

무: 중등 사회 예비 교사의 진학 동기, 사회 전공 공부 경험에 관한 사례 연구를 조사해 볼게요!

① 갑 ② 을 ③ 병 ④ 정 ⑤ 무

15 (가), (나) 연구 방법의 일반적인 특징에 대한 옳은 설명을 〈보기〉에서 고른 것은?

연구 주제	소득 수준에 따른 명품 소비의 인식 차이	
연구 방법	(가)	(나)
연구 개요	소득 수준별로 대상자 15명을 선정하여 심층 면접을 진행한 후 소득 수준에 따른 명품 소비의 인식을 심층적으로 이해함	표본 1,000명을 선정하여 설문 조사를 실시한 후 소득 수준과 명품 소비 간의 상관관계를 분석함

보기
ㄱ. (가)는 방법론적 일원론에 근거한다.
ㄴ. (나)는 통계 분석을 활용해 결론을 도출한다.
ㄷ. (가)는 (나)와 달리 연구자의 직관적 통찰을 강조한다.
ㄹ. (나)는 (가)와 달리 1차 자료를 바탕으로 경험적 연구를 진행하였다.

① ㄱ, ㄴ ② ㄱ, ㄷ ③ ㄴ, ㄷ ④ ㄴ, ㄹ ⑤ ㄷ, ㄹ

16 밑줄 친 ㉠~㉢과 같은 현상의 일반적인 특징에 대한 설명으로 옳은 것은?

> 제주도에 있는 섭지코지의 '코지'는 ㉠ 바다로 돌출되어 나온 지형을 뜻하는 곶의 제주 방언입니다. ㉡ 해돋이로 유명한 성산일출봉이 지척에 있고, ㉢ 제주도에서 해안 절경 감상의 최고 위치로 인정받고 있습니다.

① ㉠과 같은 현상은 가치 함축적이다.
② ㉡과 같은 현상은 확률의 원리를 따른다.
③ ㉢과 같은 현상은 인과 관계가 분명하다.
④ ㉠과 같은 현상은 ㉡과 같은 현상과 달리 보편성이 나타난다.
⑤ ㉡과 같은 현상은 ㉢과 같은 현상과 달리 당위 법칙의 지배를 받는다.

17 다음 연구에서 사용된 자료 수집 방법의 일반적 특징에 대한 옳은 설명을 〈보기〉에서 고른 것은?

> 연구자 갑은 제도적으로 마련된 통합 교육 환경 속에서 장애 유아와 비장애 유아가 상호 작용을 통해 어떻게 변화하는지, 그 교육적 의미는 무엇인지 살펴보고자 장애 통합 교육을 실시하는 한 어린이집을 선정하여 6개월 동안 유아들과 함께 지내면서 모든 과정을 관찰하고 기록하였다.

보기
ㄱ. 문맹자를 대상으로 실시할 수 있다.
ㄴ. 구조화·표준화된 자료 수집 방법이다.
ㄷ. 자료의 실제성을 확보하기에 용이하다.
ㄹ. 질적 자료보다 양적 자료 수집에 적합하다.

① ㄱ, ㄴ ② ㄱ, ㄷ ③ ㄴ, ㄷ ④ ㄴ, ㄹ ⑤ ㄷ, ㄹ

18 갑, 을의 관점에 대한 설명으로 옳은 것은?

① 갑의 관점은 사회 구성 요소들 간의 대립과 갈등을 간과한다.
② 을의 관점은 사회 규범에 사회 전체의 합의가 반영되어 있다고 본다.
③ 갑의 관점은 을과 달리 사람들이 구성해 내는 주관적 생활 세계를 중시한다고 본다.
④ 을의 관점은 갑과 달리 사회 구성원들이 상황 정의를 바탕으로 행동한다고 본다.
⑤ 갑, 을의 관점 모두 사회를 유기체로 간주하는 거시적 관점에 해당한다.

19 자료 수집 방법 A~C의 일반적인 특징에 대한 설명으로 옳은 것은?(단, A~C는 각각 면접법, 문헌 연구법, 참여 관찰법 중 하나이다.)

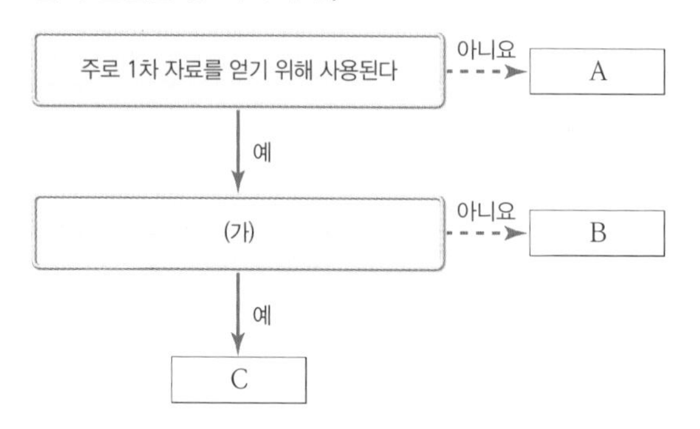

① A는 B와 달리 연구 대상자와의 정서적 교감을 중시한다.
② B와 C는 일상생활을 심층적으로 파악하기에 용이하다.
③ (가)에 '양적 연구에 주로 사용되는가?'가 들어갈 수 있다.
④ (가)에 '질적 연구에 주로 사용되는가?'가 들어갈 수 있다.
⑤ (가)에 '원하는 현상이 나타날 때까지 장시간 기다려야 하는 경우가 발생하는가?'가 들어가면, C는 면접법이다.

· 정답과 풀이 3쪽

20 그림은 사회·문화 현상을 보는 관점 A~C를 구분한 것이다. 이에 대한 설명으로 옳은 것은?(단, A~C는 각각 기능론, 갈등론, 상징적 상호 작용론 중 하나이다.)

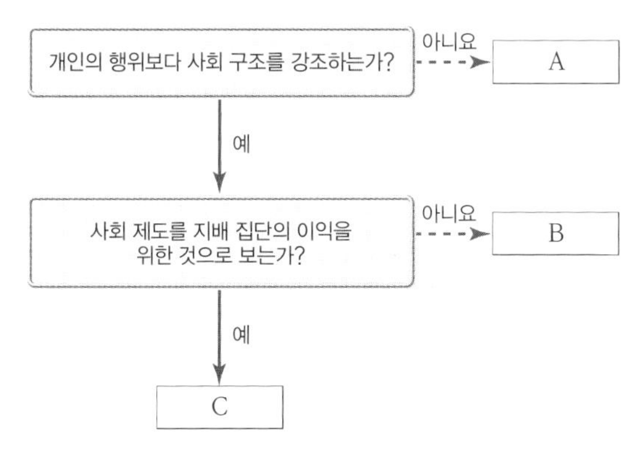

① A는 지배 계급과 피지배 계급의 이익은 양립할 수 없다고 본다.
② B는 사회 구성원들이 상황 정의를 바탕으로 행동한다고 본다.
③ C는 사회 구조나 제도가 개인에게 미칠 수 있는 영향력을 간과한다는 한계를 지닌다.
④ B는 A와 달리 개개인의 행위를 초월한 사회 체계에 초점을 맞추어 사회·문화 현상을 이해한다고 본다.
⑤ C는 B와 달리 사회의 각 부분들이 사회 전체의 존속과 통합을 위해 각각의 기능을 수행한다고 본다.

21 다음은 어떤 연구 방법의 특징을 설명한 것이다. (가)에 들어갈 수 있는 내용만을 〈보기〉에서 있는 대로 고른 것은?

- 인위적인 조작을 가하지 않은 상황에서 있는 그대로의 현상을 이해하고자 한다.
- 연구자가 아닌 행위자, 즉 연구 대상이 자신의 경험에 대하여 부여하는 의미를 추출하여 사회·문화 현상을 이해하고자 한다.
- (가)

보기

ㄱ. 자연 현상의 연구 방법으로는 사회·문화 현상을 연구할 수 없다고 본다.
ㄴ. 연구 대상이 부여하는 의미를 전체적인 상황 맥락 속에서 이해하고자 한다.
ㄷ. 사회·문화 현상에 내재한 규칙성을 발견함으로써 일반화를 정립하거나 법칙을 발견하고자 한다.
ㄹ. 연구자의 직관적 통찰과 감정 이입을 활용하여 연구 대상자의 주관적 의식과 행동을 이해하고자 한다.

① ㄱ, ㄴ ② ㄴ, ㄷ ③ ㄷ, ㄹ
④ ㄱ, ㄴ, ㄹ ⑤ ㄴ, ㄷ, ㄹ

02 일차 사회·문화 현상의 탐구 태도 ~ 사회적 존재로서의 인간

오늘 공부할 내용 미리보기

사회·문화 현상의 탐구 태도

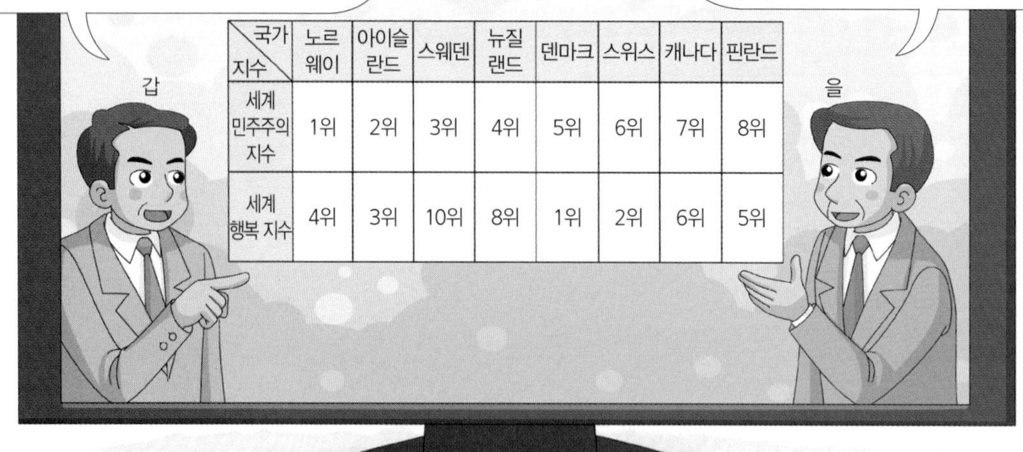

지수 \ 국가	노르웨이	아이슬란드	스웨덴	뉴질랜드	덴마크	스위스	캐나다	핀란드
세계 민주주의 지수	1위	2위	3위	4위	5위	6위	7위	8위
세계 행복 지수	4위	3위	10위	8위	1위	2위	6위	5위

공부할 내용

연구 윤리

지위와 역할

우리는 다양한 사회 집단에 동시에 소속되어 있다. 내가 속한 집단에서 차지하는 위치와 그 위치에서 내가 어떻게 행동하기를 기대하는지 생각해 보자.

01 핵심 체크 사회·문화 현상의 탐구 태도

❶ [ ] 태도	사회·문화 현상을 보이는 그대로 수동적으로 받아들이는 것이 아니라 사회적 맥락 속에서 그 적합성을 따져 보고, 현상의 이면에 담겨 있는 발생 원인이나 원리, 의미 등을 능동적으로 살펴보는 태도
객관적 태도	탐구 과정에서 연구자가 자신의 주관적 가치나 편견, 이해관계 등을 배제하고 사회·문화 현상이 가진 사실로서의 특성만을 파악하는 태도
❷ [ ] 태도	사회·문화 현상의 연구 방법이나 연구 관점이 다양할 수 있으므로 자신의 주장과 다른 주장이 존재할 수 있음을 인정하고, 자신의 주장에 대한 비판을 허용하는 태도
상대주의적 태도	사회·문화 현상을 탐구할 때 연구자 자신의 문화적 맥락이나 배경을 떠나 사회·문화 현상이 발생한 맥락이나 배경을 고려하여 연구하려는 태도

답| ❶ 성찰적 ❷ 개방적

01 기출 유형

| 2017학년도 수능 |

다음에서 공통적으로 나타나는 사회·문화 현상의 탐구 태도에 대한 진술로 가장 적절한 것은?

- 사회학자의 임무는 어떤 사회·문화 현상에 대해 정확하게 보고하는 것이다. 사회학자의 보고에는 그의 취향이나 선호가 반영되지 않아야 한다.
- 사회학의 연구 대상은 경험한 것이나 경험할 수 있는 것에 한정되어야 한다. 또한 사회학자는 인간의 삶과 행위의 관찰 과정에서 제3자의 관점을 취해야 한다.

① 사회·문화 현상을 보는 관점이 다양할 수 있음을 인정해야 한다.
② 사회·문화 현상의 탐구 시 주관적 가치와 이해관계를 배제해야 한다.
③ 사회·문화 현상의 탐구 시 해당 사회의 문화적 맥락을 고려해야 한다.
④ 사회·문화 현상의 복잡성을 인정하고 이면의 원인 파악을 위해 노력해야 한다.
⑤ 사회·문화 현상에 대한 연구 결과가 사회에 미칠 수 있는 영향을 고려해야 한다.

문제 풀이 TiP 제시문에는 사회학자가 사회·문화 현상에 대해 연구자의 취향이나 선호가 반영되지 않도록 정확하게 보고해야 하며, 제3자의 관점을 취할 것을 주장하고 있다. 이는 사회·문화 현상의 탐구 태도 중 객관적 태도와 관련된 진술이다. 답| ②

01 기출 유사

다음에서 강조하는 사회·문화 현상의 탐구 태도에 대한 진술로 가장 적절한 것은?

사회·문화 현상을 탐구하는 사람이라면 사회학적 상상력을 가지고 일상생활에서 발생하고 있는 현상들이 개인적·사회적으로 어떤 의미를 갖는지 끊임없이 반성적으로 탐구할 필요가 있다. 또한 사회학자는 겉으로 드러난 인간의 행위에만 매달려서는 안 되며, 사회학적 상상력을 가지고 숨겨진 내부의 원리를 규명하기 위해 노력해야 한다.

① 연구 결과가 사회에 미칠 영향을 고려해야 한다.
② 사회·문화 현상의 탐구 과정 및 결과에 대한 비판을 허용해야 한다.
③ 주관적인 가치나 이해 관계 등을 배제하는 태도를 가지려고 노력해야 한다.
④ 연구자는 조사 대상자가 속한 사회의 관점에서 연구를 진행해야 한다.
⑤ 사회·문화 현상의 이면에 숨어 있는 원리를 파악하기 위해 노력해야 한다.

02 핵심 체크 과학적 탐구 과정에서의 가치 개입과 가치 중립

연구 단계	가치 개입 여부	내용
문제 인식 및 가설 설정	❶	연구자가 관심 있고 중요하다고 생각하는 문제를 연구 주제로 선정함
연구 설계	가치 개입	연구 주제에 적합하다고 판단되는 자료 수집 방법을 결정함
자료 수집 및 자료 분석	❷	연구자의 이해관계에 따라 자료를 왜곡해서 수집·분석하지 않아야 함
가설 검증 및 결론 도출	가치 중립	연구 결론을 내리는 과정에서 연구자의 이해관계나 가치를 배제해야 함
연구 결과 활용	가치 개입	연구 결과를 토대로 사회 문제 해결 방안을 모색하거나 정책을 제안함

답| ❶ 가치 개입 ❷ 가치 중립

02 기출 유형

| 2017학년도 학평 |

밑줄 친 ㉠~㉥에 대한 설명으로 옳은 것은?

> 갑은 ㉠ 청소년들의 공격 행동과 낚시 활동 사이에 어떤 연관성이 있을지 궁금하여 연구를 시작하였다. ㉡ ○○지역 중학생 691명을 대상으로 하여 ㉢ 낚시 활동 유경험 집단과 무경험 집단으로 분류하여 낚시 경험 유무와 낚시 경력에 따른 공격성 차이를 조사하였다. ㉣ 신체적·언어적 공격성 측정 검사, 분노 표출 검사를 진행한 결과 낚시 활동 무경험 집단이 유경험 집단보다 그 수치가 더 높게 나왔다. 이를 통해 갑은 ㉤ 청소년들의 낚시 활동 경험이 공격 행동 조절에 긍정적인 영향을 주는 것으로 결론을 내렸다. 더불어 학교 폭력을 예방하기 위해 ㉥ 낚시 활동 체험을 활용하는 방안을 제언하였다.

① ㉠은 독립 변수에 해당한다.
② ㉡은 표본 집단, ㉢은 실험 집단에 해당한다.
③ ㉣은 종속 변수의 측정을 위한 양적 자료를 수집하는 과정이다.
④ ㉤에서 가설이 수용되었으므로 연구 결과를 일반화할 수 있다.
⑤ ㉥에서 연구자의 가치가 개입될 수 없다.

문제 풀이 TIP 갑은 연구 주제를 선정하고 통계화된 자료의 수집을 진행하여 연구 주제에 대한 결론을 내리고 연구 결과를 활용하는 방안을 제시하였다. 이를 통해 갑은 양적 연구를 진행하였음을 알 수 있다. ③ 낚시 활동 경험이 독립 변수이고, 공격 행동 조절이 종속 변수이다. 따라서 ㉣은 종속 변수를 측정하기 위해 양적 자료를 수집한 과정이다.

답| ③

02 기출 유사

밑줄 친 ㉠~㉤에 대한 옳은 설명을 〈보기〉에서 고른 것은?

> 연구자 갑은 ㉠ 청소년과 부모와의 유대 관계가 자아 존중감에 미치는 영향에 대한 연구를 시작하였다. ㉡ 청소년과 부모와의 유대 관계가 높을수록 청소년의 자아 존중감이 높을 것이라는 가설을 설정하였고, ㉢ ○○시의 중학생 1,000명을 무작위로 선정하여 설문 조사를 실시하였다. ㉣ 수집된 자료를 분석한 결과 가설이 타당함을 확인하였고, ㉤ 부모와의 유대 관계를 증진하는 □□ 프로그램의 실시를 제안하였다.

보기

ㄱ. ㉠에서 독립 변수는 자아 존중감이다.
ㄴ. ㉡에서는 연구자의 적절한 가치 판단이 요구된다.
ㄷ. ㉢에서 표본의 대표성이 확보되었다.
ㄹ. ㉣은 ㉤과 달리 연구자의 엄격한 가치 중립이 요구된다.

① ㄱ, ㄴ ② ㄱ, ㄷ ③ ㄴ, ㄷ
④ ㄴ, ㄹ ⑤ ㄷ, ㄹ

03 핵심 체크 연구 윤리

연구 대상자와 관련된 윤리 원칙	• 연구자는 연구 대상자에게 연구 목적과 과정을 알리고 ❶ ______ 를 얻어야 함 • 연구자는 연구에 참여하는 것이 연구 대상자에게 어떤 영향을 미치는지 고지해야 함 • 연구 진행에 있어 연구자는 연구 대상자의 안전과 이익을 최대한 고려해야 함 • 연구자는 연구 대상자의 ❷ ______ 과 개인 정보를 철저하게 보호해야 함
연구 과정과 관련된 윤리 원칙	• 연구자는 정직한 방법으로 자료를 수집해야 함 • 의도한 결론을 이끌어 내기 위해 자료를 ❸ ______ 하거나 왜곡해서는 안 됨
연구 결과 공표와 관련된 윤리 원칙	• 연구 결과를 은폐, 왜곡, 축소, 과장해서는 안 됨 • 다른 연구자의 연구물을 활용할 경우 출처를 정확하게 밝혀야 함 • 연구 성과가 사회적으로 악용되지 않도록 사회적 책임을 다해야 함

답| ❶ 동의 ❷ 익명성 ❸ 조작

03 기출 유형

| 2021학년도 수능 |

다음 사례를 연구 윤리 측면에서 평가한 진술로 가장 적절한 것은?

> 청소년의 팬덤 활동에 부정적이었던 갑은 중학생의 팬덤 활동이 소비 행태에 미치는 영향을 연구하였다. 갑은 연구 대상 중학생과 그 보호자의 동의를 받고 질문지 조사를 실시하였다. 그 후 추가 조사에 대한 설명 없이 연구 대상 중 특정 학생들에게 심층 면접을 실시하여 자료를 수집하였다. 갑은 가설 검증을 위해 무성의하게 응답한 일부 자료를 제외하고 분석하였으며, 그 결과 가설이 수용되었다. 이후 갑은 방송에 출연하여 연구 결과를 설명하였다.

① 개인적 이해관계를 반영하여 자료를 선별하였다.
② 면접 과정에서 연구 대상자의 익명성을 보장하지 않았다.
③ 자료 수집에 대한 충분한 정보를 연구 대상에게 제공하지 않았다.
④ 연구 대상에게 미칠 불이익을 고려하지 않고 연구 결과를 공표하였다.
⑤ 자료 분석 과정에서 사회에 미칠 부정적 영향을 고려하여 자료를 조작하였다.

문제 풀이 TIP ③ 연구자 갑은 추가 조사에 있어서는 자료 수집에 대한 충분한 정보 없이 심층 면접을 실시하여 자료를 수집하였다. 답| ③

03 기출 유사

다음 사례에 나타난 연구 윤리상의 문제점으로 가장 적절한 것은?

> ○○대학교 교수로 재직 중인 갑은 대학교 4학년 학생의 지역별 학업 성취도를 연구하면서 본인의 수업을 듣는 학생들을 대상으로 설문 조사를 진행하였다. 이 과정에서 갑은 설문에 참여하지 않는 학생들에게는 학기 말 성적에 불이익을 주겠다는 공지를 하였다.

① 다른 사람의 연구 결과를 도용하였다.
② 연구 대상자의 자발적 참여를 보장하지 않았다.
③ 연구 대상자로부터 특정한 응답을 요구하였다.
④ 연구 대상자의 개인 정보 및 사생활을 보호하지 않았다.
⑤ 개인적 이해관계를 연구에 개입시켜 일부 수집한 자료를 은폐하였다.

04 핵심 체크 사회화와 사회화 기관, 지위와 역할

<table>
<tr><td rowspan="3">사회화</td><td colspan="3">• 의미: 자신이 속한 사회의 행동 방식과 사고방식을 학습하는 과정</td></tr>
<tr><td colspan="3">• 예기 사회화: 미래에 자신이 속하게 될 집단에서 필요로 하는 지식, 기능 등을 습득하는 것 예 신입 사원 연수 등</td></tr>
<tr><td colspan="3">• ❶ ( ): 변화하는 사회에 적응하기 위해 새로운 정보와 가치관을 습득하는 것 예 노인 대상 정보화 교육 등</td></tr>
<tr><td rowspan="4">사회화 기관</td><td rowspan="2">사회화의 내용</td><td>1차적 사회화 기관</td><td>기초적인 수준의 사회화 담당 예 가족, 또래 집단 등</td></tr>
<tr><td>2차적 사회화 기관</td><td>전문적이고 심화된 수준의 사회화 담당 예 대학교, 직장 등</td></tr>
<tr><td rowspan="2">설립 목적</td><td>❷ ( ) 사회화 기관</td><td>사회화를 주 목적으로 설립된 기관 예 학교, 교육 기관 등</td></tr>
<tr><td>비공식적 사회화 기관</td><td>사회화 이외의 목적으로 설립되었지만 사회화를 수행하는 기관 예 가족, 회사 등</td></tr>
<tr><td rowspan="3">지위</td><td colspan="3">• 의미: 한 개인이 집단이나 사회에서 차지하는 위치</td></tr>
<tr><td colspan="3">• 귀속 지위: 개인의 능력, 노력과 관계없이 선천적으로 갖게 되는 지위 예 아들, 딸, 장남 등</td></tr>
<tr><td colspan="3">• ❸ ( ): 개인의 의지나 노력에 의해 후천적으로 얻게 되는 지위 예 아빠, 엄마, 회사원 등</td></tr>
<tr><td rowspan="3">역할</td><td colspan="3">• 의미: 일정한 지위에 대해 사회적으로 기대되는 행동 양식</td></tr>
<tr><td colspan="3">• 역할 행동: 개인이 자신에게 주어진 역할을 실제로 수행하는 구체적인 행동 방식</td></tr>
<tr><td colspan="3">• ❹ ( ): 한 개인에게 요구되는 역할들이 충돌하여 나타나는 심리적 갈등</td></tr>
</table>

답| ❶ 재사회화 ❷ 공식적 ❸ 성취 지위 ❹ 역할 갈등

04 기출 유형

| 2021학년도 학평 |

밑줄 친 ㉠~㉤에 대한 설명으로 옳은 것은?

> 갑은 축구 선수 출신인 ㉠ 아버지의 영향으로 ㉡ 어려서부터 축구의 기본기를 철저하게 연습했다. ㉢ ○○고등학교를 다니다가 유럽의 A 팀에 입단하여 뛰어난 기량을 발휘한 갑은 ㉣ B 팀과 C 팀으로부터 영입 제안을 받고 어느 팀으로 갈지 고민하였다. 고민 끝에 B 팀으로 이적한 갑은 70m가 넘는 거리를 단독으로 돌파하여 골을 넣는 등 뛰어난 활약을 펼쳐 여러 차례 ㉤ 경기 최우수 선수로 선정되었다.

① ㉠은 귀속 지위이다.
② ㉡은 갑의 재사회화에 해당한다.
③ ㉢은 1차적 사회화 기관이다.
④ ㉣은 갑의 역할 갈등이다.
⑤ ㉤은 갑의 역할 행동에 대한 보상이다.

문제 풀이 TIP ⑤ 역할 행동에 따라 보상 또는 제재가 주어질 수 있다. 갑이 경기 최우수 선수로 선정된 것은 역할 행동에 대한 보상에 해당한다. 답| ⑤

04 기출 유사

밑줄 친 ㉠~㉤에 대한 설명으로 옳은 것은?

> • 교사 갑은 ㉠ 학교에 도입된 '스마트 교실'의 운영을 위해 퇴근 후 ㉡ 교육 연수원에서 연수를 받고 있다. 그런데 아들의 병원 입원으로 연수를 그만두어야 할지 ㉢ 고민 중이다.
> • 을은 요리사의 꿈을 실현하고자 ㉣ 요리 학원에 다니고 있다. 독자적으로 가게를 운영할지 프랜차이즈 형태로 가게를 운영할지 ㉤ 고민 중이다.

① ㉠은 비공식적 사회화 기관이다.
② ㉡은 역할 행동에 해당한다.
③ ㉣은 전문적인 지식과 기능의 사회화를 담당하는 기관이다.
④ ㉤은 ㉢과 달리 역할 갈등에 해당한다.
⑤ 을은 역할 행동에 대한 보상을 받았다.

기초력 집중드릴

01 다음 글에서 강조하는 사회·문화 현상의 탐구 태도로 가장 적절한 것은?

> 사회 과학자는 지속적인 검토와 비판의 과정을 거쳐 사회 과학적 연구 결과가 계속 수정되고 정교하게 다듬어질 수 있음을 인정해야 한다.

① 제3자의 관점에서 사회·문화 현상을 탐구하려는 태도
② 자신의 주장과 다른 주장의 존재를 인정하고 비판을 받아들이는 태도
③ 사회·문화 현상에 내재된 사실과 가치를 엄격히 분리하여 탐구하는 태도
④ 사회·문화 현상의 이면에 담겨 있는 원리들에 대해 능동적으로 탐구하려는 태도
⑤ 연구자의 문화적 배경이 아닌 연구 대상자의 문화적 배경에서 이해하려는 태도

02 (가)~(바)는 연구 단계를 순서 없이 나열한 것이다. 이에 대한 옳은 설명을 <보기>에서 고른 것은?

(가) 결론 도출	(나) 가설 검증
(다) 자료 수집	(라) 가설 설정
(마) 연구 주제 선정	(바) 연구 결과 활용

보기

ㄱ. (가) 단계는 (나) 단계와 달리 연구자의 가치 개입이 요구된다.
ㄴ. (다) 단계는 (라) 단계와 달리 연구자의 철저한 가치 중립이 요구된다.
ㄷ. (바) 단계에서는 사회적 가치를 고려하는 연구자의 사회적 책임이 중시된다.
ㄹ. 일반적인 연구 단계의 순서는 (마) → (라) → (다) → (가) → (나) → (바)이다.

① ㄱ, ㄴ ② ㄱ, ㄷ ③ ㄴ, ㄷ ④ ㄴ, ㄹ ⑤ ㄷ, ㄹ

03 다음 두 사례에서 공통적으로 나타나는 연구 윤리상의 문제점으로 가장 적절한 것은?

> • 부동산 4채를 소유하고 있는 갑은 부동산 가격 변동에 대한 다양한 입장이 담긴 자료를 수집하여 탐구한 후, 부동산 가격 상승에 도움이 되는 자료만을 근거로 제시하여 부동산 가격 상승을 예견한 논문을 발표하였다.
> • 을은 자신의 지역에 발전소가 건설되는 것이 적합한지 환경 영향 평가를 실시하였는데, 그 결과 발전소 건설이 부적합하다는 의견이 대다수였다. 하지만 을은 자기 지역의 경제적 발전을 위해 발전소 건설에 대한 부적합 의견을 은폐하여 연구 결과를 발표하였다.

① 연구 대상자의 개인 정보를 유출하였다.
② 연구 결과를 발표할 때 특정 자료를 은폐하였다.
③ 수집한 자료를 연구 이외의 목적으로 사용하였다.
④ 타인의 저작물 사용에 대한 연구 윤리를 위반하였다.
⑤ 연구 대상자가 밝힌 참가 거부 의견을 수용하지 않았다.

04 다음 마인드맵의 (가)에 들어갈 사회학적 개념으로 가장 적절한 것은?

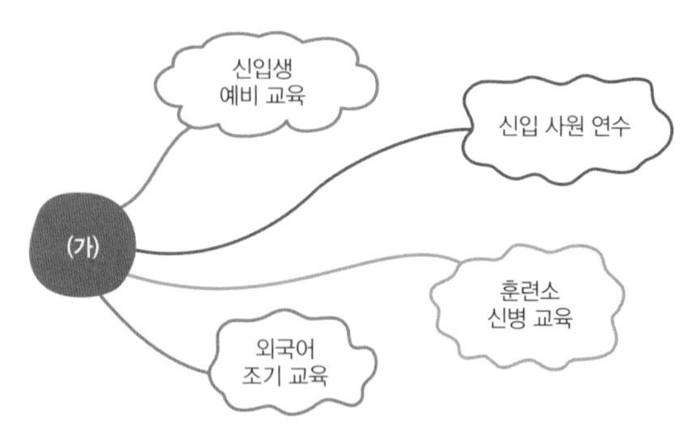

① 귀속 지위 ② 성취 지위 ③ 역할 행동
④ 역할 갈등 ⑤ 예기 사회화

· 정답과 풀이 7쪽

05 다음 내용에서 공통으로 강조하는 사회·문화 현상의 탐구 태도에 대한 설명으로 가장 적절한 것은?

- 영국의 철학자 베이컨은 학문을 하는 데 있어서 사람들의 올바른 판단을 막는 선입견이나 편견을 우상으로 정의하고 우상의 극복만이 올바른 지식이나 판단을 얻을 수 있는 길이라고 하였다.
- 다른 사람과 마찬가지로 사회 과학자도 주위 환경에 영향을 받으며, 자신이 중요하다고 여기는 가치에 얽매이기 쉽다. 그러므로 사회 과학자는 사실로부터 사회 과학적 지식을 얻기 위해 노력해야 한다.

① 사회 과학적 지식이 잠정적 결론임을 강조한다.
② 사회·문화 현상에 대한 깊이 있는 성찰을 중시한다.
③ 사회·문화 현상이 지닌 고유한 가치의 인정을 중시한다.
④ 사회·문화 현상을 제3자의 입장에서 객관적으로 접근해야 한다.
⑤ 연구자의 입장이 아닌 연구 대상자의 입장에서 연구를 진행해야 한다.

06 다음 내용을 통해 알 수 있는 사회화 기관으로 가장 적절한 것은?

- 가장 중요하고 기초적인 사회화 기관이다.
- 기본적인 인성 형성을 비롯하여 언어, 예절, 규범, 가치관 등을 습득하게 한다.
- 사회화 내용을 기준으로 분류했을 때 또래 집단과 같은 유형으로 분류된다.

① 가족 ② 회사 ③ 대학교
④ 대중 매체 ⑤ 직업 훈련소

07 다음은 사회화 기관 A~C를 분류한 것이다. 이에 대한 옳은 설명을 〈보기〉에서 고른 것은?(단, A~C는 각각 학교, 가족, 회사 중 하나이다.)

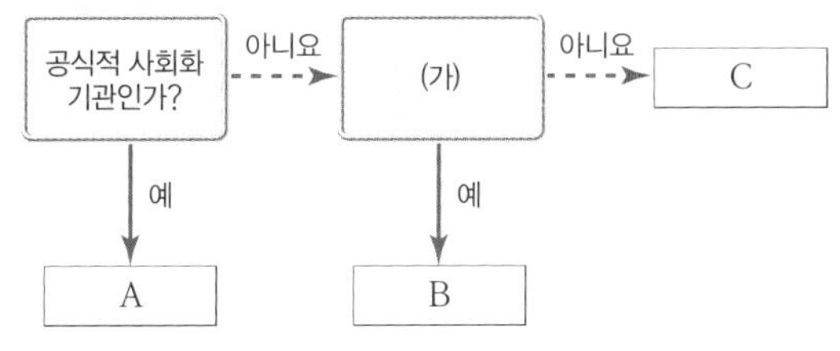

보기

ㄱ. A는 사회화를 목적으로 하는 상호 작용이 주를 이룬다.
ㄴ. B와 C는 모두 정서적 친밀감을 바탕으로 사회화를 수행한다.
ㄷ. C가 회사라면, (가)에 '전문적 지식 전수를 중심으로 사회화를 수행하는가?'가 들어갈 수 없다.
ㄹ. (가)에 '기초적인 사회화를 수행하는가?'가 들어가면 C는 B와 달리 보상과 제재를 통한 사회화가 이루어진다.

① ㄱ, ㄴ ② ㄱ, ㄷ ③ ㄴ, ㄷ ④ ㄴ, ㄹ ⑤ ㄷ, ㄹ

08 다음 중 A와 ㉠을 옳게 연결한 것은?

교사: 지위는 크게 A와 B로 구분합니다. A에 해당하는 지위에는 어떤 것들이 있을까요?
학생: 노인, 남편, 아버지가 A에 해당합니다.
교사: ㉠ 한 가지만 제외하면 옳게 대답했습니다.

	A	㉠
①	귀속 지위	노인
②	귀속 지위	남편
③	귀속 지위	아버지
④	성취 지위	노인
⑤	성취 지위	남편

09 표는 사회·문화 현상의 탐구에 필요한 태도와 관련된 질문과 학생의 답변을 정리한 것이다. 질문에 모두 옳은 답변을 한 학생은?

질문 \ 학생	갑	을	병	정	무
성찰적 태도는 사회·문화 현상의 복잡성을 인정하고 이면의 원인 파악을 위해 노력하는 태도이다.	○	X	○	○	○
개방적 태도는 다른 연구자의 주장이나 다른 연구의 결론을 무조건 수용하는 태도이다.	X	X	X	○	X
상대주의적 태도는 연구자가 속한 사회의 맥락 속에서 사회·문화 현상을 이해하는 태도이다.	X	○	○	X	X
객관적 태도는 사회·문화 현상의 탐구 시 주관적 가치와 이해관계를 배제하는 태도이다.	○	○	○	○	X

(○: 예, X: 아니요)

① 갑 ② 을 ③ 병 ④ 정 ⑤ 무

10 밑줄 친 ㉠, ㉡에 대한 옳은 설명을 〈보기〉에서 고른 것은?

사회·문화 현상의 탐구 시 연구자의 ㉠ 엄격한 가치 중립적 태도가 요구되는 단계가 있는 반면, 연구자의 사회적 가치나 인류 보편적 가치를 존중하는 ㉡ 가치 개입이 요구되는 단계도 존재한다.

보기

ㄱ. ㉠은 가설 검증 단계에서 요구된다.
ㄴ. ㉡은 가설 설정 단계에서 요구된다.
ㄷ. ㉠과 달리 ㉡은 자료 수집 단계에서 요구된다.
ㄹ. ㉡과 달리 ㉠은 결론 활용 단계에서 요구된다.

① ㄱ, ㄴ ② ㄱ, ㄷ ③ ㄴ, ㄷ ④ ㄴ, ㄹ ⑤ ㄷ, ㄹ

11 교사의 질문에 옳게 대답한 학생은?

교사: 개인의 노력이나 능력과 상관없이 선천적·자연적으로 갖게 되는 귀속 지위의 사례를 두 가지씩 말해 볼까요?
갑: 남편과 아내가 해당됩니다.
을: 아빠와 엄마가 해당됩니다.
병: 회사원과 교사가 해당됩니다.
정: 아들과 딸이 해당됩니다.
무: 학급 회장과 기업 CEO가 해당됩니다.

① 갑 ② 을 ③ 병 ④ 정 ⑤ 무

12 다음은 학생 갑의 수행평가 자료이다. 이에 대한 설명으로 옳은 것은?

- 문제: 자신의 사회화에 큰 영향을 미쳤다고 생각하는 집단이나 기관을 동그라미로 표현하시오. (단, 동그라미 안에 명칭을 쓰고, 자신에게 미친 영향이 클수록 동그라미를 크게 그리시오.)
- 답변: 1. 또래 집단 / 2. 가족 / 3. 대중 매체 / 4. 학교

(영향이 큰 순서대로 번호를 기록하였음)

① 사회화 기관에 해당되지 않는 것이 있다.
② 가장 큰 영향을 받은 기관은 2차적 사회화 기관이다.
③ 가장 작은 영향을 받은 기관은 1차적 사회화 기관이다.
④ 두 번째 영향을 받은 기관은 세 번째 영향을 받은 기관과 달리 비공식적 사회화 기관이다.
⑤ 네 번째 영향을 받은 기관은 세 번째 영향을 받은 기관과 달리 공식적 사회화 기관이다.

13 (가)~(다)에 해당하는 사회·문화 현상의 탐구 태도를 옳게 연결한 것은?

(가) 사회·문화 현상의 이면에 담긴 의미나 원리 등을 적극적·능동적으로 살펴보는 태도
(나) 자신의 주장과 다른 주장이 존재할 수 있음을 인정하고 다양한 가능성이 공존할 수 있음을 존중하는 태도
(다) 각 문화별 사회·문화 현상의 고유한 가치를 인정하고 역사적·문화적 배경을 고려하여 이해하는 태도

	(가)	(나)	(다)
①	객관적 태도	개방적 태도	성찰적 태도
②	성찰적 태도	개방적 태도	객관적 태도
③	성찰적 태도	객관적 태도	개방적 태도
④	성찰적 태도	개방적 태도	상대주의적 태도
⑤	객관적 태도	개방적 태도	상대주의적 태도

14 표의 A~C에 대한 설명으로 옳은 것은?(단, A~C는 각각 가족, 대학교, 회사 중 하나이다.)

질문	사회화 기관		
	A	B	C
부수적인 사회화를 담당하는가?	예	예	아니요
전문적이고 심화된 사회화를 담당하는가?	아니요	예	예

① A는 B와 달리 2차적 사회화 기관에 해당한다.
② B는 C와 달리 공식적 사회화 기관에 해당한다.
③ C는 A와 달리 비공식적 사회화 기관에 해당한다.
④ 설립 목적에 따라 분류했을 때, 대중 매체는 C와 같은 유형으로 분류된다.
⑤ 사회화의 내용에 따라 분류했을 때, 또래 집단은 A와 같은 유형으로 분류된다.

15 다음 조건에 따라 회전판의 화살표가 이동할 때, 이동 경로를 옳게 나타낸 것은?

• 조건: '연구 윤리'에 대한 설명이 옳은 경우에는 화살표가 시계 방향(A 방향)으로 한 칸 이동하고, 옳지 않은 경우에는 시계 반대 방향(B 방향)으로 한 칸 이동한다. 제시문 1~4에 따라 순서대로 실시하며, 화살표는 'ㄱ'에서 출발한다.

1. 사회·문화 현상의 연구에 있어서 결과가 과정을 항상 정당화할 수 있다.
2. 연구자는 연구 과정에서 연구 대상자의 안전과 이익을 우선적으로 고려해야 한다.
3. 수집한 자료 및 분석 내용과 일치하지 않는 해석, 즉 왜곡을 해서는 안 된다.
4. 연구 대상자에게 연구 목적이나 연구 과정 등에 대해 알리고, 자발적 동의를 얻어야 한다.

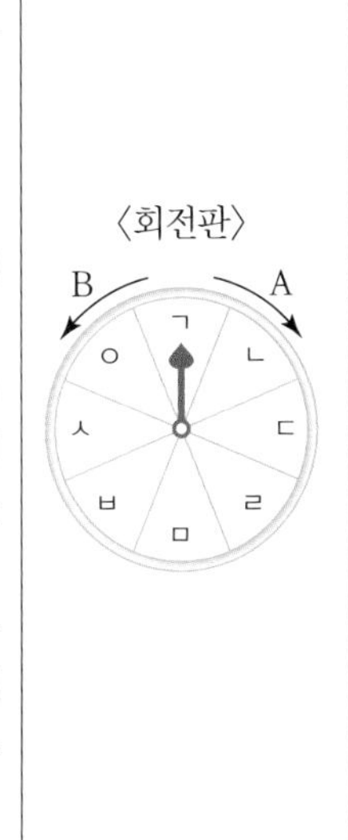

① ㄱ → ㄴ → ㄷ → ㄹ → ㅁ
② ㄱ → ㄴ → ㄱ → ㅇ → ㅅ
③ ㄱ → ㅇ → ㄱ → ㄴ → ㄷ
④ ㄱ → ㅇ → ㄱ → ㄴ → ㄱ
⑤ ㄱ → ㅇ → ㄱ → ㅇ → ㅅ

16 다음 사례를 연구 윤리 측면에서 평가한 진술로 가장 적절한 것은?

> ○○제약은 □□□바이러스 백신을 개발한 후 효능을 알아보기 위해 임상 실험 참가자들의 자발적 동의를 얻은 후 상당한 보수를 약속하였다. 하지만 이 과정에서 해당 백신이 가져올 부정적인 결과를 임상 실험 참가자들에게 알릴 경우 충분한 참여가 보장되지 않을 것을 우려해 해당 내용을 연구 대상자에게 알리지 않았다.

① 연구 대상자의 익명성을 보장하지 않았다.
② 연구 대상자의 개인 정보를 연구 이외의 목적으로 활용하였다.
③ 연구 목적을 달성하기 위해 자료 분석 과정에서 특정 부분을 조작하였다.
④ 연구 대상자에게 상당한 보수를 주었기 때문에 연구 윤리를 위반하지 않았다.
⑤ 연구 대상자에게 예상되는 부정적인 피해를 알려야 하는 연구 윤리를 위반하였다.

17 다음 연구 과정에 대한 설명으로 옳은 것은?

> 문제 인식 및 연구 주제 선정 → 가설 설정 → ㉠ 연구 설계 → ㉡ 자료 수집 → 자료 분석 → ㉢ 가설 검증 → ㉣ 결론 도출 → ㉤ 결론 활용

① 방법론적 이원론에 근거한 연구 과정이다.
② ㉠ 단계에서 변인에 대한 개념의 조작적 정의가 이루어진다.
③ ㉡ 단계에서는 주로 질적 자료를 수집한다.
④ ㉡ 단계에서는 ㉤ 단계와 달리 연구자의 가치 개입이 요구된다.
⑤ ㉣ 단계에서는 ㉢ 단계와 달리 연구자의 엄격한 가치 중립이 요구된다.

18 다음 내용에 대한 옳은 설명을 〈보기〉에서 고른 것은?

> 사회화 기관의 유형 A~D는 분류 기준 (가), (나)에 따라 다음과 같이 구분될 수 있다.
> • (가)에 따라 A와 B로 구분될 수 있고, A의 사례로는 회사를 들 수 있다.
> • (나)에 따라 C와 D로 구분될 수 있고, D의 사례로는 고등학교를 들 수 있다.

보기

ㄱ. (가)가 설립 목적이라면 A는 공식적 사회화 기관이다.
ㄴ. (가)가 사회화의 내용이라면 가족은 B의 사례에 포함될 수 있다.
ㄷ. (나)가 설립 목적이라면 C는 비공식적 사회화 기관이다.
ㄹ. (나)가 사회화의 내용이라면 또래 집단도 D의 사례에 포함될 수 있다.

① ㄱ, ㄴ ② ㄱ, ㄷ ③ ㄴ, ㄷ ④ ㄴ, ㄹ ⑤ ㄷ, ㄹ

19 빈칸 ㉠, ㉡에 대한 설명으로 옳은 것은?

> 미래에 속하게 될 집단이나 지위에서 요구되는 행동 양식을 미리 학습하는 사회화의 유형을 [㉠](이)라고 한다. 한편 사회 변동으로 인해 기존에 습득한 지식과 가치관으로는 사회에 적응하기 어려워 새로운 정보와 기술, 가치관 등을 습득하는 사회화 유형을 [㉡](이)라고 한다.

① 노인 대상 정보화 교육은 ㉠에 해당한다.
② 새로운 직장에서의 재교육은 ㉠에 해당한다.
③ 신입생 예비 교육은 ㉡에 해당한다.
④ 외국어 조기 교육은 ㉡에 해당한다.
⑤ ㉠은 예기 사회화, ㉡은 재사회화이다.

20 밑줄 친 ㉠~㉦에 대한 설명으로 옳은 것은?

> 집안의 ㉠ 장손인 갑은 대학 졸업 후 대학원에 진학하여 공부를 할지 취업하여 돈을 벌지 ㉡ 고민했다. 갑은 고민 끝에 낮에는 ㉢ 계약직 직원으로 ㉣ 회사에 다니고, 저녁에는 ㉤ 야간 대학원을 다니며 직장과 학업을 병행하기로 하였다. 두 가지 일을 성실하게 감당한 결과 ㉥ 회사에서는 정직원이 되었고, ㉦ 대학원에서도 최우수 논문상을 받으며 졸업하였다.

① ㉠은 ㉢과 달리 성취 지위에 해당한다.
② ㉡은 갑의 역할 갈등에 해당한다.
③ ㉣은 설립 목적에 따라 공식적 사회화 기관에 해당한다.
④ ㉤은 사회화의 내용에 따라 비공식적 사회화 기관에 해당한다.
⑤ ㉥과 ㉦ 모두 갑의 역할 행동에 대한 보상이다.

21 (가)~(다)에 해당하는 사회학적 개념으로 옳은 것은?

> (가) (이)란 자신이 갖고 있는 위치에 따라 사회적으로 기대하는 행동 양식을 의미한다. 개인이 (가) 을/를 실제로 수행하는 방식을 (나) (이)라고 한다. 한 개인이 동시에 두 가지 이상의 (가) 을/를 수행하고자 할 때 발생하는 충돌을 (다) (이)라고 한다.

	(가)	(나)	(다)
①	지위	역할 행동	역할 갈등
②	역할	역할 행동	역할 갈등
③	역할	역할 갈등	역할 긴장
④	역할	역할 갈등	역할 행동
⑤	역할 행동	지위	역할

22 (가), (나)에 대한 옳은 설명을 〈보기〉에서 고른 것은?

> (가) ◇◇엔터테인먼트의 대표인 갑은 2년 만에 걸그룹 A의 앨범을 성공적으로 발매한 후, 앨범 홍보를 위한 효과적인 마케팅 방법으로 대중 매체 중 라디오 프로그램과 TV 예능 프로그램 중 고민하고 있다.
>
> (나) □□회사에서 부장인 을은 내일 회사 대표로 중요한 계약 체결을 앞두고 외국 바이어와의 미팅이 계획되어 있다. 하지만 같은 날 어머니의 생신이기도 해서 장남인 을은 가족 모임에도 참석해야 한다. 을은 어떻게 할지 고민에 빠졌다.

보기

ㄱ. 갑은 앨범 홍보를 위해 2차적 사회화 기관의 활용을 고려하고 있다.
ㄴ. 갑은 을과 달리 비공식적 사회화 기관에 속해 있다.
ㄷ. (나)에는 (가)와 달리 귀속 지위가 나타나 있다.
ㄹ. 갑과 을 모두 역할 갈등을 경험하고 있다.

① ㄱ, ㄴ ② ㄱ, ㄷ ③ ㄴ, ㄷ ④ ㄴ, ㄹ ⑤ ㄷ, ㄹ

23 사회화 기관을 설립 목적에 따라 분류할 때 밑줄 친 ㉠~㉤ 중 성격이 나머지와 다른 것은?

> 갑은 ㉠ 직업 훈련 학교에 입학하여 열심히 기술을 배워 ㉡ A 전기 회사에 입사하였다. 그러나 근로 조건을 두고 회사와 대립하다 부당 해고를 당하였다. 이후 ㉢ 가족의 만류에도 불구하고 노동자의 권익을 위해 일하기로 결심한 갑은 ㉣ 정당에 가입하고 ㉤ 대중 매체를 통해 노동 현실을 알리는 등 활발히 활동하고 있다.

① ㉠ ② ㉡ ③ ㉢ ④ ㉣ ⑤ ㉤

03 일차 사회적 존재로서의 인간

오늘 공부할 내용 미리보기

사회 집단의 의미

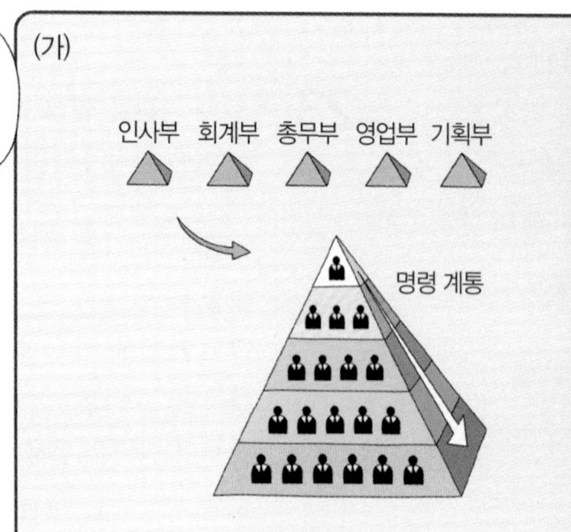

공부할 내용

01 사회 집단과 사회 조직
02 관료제와 탈관료제
03 개인과 사회의 관계를 바라보는 관점
04 일탈 행동 이론

개인과 사회의 관계를 바라보는 관점

일탈 행동 이론

01 핵심 체크 사회 집단과 사회 조직

1. 사회 집단의 유형

기준	종류	내용
❶	1차 집단	대면 접촉과 친밀감을 바탕으로 형성된 집단 예 가족, 친족, 또래 집단 등
	2차 집단	간접적인 접촉과 과업 지향적인 접촉이 이루어지는 집단 예 회사, 정당 등
❷	공동 사회	구성원의 본질 의지에 따라 자연 발생적으로 형성된 집단 예 가족, 또래 집단 등
	이익 사회	구성원의 선택 의지에 따라 인위적으로 형성된 집단 예 회사, 학교, 정당 등
소속감	내집단	자신이 속해 있으면서 강한 소속감을 느끼는 집단 예 우리 학교, 우리 회사 등
	외집단	자신이 속해 있지 않으면서 이질감을 느끼는 집단 예 그들 학교, 그들 회사 등
준거 집단		자신의 행동이나 가치 판단의 기준으로 삼는 집단

2. 공식 조직과 비공식 조직, 자발적 결사체

공식 조직	목표와 경계가 뚜렷하고, 구성원의 지위와 역할이 명확하며, 규범과 절차가 체계화된 집단 예 학교, 회사 등
비공식 조직	공동의 관심사나 취미를 가진 공식 조직 내의 구성원들이 만든 조직 예 직장 내 동호회 등
❸	공동의 관심과 이해관계를 가진 사람들이 자발적 의사에 따라 형성한 조직 예 친목 집단, 이익 집단, 시민 단체 등

답| ❶ 접촉 방식 ❷ 결합 의지 ❸ 자발적 결사체

01 기출 유형

| 2021학년도 9월 모평 응용 |

사회 집단 및 사회 조직 A~D에 대한 설명으로 옳은 것은?(단, A~D는 각각 가족, 사내 동호회, 시민 단체, 학교 중 하나이다.)

- '공통의 관심과 목표에 따라 자발적으로 결성하였는가?'라는 질문에 따라 B, D는 A, C와 구분된다.
- '선택 의지에 따라 형성하였는가?'라는 질문으로는 A, C, D를 구분할 수 없다.
- '명시적 규약과 체계화된 업무 수행 방식을 갖추었는가?'라는 질문에 따라 A, D는 B, C와 구분된다.

① C는 공식적 사회화 기관이다.
② A는 2차 집단, B는 1차 집단이다.
③ D는 A에 비해 가입과 탈퇴가 자유롭다.
④ D는 구성원에 대한 비공식적 통제가 일반적이다.
⑤ A, D는 이익 사회, B, C는 공동 사회이다.

문제 풀이 TIP A는 시민 단체, B는 가족, C는 사내 동호회, D는 학교이다. 답| ②

01 기출 유사

다음 글에 대한 설명으로 옳은 것은?

사회 집단은 구성원의 결합 의지에 따라 A, B 집단으로 구분할 수 있다. A 집단은 구성원들의 선택 의지에 따라 인위적으로 형성된 집단이다. 한편 구성원들의 접촉 방식에 따라 C, D 집단으로 구분할 수 있다. C 집단은 대면 접촉과 친밀감을 바탕으로 형성된 집단이다.

① A 집단은 공동 사회이다.
② C 집단은 1차 집단이다.
③ D 집단은 외집단이다.
④ A 집단과 D 집단 모두에 해당하는 사례는 또래 집단이다.
⑤ B 집단과 C 집단 모두에 해당하는 사례는 회사이다.

02 핵심 체크 관료제와 탈관료제

1. 관료제

의미	수직적 위계 서열 구조와 수평적 분업 체계 등에 기초하여 효율적인 업무 수행을 위한 조직 형태
특징	권한과 책임에 따른 위계 서열화, 업무의 전문화 및 세분화, 규약과 절차에 따른 업무 수행, 경력에 따른 보상과 신분 보장, 지위 획득의 공평한 기회 보장
기능	• 역기능: ❶ ______ 현상, 인간 소외 현상, 경직된 조직 구조, ❷ ______ 에 따른 보상으로 인한 무사안일주의 • 순기능: 대규모 업무의 효율적 수행, 업무 수행의 안정성·지속성·예측 가능성 확보, 업무에 대한 책임 소재의 명확성이 높음

2. 탈관료제

등장 배경	• 정보화 등으로 인해 사회 변동 속도가 빨라짐에 따라 경직성을 지닌 관료제의 역기능이 부각됨 • 과학 기술의 발달로 인해 새로운 의사 결정 구조를 갖는 조직 형태의 등장이 가능해짐
특징	• ❸ ______ 조직 체계: 의사 결정 권한의 분산, 의사 결정 과정에서 구성원의 참여 확대 • 유연한 조직 구조: 중간 관리층의 감소, 구성원의 자율권 및 재량권 확대 • 능력, 업적 및 성과에 따른 보상 체계

답| ❶ 목적 전치 ❷ 연공서열 ❸ 수평적

02 기출 유형

| 2019학년도 학평 |

다음은 사회 조직의 유형 A와 B를 비교한 것이다. 이에 대한 설명으로 옳은 것은?(단, A와 B는 각각 관료제 조직과 탈관료제 조직 중 하나이다.)

> • A는 B보다 업무 담당자의 재량권 보장 정도가 높다.
> • B는 A보다 (가) 이/가 높지만, (나) 이/가 낮다.

① A는 B보다 경력에 따른 보상을 강조한다.
② B는 A보다 상향식 의사 결정 방식이 지배적이다.
③ A는 대규모의 반복적인 업무에, B는 환경 변화에 대한 신속한 대응이 요구되는 업무에 효율적이다.
④ (가)에는 '중간 관리층의 비중'이 들어갈 수 있다.
⑤ (나)에는 '과업 수행 절차의 예측 가능성'이 들어갈 수 있다.

문제 풀이 TIP 업무 담당자의 재량권 보장 정도는 관료제에 비해 탈관료제가 높다. 이를 통해 A는 탈관료제, B는 관료제임을 알 수 있다. (가)에는 관료제의 특징이, (나)에는 탈관료제의 특징이 들어가야 한다. ④ 중간 관리층의 비중은 탈관료제보다 관료제가 높게 나타나므로 (가)에 들어갈 수 있다. **답| ④**

02 기출 유사

다음은 사회 조직의 유형 A와 B를 비교한 것이다. 이에 대한 설명으로 옳은 것은?(단, A와 B는 각각 관료제와 탈관료제 중 하나이다.)

> • 업무의 표준화 정도는 B보다 A가 더 높거나 강하다.
> • B는 A보다 (가) 이/가 높다.

① A는 업무의 전문화, 세분화를 강조한다.
② B는 수직적 의사 결정 구조로 의사 결정 권한이 집중되어 있다.
③ A에 비해 B는 연공서열에 따른 보상을 중시한다.
④ A는 B와 달리 효율적인 업무 수행을 추구한다.
⑤ (가)에 '업무 수행의 안정성, 지속성, 예측 가능성'이 들어갈 수 있다.

03 핵심 체크 개인과 사회의 관계를 바라보는 관점

구분	❶	사회 명목론
내용	• 사회는 개인의 외부에 실제로 존재하며, 개인의 행동과 의식을 구속함 • 사회는 개인의 합 이상이며, 개인은 사회를 구성하는 요소임 • 사회 문제의 해결을 위해서는 개인의 의식 개선보다 사회 구조나 제도의 개선이 우선됨	• 사회는 단지 개인들의 합에 불과하며 실제로 존재하지 않음 • 사회는 개개인의 집합체에 붙여진 이름에 불과함 • 사회 전체의 이익보다 개인의 이익을 보장하는 것이 중요함 • 사회 문제의 해결을 위해서는 사회 구조나 제도의 개선보다 개인의 의식 개선이 우선됨
이론	사회 유기체설	사회 계약설, 개인주의, 자유주의
한계	• 주체적인 인간의 행위를 설명하기 어려움 • ❷ 를 초래할 우려가 있음	• 극단적 ❸ 가 나타날 수 있음 • 사회 구조와 제도의 영향력을 간과함

답| ❶ 사회 실재론 ❷ 전체주의 ❸ 개인주의

03 기출 유형

| 2021학년도 수능 응용 |

개인과 사회의 관계를 바라보는 갑, 을의 관점에 대한 설명으로 옳은 것은?

> **갑:** 환경 오염에 대한 국민들의 자각 수준이 국가별 환경 오염의 정도를 결정합니다. 따라서 국민 각자가 일상생활에서부터 환경 보호를 실천해야 합니다.
> **을:** 국가별 환경 오염의 정도는 사회 개별 구성원들의 생활을 환경 친화적으로 유도하는 국가의 의지와 역량에 따라 달라집니다.

① 갑의 관점은 사회의 특성이 개인의 특성으로 환원되지 않는다고 본다.
② 을의 관점은 개인이 사회에 의해 구조화된 행동을 한다고 본다.
③ 갑의 관점은 을의 관점과 달리 개인이 사회 속에서만 존재 의미를 가질 수 있다고 본다.
④ 을의 관점은 갑의 관점과 달리 사회 현상이 개인의 자율적인 의지에 의해 만들어진다고 본다.
⑤ 갑, 을의 관점은 모두 개인의 자율성이 사회 규범의 구속성보다 우선한다고 본다.

문제 풀이 TIP 갑은 사회 명목론, 을은 사회 실재론에 해당하는 입장이다. 답| ②

03 기출 유사

개인과 사회의 관계를 바라보는 갑, 을의 관점에 대한 설명으로 옳은 것은?

> **갑:** 최근 이혼율이 급증하고 있는 이유는 여성의 경제적 생활을 가능하게 한 사회 제도와 정책의 변화 때문이다.
> **을:** 이혼은 개인의 선택에 의한 것으로 이혼을 더 나은 행복을 찾기 위한 개인의 선택으로 인식하는 사람들이 늘면서 이혼율이 급증하고 있다.

① 갑의 관점은 인간의 능동성과 자율성을 중시한다.
② 을의 관점은 개인이 사회에 의해 구조화된 행동을 한다고 본다.
③ 을의 관점은 개인의 속성은 사회의 속성이 반영된 결과라고 본다.
④ 을의 관점은 사회 현상이 개인으로 환원되어 설명될 수 있다고 본다.
⑤ 갑, 을의 관점 모두 전체주의로 변질될 우려가 있다.

04 핵심 체크 일탈 행동 이론

❶ [　　　] 이론	• 뒤르켐: 급속한 사회 변동으로 인해 기존 사회 규범의 부재와 새로운 사회 규범이 미처 정립되지 못한 ❷ [　　　] 상태에서 일탈 행동이 발생함 • 머튼: 문화적 목표를 달성할 수 있는 제도적 수단이 충분하게 제공되지 않은 상태에서 비합법적인 수단으로 목표를 달성하고자 할 때 일탈 행동이 발생함
차별 교제 이론	일탈자와의 긴밀한 상호 작용 과정에서 일탈 행동을 학습하고 일탈 동기를 내면화하여 일탈 행동을 정당화하는 태도를 가지게 됨
❸ [　　　] 이론	일탈 행동에 대한 객관적 기준이 없으며, 1차적 일탈을 한 사람에게 개인이나 집단이 일탈자로 낙인을 찍게 되면 부정적 자아가 형성되어 2차적 일탈이 발생함

답| ❶ 아노미 ❷ 무규범 ❸ 낙인

04 기출 유형

| 2020학년도 9월 모평 |

일탈 행동 이론 A~C에 대한 설명으로 옳은 것은?(단, A~C는 각각 낙인 이론, 머튼의 아노미 이론, 차별 교제 이론 중 하나이다.)

> • 갑은 일탈 행동이 주변 일탈자와의 상호 작용 속에서 학습되는 것이라고 보는 A에 근거하여, 비행 청소년의 교우 관계와 비행 간의 관계를 분석하였다.
> • 을은 일탈자에 대한 사회적 반응에 주목하여 일탈 행동의 반복 현상을 설명하는 B에 근거하여, 비행 청소년이 일탈 행동 이후 경험한 주변 사람의 반응을 조사하였다.
> • 병은 일탈 행동이 문화적 목표와 적합한 수단 사이의 괴리가 존재할 때 발생한다고 보는 C에 근거하여, 사회적 긴장으로 인해 청소년이 느끼는 좌절감이 비행으로 연결되는 과정을 관찰하였다.

① A는 일탈 행동을 계급 갈등의 산물로 본다.
② B는 규범을 위반한 행동이 모두 일탈로 규정되는 것은 아니라고 본다.
③ C는 일탈자의 부정적 자아 형성 과정에 초점을 맞춘다.
④ B는 C와 달리 일탈 행동을 사회적 병리 현상으로 인식한다.
⑤ C는 A와 달리 일탈 행동이 사회화되는 과정에 주목한다.

문제 풀이 TIP A는 차별 교제 이론, B는 낙인 이론, C는 머튼의 아노미 이론에 해당한다. ② 낙인 이론은 일탈 행동에 대한 객관적 기준이 없기 때문에 규범을 위반한 행동이 모두 일탈로 규정되는 것은 아니라고 본다. **답| ②**

04 기출 유사

일탈 행동 이론 (가), (나)에 대한 설명으로 옳은 것은?(단, (가), (나)는 각각 낙인 이론, 머튼의 아노미 이론 중 하나이다.)

> (가) 청년층의 도박 문제가 심각해지는 이유는 부자가 되고 싶은 목표는 있지만, 정당한 방법으로 돈을 모으기가 쉽지 않은 것에서 기인한다.
> (나) 1차적 일탈 후 주위 사람들의 비난으로 부정적 자아 정체감이 형성되면서 학교 폭력 사건의 재범률이 해마다 증가하고 있다.

① (가)는 일탈 행동을 규정하는 객관적 기준이 존재하지 않는다고 본다.
② (가)는 일탈 행동 자체보다 일탈 행동에 대한 사회적 평가와 반응을 중시한다.
③ (가)는 일탈 집단 대신 정상적인 집단과의 교류가 일탈 행동을 억제한다고 본다.
④ (나)는 타인과의 상호 작용이 일탈 행동의 발생에 미치는 영향을 중시한다.
⑤ (나)는 문화적 목표와 제도적 수단 간의 괴리에서 일탈 행동이 비롯된다고 본다.

기초력 집중드릴

01 다음은 갑의 최근 일정을 정리한 것이다. 이에 대한 옳은 설명을 〈보기〉에서 고른 것은?

> • 금요일에는 퇴근 후 ㉠ 가족과 함께 □□식당에서 저녁 식사를 하였다.
> • 토요일 오전에는 ㉡ ○○시민 단체 임원 회의에 참석하였고, 점심 식사 후 오후에는 ㉢ 아파트 단지 내 축구 모임에 참여하였다.
> • 일요일에는 ㉣ 사내 노동조합 조합원 정기 총회에 참석한 후 ㉤ 회사에 들러 월요일부터 진행될 워크샵 자료를 검토하였다.

보기
ㄱ. ㉠은 ㉡과 달리 이익 사회에 해당한다.
ㄴ. ㉡은 ㉢과 달리 공식 조직에 해당한다.
ㄷ. ㉢은 ㉣과 달리 비공식 조직에 해당한다.
ㄹ. ㉣은 ㉤과 달리 자발적 결사체에 해당한다.

① ㄱ, ㄴ ② ㄱ, ㄷ ③ ㄴ, ㄷ ④ ㄴ, ㄹ ⑤ ㄷ, ㄹ

02 사회 조직 운영 원리 A, B에 대한 옳은 설명을 〈보기〉에서 고른 것은?(단, A와 B는 관료제와 탈관료제 중 하나이다.)

질문 \ 구분	A	B
(가)	예	아니요
상향식 의사 결정 방식을 강조하는가?	예	㉠
효율적인 과업 수행을 지향하는가?	㉡	예

보기
ㄱ. ㉠, ㉡은 모두 '예'이다.
ㄴ. A는 환경 변화에 대한 유연한 대처가 용이하다.
ㄷ. B는 A에 비해 구성원의 업무 경험 및 숙련도를 중시한다.
ㄹ. (가)에는 '공식적 규범에 의해 통제되는가?'가 들어갈 수 있다.

① ㄱ, ㄴ ② ㄱ, ㄷ ③ ㄴ, ㄷ ④ ㄴ, ㄹ ⑤ ㄷ, ㄹ

03 개인과 사회의 관계를 바라보는 갑과 을의 관점에 대한 설명으로 옳은 것은?

> 갑: 이번 대회를 준비하면서 제가 가장 신경을 썼던 부분은 선수 개개인의 기량 향상이었습니다. 선수 각자의 실력이 다른 팀 선수들보다 뒤처진다면 시합에서 이길 수 없으니까요.
> 을: 우리 팀이 이번 대회에서 좋은 성적을 낼 수 있었던 것은 강력한 팀 정신이 있었기 때문입니다. 우리 선수들은 '하나'라는 정신이 있었고, 그 정신으로 선수들이 똘똘 뭉침으로써 완전히 다른 팀이 되었습니다.

① 갑의 관점은 개인의 구조화된 행동을 강조한다.
② 갑의 관점은 사회는 개인들의 필요에 의해 구성되고 유지된다고 본다.
③ 을의 관점은 사회를 개인의 권리를 보장하기 위한 수단으로 인식한다.
④ 을의 관점은 사회 규범의 구속성보다 개인의 능동성을 중시한다.
⑤ 갑, 을의 관점은 모두 사회 문제의 해결책으로 사회 구조 및 제도의 개혁을 강조한다.

04 제시된 사회 집단에 대한 옳은 설명을 〈보기〉에서 고른 것은?

> • 가족 • 또래 집단 • 학교 • 회사 • 정당

보기
ㄱ. 1차 집단에 해당하는 사회 집단은 1개이다.
ㄴ. 2차 집단에 해당하는 사회 집단은 2개이다.
ㄷ. 공동 사회에 해당하는 사회 집단은 2개이다.
ㄹ. 이익 사회에 해당하는 사회 집단은 3개이다.

① ㄱ, ㄴ ② ㄱ, ㄷ ③ ㄴ, ㄷ ④ ㄴ, ㄹ ⑤ ㄷ, ㄹ

05 ㉠에 들어갈 개념에 대한 옳은 설명을 〈보기〉에서 고른 것은?

> **교사:** ㉠에 해당하는 사회 집단에 대해 발표해 볼까요?
> **갑:** 구성원의 선택 의지에 따라 인위적으로 형성된 집단에 해당합니다.
> **을:** 가족, 친족, 또래 집단 등이 대표적인 ㉠의 사례에 해당합니다.
> **교사:** 갑과 달리 을이 발표한 내용은 틀렸습니다.

보기
ㄱ. ㉠은 이익 사회이다.
ㄴ. 회사와 학교가 대표적인 ㉠의 사례이다.
ㄷ. 자신이 속해 있지 않으면서 이질감을 느끼는 집단이다.
ㄹ. 공동의 가치관과 정서를 가지는 친밀한 인간관계가 형성된다.

① ㄱ, ㄴ ② ㄱ, ㄷ ③ ㄴ, ㄷ ④ ㄴ, ㄹ ⑤ ㄷ, ㄹ

06 다음 마인드맵의 (가)에 들어갈 사회 집단의 종류로 가장 적절한 것은?

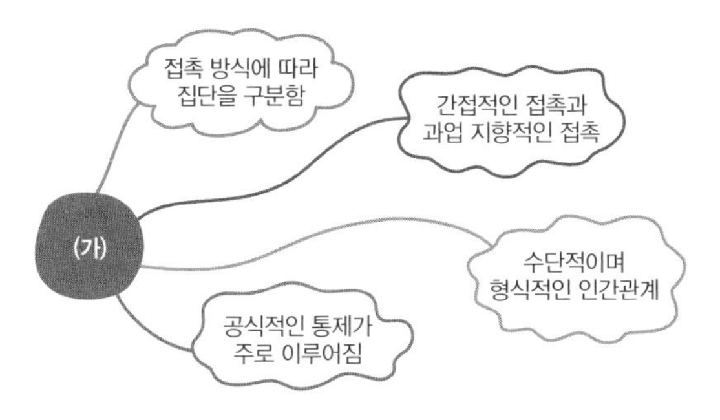

① 1차 집단 ② 2차 집단
③ 준거 집단 ④ 공동 사회
⑤ 이익 사회

07 교사의 질문에 옳지 않은 답변을 한 학생은?

> **교사:** 오늘은 지난 시간에 배운 관료제의 역기능에 대해 이야기해 볼까요?
> **갑:** 경직된 조직 구조가 형성될 경우 외부 환경에 유연하게 대처할 수 없습니다.
> **을:** 규약과 절차를 지나치게 강조할 경우 목적 전치 현상이 발생할 수 있습니다.
> **병:** 업무 담당자의 개인적 특성, 구성원의 변동과 상관 없이 조직을 운영할 수 있습니다.
> **정:** 연공서열에 따른 보상과 신분 보장이 강조될 경우 무사안일주의가 발생할 수 있습니다.
> **무:** 구성원들이 각자의 단편적인 업무만을 반복적으로 수행하고 자율성과 창의성을 발휘할 수 없어 인간 소외가 발생할 수 있습니다.

① 갑 ② 을 ③ 병 ④ 정 ⑤ 무

08 다음 글에서 제시된 개인과 사회의 관계를 바라보는 관점에 대한 옳은 설명을 〈보기〉에서 고른 것은?

> 교사, 아내, 시민으로서 수행하는 의무는 개인 외부의 법률과 관습에서 정해진 것이다. 그 의무들이 개인의 생각과 일치한다고 해도, 그것들은 분명 객관적인 존재임에 틀림없다. 왜냐하면 그것들은 개인이 정한 것이 아니기 때문이다.

보기
ㄱ. 이론적 배경은 사회 계약설이다.
ㄴ. 사회는 개인으로 환원될 수 없다고 본다.
ㄷ. 사회는 개인에 외재하며 독자적인 성격을 갖는다.
ㄹ. 개인은 사회에 대해 독립적이고 자율적인 존재이다.

① ㄱ, ㄴ ② ㄱ, ㄷ ③ ㄴ, ㄷ ④ ㄴ, ㄹ ⑤ ㄷ, ㄹ

09 다음 내용을 통해 알 수 있는 사회 조직에 대한 설명으로 옳지 않은 것은?

- 공식 조직 내에서 공식 조직에 속한 구성원들에 의해 형성된다.
- 공통의 관심사와 취미를 공유하기 위해 형성된다.
- 친밀한 인간관계를 바탕으로 자발적으로 형성된다.

① 사내 동호회와 사내 노동조합이 대표적인 사례이다.
② 공식 조직과 목표가 다를 경우 공식 조직의 업무 효율성을 저해할 수 있다.
③ 가입과 탈퇴가 비교적 자유로우며, 조직 활동에 대한 구성원들의 열의가 높다.
④ 개인적인 친분 관계가 공식 조직의 업무나 인사에 부정적인 영향을 초래할 수 있다.
⑤ 구성원의 사기 증진 및 공식 조직 내에서의 긴장감과 소외감 완화에 기여할 수 있다.

10 다음 글에 대한 설명으로 옳은 것은?

사회 집단은 A에 따라 B 집단과 C 집단으로 나눌 수 있다. B 집단은 C 집단과 달리 자신이 속해 있을 뿐만 아니라 강한 소속감, 일체감, 애착심 등을 갖는 사회 집단이다.

① A는 결합 의지이다.
② B는 외집단, C는 내집단이다.
③ 소속 집단이 반드시 B 집단인 것은 아니다.
④ 속해 있지 않은 모든 사회 집단은 C 집단에 해당한다.
⑤ B 집단에 대한 경쟁 의식이나 적대감은 C 집단 의식 강화에 기여할 수 있다.

11 다음 글과 관련된 개인과 사회의 관계를 바라보는 관점에 대한 설명으로 옳은 것은?

사회는 마치 생물 유기체와 같이 존재한다. 여러 개의 세포, 조직, 기관 등이 모여서 생물체를 구성하듯이 사회도 다수의 개인, 집단, 조직 등으로 구성된다. 따라서 사회를 구성하는 개별적인 요소들은 사회를 떠나서는 의미를 가질 수 없다.

① 개인의 이익이 사회의 이익보다 우선한다고 본다.
② 사회는 개인들의 합 이상의 실체로 존재한다고 본다.
③ 전체를 위해 개인이 희생하는 것은 정당하지 않다고 본다.
④ 개인의 행동에 영향을 미치는 사회 구조의 영향력을 간과한다.
⑤ 사회는 단지 개인들의 집합체에 붙여진 이름에 불과하다고 본다.

12 다음 글과 관련된 개인과 사회의 관계를 바라보는 관점에 대한 옳은 설명을 〈보기〉에서 고른 것은?

사회적 사실이란, 인간 행동을 강제하며 집단에 속함으로써 초래되는 사회적 관계를 기술하는 데 사용하는 용어이다. 우리들의 사고와 행동은 사회 집단의 영향 속에서 형성되는 것이다.

보기
ㄱ. 극단적 개인주의로 흐를 수 있다.
ㄴ. 전체주의로 변질될 우려가 있다.
ㄷ. 개인의 존재 가능성을 인정하지 않는다.
ㄹ. 인간의 주체적이고 능동적인 행위를 설명하기 곤란하다.

① ㄱ, ㄴ ② ㄱ, ㄷ ③ ㄴ, ㄷ ④ ㄴ, ㄹ ⑤ ㄷ, ㄹ

13 일탈 행동 이론 (가), (나)에 대한 설명으로 옳은 것은?

(가) 급속한 사회 변동으로 인해 기존 규범과 새로운 규범이 혼재되면서 사람들이 도덕적 혼란 상태에 놓이게 될 때 일탈이 나타난다.
(나) 문화적 목표를 달성할 수 있는 제도적 수단은 한정되어 있어 비합법적인 수단으로 목표를 달성하려는 과정에서 일탈이 나타난다.

① (가)는 불평등한 사회 구조를 일탈 행동의 원인으로 본다.
② (나)는 일탈 행동 자체보다는 그에 대한 사회적 평가에 주목한다.
③ (가)는 (나)와 달리 미시적 관점에서 일탈 행동을 설명한다.
④ (나)는 (가)와 달리 부정적인 자아상을 내면화하여 일탈 행동을 반복한다고 본다.
⑤ (가), (나) 모두 일탈 행동을 초래하는 사회 구조적 요인에 주목한다.

14 사회 조직 (가)~(라)에 대한 설명으로 옳은 것은?

(가) ▣▣ 낚시 동호회
(나) □□회사 내 등산 동호회
(다) ◇◇회사 내 노동조합
(라) ◎◎ 인권 시민 단체

보기
ㄱ. (가)는 (나)와 달리 자발적 결사체에 해당한다.
ㄴ. (나)는 (다)와 달리 비공식 조직에 해당한다.
ㄷ. (다)는 (라)와 달리 공식 조직에 해당한다.
ㄹ. (가)~(라)는 모두 이익 사회에 해당한다.

① ㄱ, ㄴ ② ㄱ, ㄷ ③ ㄴ, ㄷ ④ ㄴ, ㄹ ⑤ ㄷ, ㄹ

15 개인과 사회의 관계를 바라보는 관점인 A와 B를 아래 표와 같이 분류할 때 (가), (나)에 들어갈 수 있는 옳은 질문을 〈보기〉에서 고른 것은?

• A: 사회를 독자적인 존재로 인식한다.
• B: 사회는 개인들의 총합에 불과하다.

질문	예	아니요
(가)	A	B
(나)	B	A

보기
ㄱ. (가): 관련 사상에는 사회 계약설이 있는가?
ㄴ. (가): 사회는 개인으로 환원될 수 있다고 보는가?
ㄷ. (나): 사회 전체의 이익보다 개인의 이익이나 권리 보장을 중시하는가?
ㄹ. (나): 개인의 행위에 사회 구조나 사회 제도가 미치는 영향력을 간과하는가?

① ㄱ, ㄴ ② ㄱ, ㄷ ③ ㄴ, ㄷ ④ ㄴ, ㄹ ⑤ ㄷ, ㄹ

16 사회 집단의 분류 기준인 A와 B를 옳게 연결한 것은?

이익 사회 중에는 동호회와 같은 인간관계 지향적인 사회 집단도 있다. 이러한 사회 집단은 현대 사회에서 공동 사회의 영향력이 약화되면서 인위적으로 만든 사회 집단을 통해 인간의 본질적인 욕구를 충족시키려는 경향을 반영하고 있다. 따라서 동호회는 A에 따르면 이익 사회에 해당하지만, B에 따르면 1차 집단의 특성이 강하다.

	(A)	(B)
①	소속감	결합 의지
②	소속감	접촉 방식
③	접촉 방식	결합 의지
④	결합 의지	접촉 방식
⑤	결합 의지	소속감

17 표는 일탈 행동 이론 A와 B를 비교한 것이다. 이에 대한 옳은 설명을 〈보기〉에서 고른 것은?(단, A와 B는 각각 낙인 이론, 머튼의 아노미 이론 중 하나이다.)

질문	A	B
일탈 행동의 원인을 사회 구조적 측면에서 찾는가?	예	아니요
일탈 행동을 규정하는 객관적인 기준이 존재하지 않는다고 보는가?	아니요	예

보기

ㄱ. A는 낙인 이론, B는 머튼의 아노미 이론이다.
ㄴ. A는 일탈 행동의 대책으로 사회적 목표 달성을 위한 공정한 기회 제공을 강조한다.
ㄷ. B는 일탈 행동의 대책으로 사회적 낙인에 대한 신중한 접근을 강조한다.
ㄹ. A와 B는 모두 지배적인 도덕적 규범의 부재가 일탈 행동을 유발한다고 본다.

① ㄱ, ㄴ ② ㄱ, ㄷ ③ ㄴ, ㄷ ④ ㄴ, ㄹ ⑤ ㄷ, ㄹ

18 A 조직의 일반적인 특징으로 가장 적절한 것은?

A 조직은 바둑에 비유된다. 바둑은 각 돌의 자리가 정해져 있는 것은 아니며, 각 돌마다 자율성과 재량권이 주어져 있다. 이는 환경 변화에 유연하게 대처할 수 있는 A 조직의 특성과 유사하다. 또한 A 조직에서는 의사 결정 권한이 분산되어 있어 팀과 개인의 역할이 모두 중요하다.

① 중간 관리층의 역할 비중이 작다.
② 연공서열에 따른 보상을 강조한다.
③ 정보 사회보다 산업 사회에 더 적합하다.
④ 조직 구성원을 비공식적 방법으로 통제한다.
⑤ 하향식 의사 결정 과정이 지배적으로 나타난다.

19 일탈 행동 이론인 (가), (나)에 대한 설명으로 옳은 것은?

(가) 처음부터 범죄자로 태어나는 사람은 없다. 다른 사회적 행위와 마찬가지로 범죄도 학습을 통해 이루어지는 것이다. 다시 말해, 범죄 집단과의 상호 작용을 통해 범죄에 필요한 기술과 범죄 행위에 대한 우호적 태도까지 내면화하게 된다.
(나) 일탈을 저지르는 청소년을 우리 사회가 포용하지 못하고 문제아로 단정지을 경우 이로 인해 일탈 행동을 저지른 청소년이 자신을 문제아로 인식하게 되어 일탈 행위를 반복하게 된다.

① (가)는 일탈 행동을 차별적 제재의 결과로 본다.
② (나)는 가치관의 혼란 및 무규범 상태를 일탈 행동의 원인으로 본다.
③ (가)는 (나)와 달리 2차적 일탈의 발생 과정을 설명하는 데 유용하다.
④ (나)는 (가)와 달리 정상적인 일탈 집단과의 교류 촉진을 일탈 문제의 대책으로 본다.
⑤ (가), (나) 모두 구성원 간의 상호 작용을 중심으로 일탈 행동을 이해한다.

20 다음은 갑, 을, 병이 저지른 일탈 행동을 분석한 것이다. 이에 대한 설명으로 옳은 것은?

- 갑은 절도죄로 교도소에 한 번씩 복역할 때마다 범죄에 대해 우호적인 태도를 습득하게 되었고, 교도소 안에서 다른 범죄자들과 어울리면서 새로운 범죄 수법도 배우게 되었다.
- 을은 친구들처럼 좋은 차를 타고 좋은 집에서 살고 싶었지만 합법적인 방법으로는 돈을 벌어 성공할 수 없다고 생각해 결국 불법 도박에 빠지게 되었다.
- 병은 장난삼아 저지른 악성 댓글에 대해 주위 사람들의 부정적인 평가와 제재를 수용하여 부정적 자아가 형성되었고, 그로 인해 지금까지 악성 댓글을 남기는 일탈 행위를 반복적으로 저지르게 되었다.

① 갑은 일탈자라는 부정적 의미 부여로 인해 2차적 일탈 행위를 했다.
② 을의 일탈 행동의 원인은 문화적 목표와 제도적 수단의 괴리 때문이다.
③ 병의 일탈 행동의 원인은 개인적 요인보다 사회 구조적 요인에 있다.
④ 을은 갑과 달리 구성원 간의 상호 작용 과정이 원인이 되어 일탈 행위를 했다.
⑤ 병은 을과 달리 급속한 사회 변동에 따른 지배적 규범의 부재로 인해 일탈 행동을 했다.

21 밑줄 친 ㉠~㉤에 대한 설명으로 옳지 않은 것은?

○○고등학교의 ㉠ 2학년부 교사로 재직 중인 갑은 담당 교과 분야의 전문성을 향상시킬 목적으로 퇴근 후 ㉡ 교육대학원을 다니고 있고 교원 연수도 게을리하지 않고 있다. 금요일에는 건축 분야에 관심이 있는 학생들과 함께 ㉢ 교내 건축 자율 동아리 활동을 하고 있다. 교직 생활에 있어 체력이 매우 중요하다고 생각하여 토요일 오전마다 아파트 단지 내 ㉣ 축구 동호회에 정기적으로 참여하고 있다. 뿐만 아니라 과도한 플라스틱 사용으로 환경이 오염되고 있는 것에 문제 의식을 가지고 ㉤ 환경 보호 시민 단체에 가입하여 정기적인 캠페인 활동을 진행하고 있다.

① ㉠은 공식 조직 내 공식 조직의 구성원들이 공통의 관심사에 따라 자발적으로 형성되었다.
② ㉡은 공식적인 목표 달성을 위하여 과업 지향적이며 규범과 절차가 체계화되어 있는 조직이다.
③ ㉢은 공식 조직 구성원의 사기를 증진시켜 공식 조직 운영의 효율성을 높이는 데 기여할 수 있다.
④ ㉣은 가입과 탈퇴가 자유로우며 친밀한 인간관계를 바탕으로 1차 집단의 성격이 강하게 나타난다.
⑤ ㉤은 집단 목표에 대한 구성원들의 신념이 뚜렷하고 참여가 높으며 2차 집단의 성격이 강하게 나타난다.

04 일차 문화와 일상생활

오늘 공부할 내용 미리보기

문화의 의미

문화의 속성

공부할 내용

- 01 문화의 의미와 속성
- 02 문화를 바라보는 관점과 문화 이해 태도
- 03 하위문화와 대중문화
- 04 문화 변동의 양상

문화를 이해하는 관점과 태도

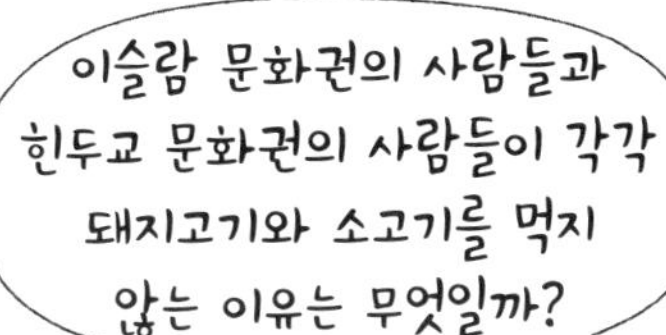

문화 변동의 양상

01 핵심 체크 문화의 의미와 속성

문화의 의미	좁은 의미	고상하거나 세련된 것, 교양, 예술 등 특정한 의미를 지닌 생활 양식
	넓은 의미	한 사회 구성원들의 행동 및 사고방식의 총체인 생활 양식
문화의 속성	학습성	문화는 후천적으로 학습되는 생활 양식, 사회화를 통해 학습이 이루어짐
	❶	문화는 한 사회의 구성원 대다수가 공통으로 가지는 생활 양식, 상대방의 행동 예측 가능
	전체성	각 문화 요소들은 유기적으로 연결되어 전체적으로 하나의 체계를 이룸
	❷	언어나 문자 등 상징 체계를 통해 문화를 전승·발전시킴, 새로운 문화 요소가 추가되어 점점 더 풍부해짐
	❸	한 사회의 문화는 시간의 흐름과 함께 그 형태나 내용, 의미가 변화함

답| ❶ 공유성 ❷ 축적성 ❸ 변동성

01 기출 유형

| 2020학년도 수능 |

표는 문화의 속성 A~C가 부각된 사례를 나타낸 것이다. 이에 대한 설명으로 가장 적절한 것은?(단, A~C는 각각 공유성, 전체성, 축적성 중 하나이다.)

속성	사례
A	세탁기 발명으로 가사 노동 부담이 줄어들자 여성의 사회 진출이 증가하였고 사회적 지위도 향상되었다.
B	북아메리카에서 유럽계 여성에게 단발은 자유의 상징으로 여겨졌지만, 원주민 여성에게 단발은 상중(喪中)임을 의미했다.
C	(가)

① 문화를 구성하는 요소들이 유기적으로 연결되어 있음을 의미하는 것은 A이다.
② 문화가 다음 세대로 계승되면서 점점 새로운 요소가 늘어남을 의미하는 것은 B이다.
③ 문화가 구성원의 사고와 행동을 구속함을 의미하는 것은 C이다.
④ 기성 세대가 청소년들이 만들어 사용하는 줄임말의 의미를 알지 못하는 것은 B가 아닌 A에 해당하는 사례이다.
⑤ 재외 동포 2세가 한국을 방문하였으나 한국어를 몰라 의사소통의 불편함을 경험하는 사례는 (가)에 들어갈 수 있다.

문제 풀이 TiP A는 전체성(총체성), B는 공유성, C는 축적성에 해당한다. **답|** ①

01 기출 유사

문화의 속성 A~C에 대한 설명으로 옳은 것은?(단, A~C는 변동성, 축적성, 공유성 중 하나이다.)

A	문화는 시간이 흐르면서 그 형태나 내용, 의미가 변화하는 생활 양식이다.
B	문화는 세대 간 전승되며, 새로운 요소가 추가되어 점점 더 풍부해지는 생활 양식이다.
C	문화는 한 사회의 구성원이 공통적으로 가지고 있는 생활 양식이다.

① A는 후천적으로 습득되는 생활 양식을 의미한다.
② B는 상대방의 행동을 예측하고 대응하는 데 기여한다.
③ B는 여러 문화 구성 요소들이 상호 유기적으로 결합된 전체를 의미한다.
④ C는 구성원의 공통의 사고와 행동의 동질성을 형성하여 원활한 사회적 상호작용에 기여한다.
⑤ C는 문화의 한 부분이 변동하면 다른 부분에 영향을 주어 연쇄적인 변동을 초래할 수 있음을 의미한다.

02 핵심 체크 문화를 바라보는 관점과 문화 이해 태도

1. 문화를 바라보는 관점

총체론적 관점	문화의 각 구성 요소가 갖는 의미를 다른 문화 요소 및 전체와의 관련 속에서 파악함
비교론적 관점	여러 사회의 문화를 비교하여 개별 문화가 지닌 보편성과 특수성을 파악함
❶ ( ) 관점	각 사회의 고유한 역사적·환경적·사회적 맥락 속에서 해당 문화의 고유한 의미를 파악함

2. 문화 이해 태도

❷ ( )	• 자기 문화의 우수성을 내세워 타문화를 낮게 평가하는 태도 • 사회 통합 및 정체성 보존에 기여하나 국수주의 및 문화 제국주의로 변질될 수 있음
❸ ( )	• 다른 사회의 문화를 우월한 것으로 여기고 추종하면서 자기 문화를 열등하다고 생각하는 태도 • 선진 문물의 수용이 용이하나 자문화의 정체성을 상실할 수 있음
문화 상대주의	각 문화가 해당 사회의 맥락에서 갖는 고유한 의미를 존중하는 태도, 문화적 다양성에 기여함

답| ❶ 상대론적 ❷ 자문화 중심주의 ❸ 문화 사대주의

02 기출 유형

| 2020학년도 수능 |

갑, 을의 문화 이해 태도에 대한 설명으로 옳은 것은?

> • 갑은 외국에서 유학을 온 일부 학생들이 종교 의례에 참석하기 위해 특정 요일의 수업에 결석하는 모습을 보고, 자국의 생활 양식에 비해 뒤떨어진 문화라고 생각하였다.
> • 이주민인 신입 사원이 자신이 속한 문화권에서는 술을 마시거나 접촉하는 것을 금기시한다며 술 판매 업무를 할 수 없다고 하자, 관리자 을은 그 금기가 해당 문화권에서 매우 중요한 것임을 인정하여 다른 업무를 배정하였다.

① 갑의 태도는 자문화 정체성을 상실할 우려가 있다는 비판을 받는다.
② 을의 태도는 국수주의로 변질될 수 있다는 비판을 받는다.
③ 갑의 태도는 을의 태도와 달리 각 사회의 문화가 동등한 가치를 지닌다고 본다.
④ 을의 태도는 갑의 태도와 달리 문화 다양성 확보에 유리하다.
⑤ 갑, 을의 태도는 모두 특정 사회의 문화를 기준으로 타문화를 평가할 수 있다고 본다.

문제 풀이 TIP 갑은 자문화 중심주의, 을은 문화 상대주의에 해당한다. 답| ④

02 기출 유사

문화를 이해하는 갑~병의 태도에 대한 설명으로 옳은 것은?

> 갑: 각 문화가 해당 사회의 맥락에서 갖는 고유한 의미를 존중해야 해.
> 을: 내가 속한 문화의 우수성을 내세워 다른 문화를 낮게 평가해도 괜찮아.
> 병: 우수한 선진국의 문화를 수용하여 낙후된 우리 문화를 발전시켜야 해.

① 갑의 태도는 자국의 문화 정체성을 약화시킬 수 있다.
② 을의 태도는 문화를 평가가 아닌 이해의 대상으로 본다.
③ 병의 태도는 모든 문화가 동등한 가치를 지닌다고 본다.
④ 병의 태도는 문화 다양성 보존에 기여한다.
⑤ 갑의 태도와 달리 을의 태도는 국수주의로 변질될 수 있다는 비판을 받는다.

03 핵심 체크 하위문화와 대중문화

1. 주류 문화와 하위문화

주류 문화	한 사회 구성원 대다수가 공통적으로 누리는 문화 → 주류 문화와 하위문화의 범주는 상대적으로 규정됨
❶ [ ]	• 지역, 세대, 계층 등에 따라 한 사회 내에서 일부 구성원들이 공유하는 문화 예 지역 문화, 청소년 문화 등 • 반(反) 문화: 주류 문화를 거부하거나 저항하는 사람들이 공유하는 문화

2. 대중문화와 대중 매체

대중문화	사회 구성원 대다수가 대중으로서 공유하고 향유하는 문화	
대중 매체의 유형	일방향 매체	신문, 라디오, 텔레비전 등 전통적인 대중 매체로, 정보 생산자와 소비자가 분명하게 구별됨
	쌍방향 매체	SNS 등 인터넷을 이용한 ❷ [ ]로, 정보 생산자와 소비자의 구분이 불분명함
대중 매체의 기능	순기능	오락 및 여가 수단으로 활용되고, 고급문화를 대중화하여 문화 향유 수준이 향상됨
	역기능	문화의 상업화와 획일화를 조장할 수 있고, 지배층의 ❸ [ ] 수단으로 악용될 수 있음

답| ❶ 하위문화 ❷ 뉴 미디어 ❸ 대중 조작

03 기출 유형

| 2018학년도 수능 |

A~C의 일반적인 특징에 대한 설명으로 옳은 것은?(단, A~C는 각각 전체 문화, 반문화, 반문화 성격이 없는 하위문화 중 하나이다.)

구분	A	B	C
한 사회 내에서 일부 구성원들만 공유하는 문화인가?	예	예	아니요
한 사회의 지배적인 문화를 거부하거나 저항하는 문화인가?	예	아니요	아니요

① A는 B와 달리 기존의 지배적인 문화를 대체하기도 한다.
② B는 A와 달리 주류 집단에 의해 일탈로 규정되기도 한다.
③ A를 공유하는 구성원은 C의 문화 요소 중 일부를 공유한다.
④ A, B는 C와 달리 해당 문화를 향유하는 구성원들 공통의 정체성 형성에 기여한다.
⑤ B, C는 A와 달리 사회에 따라 상대적으로 규정된다.

문제 풀이 TiP A는 반문화, B는 반문화 성격이 없는 하위문화, C는 전체 문화이다. ③ 반문화는 하위문화의 한 유형으로, 반문화와 하위문화를 공유하는 구성원은 전체 문화의 문화 요소 중 일부를 공유한다. 답| ③

03 기출 유사

A~C 문화의 일반적인 특징에 대한 옳은 설명만을 〈보기〉에서 있는 대로 고른 것은?

A 문화는 한 사회 구성원 대다수가 공유하는 문화이다. 반면 한 사회 내에서 일부 구성원들만 공유하는 문화는 B 문화이다. B 문화 중에서 지배 문화에 저항·대립하는 문화는 C 문화이다.

보기
ㄱ. A 문화는 B 문화의 총합이다.
ㄴ. B 문화는 전체 사회에 문화적 다양성을 제공한다.
ㄷ. C 문화를 공유하는 구성원은 A 문화 요소 중 일부를 공유한다.
ㄹ. B 문화와 C 문화는 해당 문화를 누리는 구성원의 정체성 형성에 기여한다.

① ㄱ, ㄴ ② ㄱ, ㄷ ③ ㄷ, ㄹ
④ ㄱ, ㄴ, ㄹ ⑤ ㄴ, ㄷ, ㄹ

04 핵심 체크 문화 변동의 양상

문화 변동의 요인	내재적 요인	발명	존재하지 않았던 기술이나 사물 등을 만들어 내는 것
		❶	이미 존재하고 있었으나 알려지지 않았던 것을 찾아내는 것
	외재적 요인	직접 전파	서로 다른 문화 간의 직접적인 접촉에 의해 문화 요소가 전달되는 현상
		간접 전파	서로 다른 문화가 매개체를 통해 간접적으로 문화 요소가 전달되는 현상
		❷	다른 사회의 문화 요소에서 아이디어를 얻어 새로운 문화 요소를 만들어 내는 것
문화 변동의 양상	자발적 문화 접변		스스로의 필요에 의해 다른 문화 요소를 받아들이는 것
	강제적 문화 접변		지배 사회의 문화가 피지배 사회에 강제적으로 이식되어 나타나는 것
문화 접변의 결과	문화 동화		한 사회의 문화가 다른 사회의 문화 체계 속에 흡수되어 정체성을 상실하는 현상
	❸		서로 다른 사회의 문화가 한 사회의 문화 체계 속에서 나란히 존재하는 현상
	문화 융합		외래문화와 기존의 문화가 결합하여 새로운 성격을 가진 제3의 문화가 나타나는 현상

답| ❶ 발견 ❷ 자극 전파 ❸ 문화 병존(문화 공존)

04 기출 유형

| 2021학년도 수능 응용 |

A~B국에서 나타난 문화 변동에 대한 설명으로 옳은 것은?

- 식사 도구로 수저를 사용하던 A국에서는 나이프와 포크를 사용하는 이웃 나라 사람들과 교류하면서 나이프와 포크도 식사 도구로 사용하였다.
- B국의 군인들은 야외 훈련 중 철제 투구를 이용하여 음식을 끓여 먹었던 경험에서 아이디어를 얻어 새로운 형태의 냄비를 만들어 조리 도구로 사용하였다.

① A국에서는 문화 병존, B국에서는 문화 융합이 나타났다.
② A국에서는 직접 전파, B국에서는 자극 전파가 나타났다.
③ A국에서는 자발적 문화 접변, B국에서는 강제적 문화 접변이 나타났다.
④ A, B국은 문화 변동 과정에서 자기 문화의 정체성을 상실하였다.
⑤ A국에서는 B국과 달리 외래문화와의 접촉으로 새로운 문화 요소가 나타났다.

문제 풀이 TiP A국에서는 문화 병존, B국에서는 발명이 나타났다. ⑤ A는 외재적 요인, B는 내재적 요인으로 인해 문화 변동이 나타났다. **답|** ⑤

04 기출 유사

A~C국에 나타난 문화 변동 양상에 대한 설명으로 옳은 것은?

- A국에서는 전기를 사용하는 최초의 조명인 백열등이 만들어졌다.
- B국에서는 고유의 토속 종교와 외래 종교가 결합하여 새로운 성격을 지닌 제3의 종교가 만들어졌다.
- C국에서는 문자가 없었으나, 인접국과의 교류 과정에서 그들의 문자에 아이디어를 얻어 새로운 문자를 만들었다.

① A국에서는 발견이 나타났다.
② B국에서는 문화 병존이 나타났다.
③ C국에서는 직접 전파가 나타났다.
④ B국에서는 자발적 문화 접변, C국에서는 강제적 문화 접변이 나타났다.
⑤ B국, C국에서는 서로 다른 문화와의 접촉 과정에서 문화 변동이 나타났다.

기초력 집중드릴

01 문화의 의미와 관련된 대화 중 밑줄 친 ㉠, ㉡에 대한 설명으로 옳은 것은?

① ㉠은 '여가 문화'의 문화와 동일한 의미로 사용되었다.
② ㉡은 '문화 시설'의 문화와 동일한 의미로 사용되었다.
③ ㉠은 ㉡과 달리 평가적 의미를 지닌 사회적 생활 양식을 의미한다.
④ ㉡은 ㉠과 달리 성별과 같이 타고난 생물학적 특징도 포함하는 의미이다.
⑤ ㉠은 물질 문화, ㉡은 비물질 문화에 해당한다.

02 다음 글을 통해 알 수 있는 문화의 속성으로 가장 적절한 것은?

> 인간과 달리 원숭이는 문자나 기호와 같은 상징을 사용하는 능력이 없기 때문에 시간이 지나도 생활 방식이 거의 변하지 않았다. 반면 상징 체계를 사용하는 인간은 이전 세대로부터 전승받은 문화에 새로운 것을 추가하여 더 정교하고 풍부한 문화로 발전시킬 수 있었다.

① 학습성 ② 공유성 ③ 전체성
④ 축적성 ⑤ 변동성

03 다음 대화에 나타난 문화 이해의 태도 A에 대한 옳은 설명을 〈보기〉에서 고른 것은?

> **교사:** A를 바탕으로 문화를 바라볼 때 발생할 수 있는 문제점을 이야기해 봅시다.
> **학생 갑:** 자기 문화의 정체성이나 주체성을 상실할 우려가 있습니다.
> **학생 을:** 고유문화가 외래문화에 의해 종속되거나 소멸될 수 있습니다.

보기
ㄱ. A는 문화 사대주의이다.
ㄴ. A는 문화를 이해의 대상으로 간주한다.
ㄷ. A는 문화에 대한 평가가 가능하다고 본다.
ㄹ. A는 현대 다문화 사회를 이해하는 데 적합하다.

① ㄱ, ㄴ ② ㄱ, ㄷ ③ ㄴ, ㄷ ④ ㄴ, ㄹ ⑤ ㄷ, ㄹ

04 다음 글에 나타난 문화를 바라보는 관점에 대한 옳은 설명을 〈보기〉에서 고른 것은?

> 조장(鳥葬) 풍습을 지닌 티베트 사람들의 장례 문화를 해당 사회의 문화적 전통과 사회적 맥락 속에서 연구하였다. 그 결과 시신으로 배를 채운 새가 하늘을 높이 날면 죽은 사람의 영혼도 자유롭게 하늘을 날 수 있다고 생각하는 티베트인들 나름의 합리적 근거를 찾아내었다.

보기
ㄱ. 문화를 평가의 대상으로 인식한다.
ㄴ. 문화 간 비교를 통해 자기 문화를 객관적으로 이해하는 데 유용하다.
ㄷ. 해당 문화를 향유하는 사회 구성원의 입장에서 문화의 의미를 파악한다.
ㄹ. 한 사회의 문화를 파악하기 위해서는 그 사회의 맥락을 고려하여 분석해야 한다.

① ㄱ, ㄴ ② ㄱ, ㄷ ③ ㄴ, ㄷ ④ ㄴ, ㄹ ⑤ ㄷ, ㄹ

05 A, B에 대한 설명으로 옳은 것은?(단, A와 B는 각각 반문화와 하위문화 중 하나이다.)

> A는 B의 한 유형으로서 두 가지 성격을 지닌다. 하나는 전체 사회의 지배적인 가치를 따르지 않는 문화로서 일탈 문화 또는 범죄 문화로 나타난다. 다른 하나는 전체 사회의 지배적인 가치를 거부하면서 새로운 가치를 추구하는 문화로서 대항 문화 혹은 대안 문화로 나타난다.

① A 문화는 하위문화이다.
② B 문화는 반문화이다.
③ A 문화는 B 문화와 달리 주류 문화를 대체하기도 한다.
④ B 문화는 A 문화와 달리 전체 사회에 문화적 다양성을 제공한다.
⑤ A 문화와 B 문화 모두 해당 문화를 향유하는 구성원 간에 공통의 정체성 형성에 기여한다.

06 밑줄 친 '이것'의 사례로 적절한 것은?

> 문화 접변의 결과 중 이것은 한 사회의 문화가 다른 사회의 문화로 흡수되거나 대체되어 정체성을 상실하는 현상을 의미한다.

① 인도의 불교 문화와 서양의 미술 문화가 만나서 간다라 미술이 형성되었다.
② 우리 사회 내부에 불교, 천주교, 개신교 등이 종교 문화로서 함께 존재한다.
③ 북아메리카 원주민이 이주해 온 유럽인의 문화와 접촉하면서 자기 문화를 상실하였다.
④ 중국에 거주하는 조선족은 집 밖에서 중국어를 사용하지만 가족끼리는 한국어를 사용한다.
⑤ 멕시코 지역 토착 원주민의 전통과 에스파냐의 정복 문화가 결합해 메스티소 문화가 나타났다.

07 표는 대중 매체 A~C를 질문에 따라 구분한 것이다. 이에 대한 옳은 설명만을 〈보기〉에서 고른 것은?(단, A~C는 각각 라디오, 종이 신문, 인터넷 중 하나이다.)

질문	A	B	C
음성 정보를 제공할 수 있는가?	예	예	아니요
정보 생산자와 소비자 간의 경계가 모호한가?	아니요	예	아니요

보기
ㄱ. A는 B에 비해 정보 전달의 신속성이 높다.
ㄴ. B는 C와 달리 쌍방향 정보 전달이 가능하다.
ㄷ. C는 A에 비해 심층적인 정보 전달에 유리하다.
ㄹ. B는 A, C와 달리 전통 대중 매체에 해당한다.

① ㄱ, ㄴ ② ㄱ, ㄷ ③ ㄴ, ㄷ ④ ㄴ, ㄹ ⑤ ㄷ, ㄹ

08 그림은 문화 접변의 결과 A~C를 구분한 것이다. 이에 대한 옳은 설명을 〈보기〉에서 고른 것은?(단, A~C는 각각 문화 동화, 문화 융합, 문화 병존 중 하나이다.)

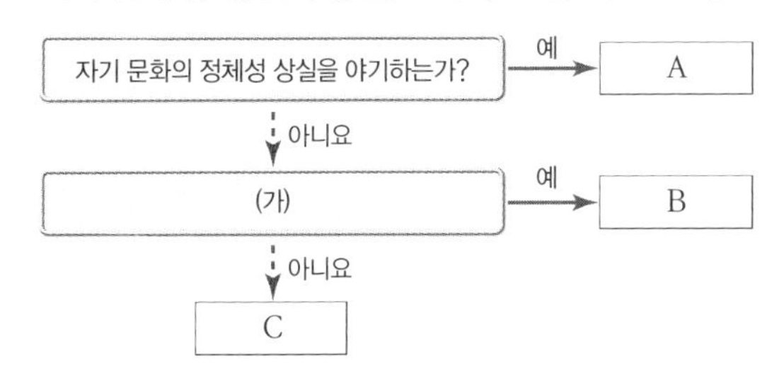

보기
ㄱ. A는 문화 동화이다.
ㄴ. A의 사례로 미국 내 차이나타운을 들 수 있다.
ㄷ. (가)에 '새로운 문화 요소가 만들어지는가?'가 들어가면, B는 문화 융합이다.
ㄹ. B가 문화 병존이고, C가 문화 융합이면 (가)에 '기존 문화의 정체성이 남아있는가?'가 들어갈 수 있다.

① ㄱ, ㄴ ② ㄱ, ㄷ ③ ㄴ, ㄷ ④ ㄴ, ㄹ ⑤ ㄷ, ㄹ

09 밑줄 친 '문화'의 의미에 대한 옳은 설명을 〈보기〉에서 고른 것은?

> 갑: 이번 주말에 뭐 할거니?
> 을: 오랜만에 문화생활을 즐길 겸 영화를 보러 가려고 해. 넌?
> 갑: 글쎄, 아직 정해진 일정은 없어.
> 을: 다음주 수요일은 '문화가 있는 날'이라서 문화 공연이 할인되니 같이 가자.

보기
ㄱ. 인간의 모든 행동이 포함된다.
ㄴ. 넓은 의미의 문화를 의미한다.
ㄷ. 문화를 평가의 대상으로 본다.
ㄹ. 문화를 발전된 것, 세련된 것으로 파악한다.

① ㄱ, ㄴ ② ㄱ, ㄷ ③ ㄴ, ㄷ ④ ㄴ, ㄹ ⑤ ㄷ, ㄹ

10 (가)와 (나)의 문화 변동 요인을 옳게 연결한 것은?

> (가) TV나 영화를 통해 한류 열풍이 동남아시아 국가들을 강타하고 있다. 동남아시아 국가들을 여행하다 보면 많은 현지인들이 우리나라 음악이나 춤을 즐기고 있는 것을 볼 수 있다.
> (나) 19세기 이전까지 문자가 없었던 아메리카 원주민인 체로키족은 백인 선교사들과 접촉하면서 알파벳을 모방하여 체로키 문자를 만들었다.

	(가)	(나)
①	발명	간접 전파
②	발견	직접 전파
③	직접 전파	간접 전파
④	간접 전파	자극 전파
⑤	직접 전파	자극 전파

11 A, B 문화에 대한 옳은 설명을 〈보기〉에서 고른 것은?

> A 문화는 한 사회에서 집단 및 영역과 상관없이 구성원들이 공유한다. 이와 달리 B 문화는 한 사회의 일부 구성원들만 공유한다. A 문화의 공유성은 전체 사회의 범위에서 나타나므로 B 문화를 갖는 집단의 구성원들 역시 A 문화의 요소를 향유한다. 이와 달리 B 문화의 공유성은 해당 문화를 향유하는 특정 집단의 범위로 한정된다.

보기
ㄱ. A 문화는 주류 문화에 저항하여 사회 갈등 및 혼란을 야기할 수 있다.
ㄴ. B 문화는 반문화와 달리 전체 사회의 문화적 다양성을 형성하는 원천이다.
ㄷ. 특정 문화를 A 문화나 B 문화로 규정하는 기준은 시대나 사회에 따라 상대적이다.
ㄹ. A, B 문화는 해당 문화를 향유하는 구성원의 정체성 형성 및 소속감 고취에 기여한다.

① ㄱ, ㄴ ② ㄱ, ㄷ ③ ㄴ, ㄷ ④ ㄴ, ㄹ ⑤ ㄷ, ㄹ

12 (가)~(다)는 문화 접변의 결과이다. 이를 옳게 연결한 것은?

구분	전통문화 요소		외래문화 요소		결과
(가)	A	+	B	=	B
(나)	A	+	B	=	A, B
(다)	A	+	B	=	C

	(가)	(나)	(다)
①	문화 동화	문화 융합	문화 병존
②	문화 동화	문화 병존	문화 융합
③	문화 융합	문화 병존	문화 동화
④	문화 융합	문화 동화	문화 병존
⑤	문화 병존	문화 융합	문화 동화

13 문화 변동 요인 (가), (나)에 대한 설명으로 옳은 것은?

> (가) 은/는 문화 요소가 그것을 향유하는 사람에 의해 직접 전달되고, (나) 은/는 문화 요소가 매개체에 의해 전달된다. 예를 들어 A국의 문화 요소 a가 B국에서 공부하는 A국 유학생들에 의해 B국에 전파되었다면 (가) 에 해당한다. 반면 A국의 문화 요소 a가 해당 문화 요소를 향유하지 않는 C국 상인들에 의해 B국에 전파되었다면 (나) 에 해당한다.

① (가)는 발명에 해당한다.
② (나)는 발견에 해당한다.
③ (가)는 (나)와 달리 자극 전파에 해당한다.
④ (나)는 (가)와 달리 문화 변동의 내재적 요인에 해당한다.
⑤ (가)와 (나)는 모두 문화 변동의 외재적 요인에 해당한다.

14 밑줄 친 ㉠, ㉡에 대한 설명으로 옳은 것은?

> • 인간의 생활 양식 중 고상하거나 세련된 것, 예술 등 특별한 생활 양식만 ㉠ 문화에 해당한다.
> • 한 사회나 집단에서 구성원들이 공유하는 인간의 사회적 생활 양식은 ㉡ 문화에 해당한다.

① ㉠은 넓은 의미의 문화에 해당한다.
② ㉠은 '문화인'에서의 문화와 같은 의미로 사용되었다.
③ ㉡은 문화를 이해의 대상이 아닌 평가의 대상으로 본다.
④ ㉡은 문화를 정신적, 예술적으로 높은 수준에 도달한 것으로 인식한다.
⑤ ㉠과 ㉡은 모두 인간의 본능적인 행동이나 혼자만의 독특한 버릇을 포함한다.

15 대중 매체 A~C의 일반적인 특징에 대한 옳은 설명을 〈보기〉에서 고른 것은?(단, A~C는 각각 종이 신문, TV, 인터넷 중 하나이다.)

> 교사: 대중 매체 A, B, C의 특징은 무엇인가요?
> 갑: A는 B와 C에 비해 정보 재가공의 용이성이 높습니다.
> 을: B는 A와 C에 비해 문맹자의 정보 획득 가능성이 낮습니다.

보기
ㄱ. A는 B에 비해 정보 확산 속도가 느리다.
ㄴ. B는 C에 비해 심층적인 정보 제공에 유리하다.
ㄷ. C는 A와 달리 정보 전달의 양방향성이 강하다.
ㄹ. A, C는 B와 달리 복합 감각의 정보를 전달할 수 있다.

① ㄱ, ㄴ ② ㄱ, ㄷ ③ ㄴ, ㄷ ④ ㄴ, ㄹ ⑤ ㄷ, ㄹ

16 A~C에 대한 설명으로 옳은 것은?(단, A~C는 각각 주류 문화, 반문화, 반문화 성격이 없는 하위문화이다.)

질문 \ 구분	A	B	C
사회 구성원 다수가 공유하는 문화인가?	아니요	예	아니요
한 사회의 지배적인 문화에 저항하는 문화인가?	예	아니요	아니요

① 모든 A의 총합은 B이다.
② C는 B와 문화적 공통 요소를 지니고 있다.
③ 사회가 복잡해질수록 C는 B에 수렴되는 경향을 보인다.
④ A는 C와 달리 해당 집단 구성원들의 소속감을 강화시킨다.
⑤ C는 A와 달리 B의 문화적 다양성에 기여하는 효과가 있다.

17 그림은 문화 이해 태도 A~C를 구분한 것이다. 이에 대한 설명으로 옳은 것은?(단, A~C는 각각 문화 사대주의, 문화 상대주의, 자문화 중심주의 중 하나이다.)

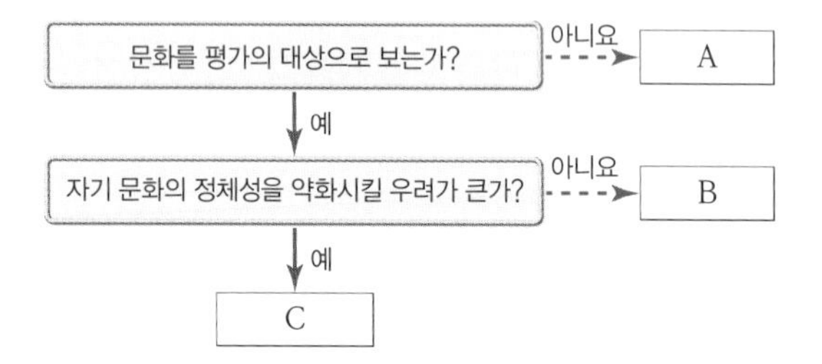

① A는 문화 제국주의로 이어질 우려가 있다.
② B는 타문화를 그 사회의 맥락 속에서 파악한다.
③ C는 국제적 고립을 초래할 수 있다.
④ A는 B와 달리 문화의 다양성 보존에 기여한다.
⑤ B는 C와 달리 문화의 우열을 정하는 기준이 존재한다고 본다.

18 다음 사례에 나타난 하위문화에 대한 옳은 설명을 〈보기〉에서 고른 것은?

> 1960년대 대중 사회와 소비 자본주의, 핵과 전쟁의 가치를 부정하고 평화와 인권을 내세워 반전 운동 등 저항 문화를 주도한 히피 문화는 미국 사회에 인권, 평화, 자연 등 새로운 가치를 확산시켰다.

보기
ㄱ. 사회의 안정과 통합에 기여한다.
ㄴ. 판단 기준은 시대나 사회와 관계없이 항상 일정하다.
ㄷ. 전체 사회의 문화적 역동성을 높이는 밑바탕이 된다.
ㄹ. 주류 문화의 문제점을 성찰하는 계기가 되기도 한다.

① ㄱ, ㄴ ② ㄱ, ㄷ ③ ㄴ, ㄷ ④ ㄴ, ㄹ ⑤ ㄷ, ㄹ

19 표는 대중 매체 A~C의 특징을 나타낸 것이다. 이에 대한 옳은 설명을 〈보기〉에서 고른 것은?(단, A~C는 각각 인쇄 매체, 영상 매체, 뉴 미디어 중 하나이다.)

A, B	정보 생산자와 소비자의 경계가 분명하다.
A, C	복합 감각 정보 제공이 가능하다.
C	정보 사회에 새롭게 등장한 매체이다.

보기
ㄱ. A는 B에 비해 정보의 심층성이 낮다.
ㄴ. B는 C와 달리 양방향 정보 전달 매체이다.
ㄷ. C는 A에 비해 정보의 복제, 재가공이 용이하다.
ㄹ. A는 인쇄 매체, B는 영상 매체, C는 뉴 미디어이다.

① ㄱ, ㄴ ② ㄱ, ㄷ ③ ㄴ, ㄷ ④ ㄴ, ㄹ ⑤ ㄷ, ㄹ

20 갑, 을이 가진 문화를 바라보는 관점에 대한 설명으로 옳지 않은 것은?

> 갑: 한국, 중국, 일본 세 나라의 음식 문화에서 나타나는 공통점과 차이점을 연구하려고 해.
> 을: 고산 지대에 사는 ○○족의 장례 문화가 그들의 종교, 경제, 가족 제도 등 다른 문화 요소들과 어떻게 연관되어 있는지 연구하려고 해.

① 갑의 관점은 문화의 보편성과 특수성을 이해하는 데 기여한다.
② 을의 관점은 특정 문화 요소의 의미를 전체와의 관련 속에서 파악하고자 한다.
③ 갑의 관점은 을의 관점과 달리 자기 문화를 객관적으로 이해하는 데 기여한다.
④ 을의 관점은 갑의 관점과 달리 문화 향유자의 입장에서 문화를 이해하고자 한다.
⑤ 갑의 관점은 비교론적 관점, 을의 관점은 총체론적 관점이다.

21 다음 글에서 강조하는 문화의 속성에 대한 설명으로 옳은 것은?

> 집은 그냥 사람들이 사는 단순한 구조물이 아니다. 집은 우선 재산 목록에 들어간다. 그것은 경제적인 투자의 의미를 갖는다. 집값이 오르고 내리는 데 사람들이 민감한 것은 집 그 자체가 경제적 의미를 갖기 때문이다. 또한 사람들은 살기 편안하다고 아무 데나 집을 구입하는 것도 아니다. 사람들은 지역과 환경을 고려하여 집을 구입한다. 집은 사회적 지위를 상징하기도 하며 집을 짓는 방식도 그 사회의 생활 양식이나 자연 조건 등과 긴밀하게 관련되어 있다.

① 문화는 서로 다른 문화 체계를 구분하는 기준이 된다.

② 문화는 사회 구성원의 사고와 행동의 동질성을 형성한다.

③ 문화는 세대 간 전승되면서 점점 더 풍부해지는 생활 양식이다.

④ 문화는 선천적인 것이 아니라 후천적인 학습 과정을 통해 습득된다.

⑤ 문화는 각 부분이 유기적으로 결합하여 이루어진 하나로서의 전체의 의미를 갖는다.

22 다음 조건에 따라 회전판의 화살표가 이동할 때, 이동 경로를 옳게 나타낸 것은?

> • 조건 : '문화 변동'에 대한 설명이 옳은 경우에는 화살표가 시계 방향(A 방향)으로 한 칸 이동하고, 옳지 않은 경우에는 시계 반대 방향(B 방향)으로 한 칸 이동한다. 제시문 1~4에 따라 순서대로 실시하며, 화살표는 'ㄱ'에서 출발한다.

1. 불, 전기, 지하자원은 발명의 사례이다.
2. 활, 자동차, 컴퓨터 등은 발견의 사례이다.
3. 대중 매체 등에 의해 나타나는 문화 요소의 전파는 간접 전파이다.
4. 교역, 전쟁, 정복, 부족 간 혼인 등에 의해 나타나는 문화 요소의 전파는 자극 전파이다.

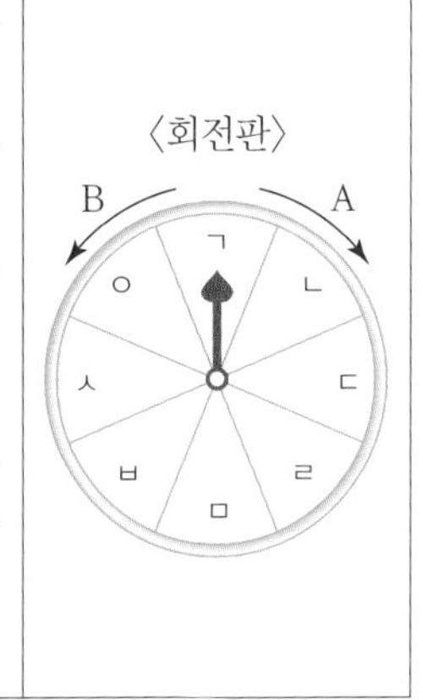

① ㄱ → ㅇ → ㄱ → ㄴ → ㄷ

② ㄱ → ㅇ → ㅅ → ㅂ → ㅁ

③ ㄱ → ㅇ → ㅅ → ㅂ → ㅅ

④ ㄱ → ㅇ → ㅅ → ㅇ → ㅅ

⑤ ㄱ → ㅇ → ㅅ → ㅇ → ㄱ

05 일차 사회 불평등

오늘 공부할 내용 미리보기

계층론과 계급론

▲ 계급론

▲ 계층론

공부할 내용

01 사회 불평등 현상에 관한 이론

02 사회 불평등 현상을 바라보는 관점

기능론과 갈등론

01 핵심 체크 사회 불평등 현상에 관한 이론

❶	• 경제·정치·사회적 요인 등 다양한 요인에 의해 사회 불평등 현상이 발생함 → 다원론 • 다양한 차원에서 계층화 현상을 설명함 → 지위 불일치 현상을 설명하기 적합함 • 계층은 연속적으로 서열화되어 있는 범주임, 계층 의식이 뚜렷하지 않음
계급론	• ❷ (자본, 토지 등)의 소유 여부에 따라 지배, 피지배 계급으로 구분함 • 자본가(지배 계급)와 노동자(피지배 계급)의 대립 및 갈등이 사회 변혁의 원동력임 • 경제적 요인이 다른 차원의 계층화를 결정함 → 일원론 • 불연속적, 이분법적으로 계급을 구분함, 계급 의식이 강하게 나타남

답| ❶ 계층론 ❷ 생산 수단

01 기출 유형

| 2020학년도 수능 |

다음은 사회 불평등 현상을 설명하는 이론 A, B를 기준으로 갑~무를 조사한 자료이다. 이에 대한 분석으로 옳은 것은? (단, A, B는 각각 계급 이론, 계층 이론 중 하나이다.)

〈A에 따른 조사 자료〉

구분	갑	을	병	정	무
생산 수단 소유 여부	미소유	미소유	소유	미소유	소유

〈B에 따른 조사 자료〉

구분	갑	을	병	정	무
재산 정도	상	하	상	중	상
위신 정도	중	하	상	하	하
권력 정도	상	하	상	하	상

① 계급 이론에 따르면 을, 정은 서로 다른 계급으로 구분된다.
② 계층 이론에 따르면 을, 병 간 권력 정도의 차이는 재산 정도의 차이에 의해 결정된다.
③ 갑, 병, 무는 공통의 계급적 연대 의식을 공유한다.
④ 계층적 위치에서 사회적 측면과 정치적 측면 간 지위 불일치가 나타나는 사람은 2명이다.
⑤ B는 A와 달리 사회 불평등 현상을 이분법적으로 파악한다.

문제 풀이 TIP A는 계급 이론, B는 계층 이론이다. ④ 계층 이론에 따르면 갑, 정, 무는 지위 불일치가 나타나고 있다. 특히 사회적 측면(위신)과 정치적 측면(권력) 간 지위 불일치가 나타나는 사람은 갑과 무이다.

답| ④

01 기출 유사

사회 불평등 현상을 설명하는 갑, 을의 관점에 대한 분석으로 가장 적절한 것은? (단, 갑, 을의 관점은 각각 계급 이론과 계층 이론 중 하나이다.)

① 갑은 일원론적 관점으로 사회 불평등 현상을 바라보고 있다.
② 을은 동일 계급 간 소속감을 강조할 것이다.
③ 갑은 을과 달리 계층을 연속적으로 구분할 것이다.
④ 을은 갑과 달리 지위 불일치 현상을 설명할 수 없다.
⑤ 갑과 을은 모두 사회 이동은 불가능하다고 주장할 것이다.

02 핵심 체크 사회 불평등 현상을 바라보는 관점

기능론	• 사회 불평등은 직업별 사회적 역할의 중요도 및 기여도에 따른 차등 보상의 결과임 → 인재를 적재적소에 배치함 • ❶ [　　　] 는 개인의 성취 동기를 자극함 • 사회적 희소가치의 분배 기준은 사회 전체적으로 합의된 정당한 기준임 • 사회 불평등 현상은 보편적, 불가피한 현상임
갈등론	• 사회 불평등은 지배 집단이 자신의 기득권 유지를 위해 사회적 희소 자원을 불공정하게 분배한 결과임 → 피지배 집단의 계층 상승 억압 • 기존의 불평등한 계층 구조를 재생산하여 집단 간 대립과 갈등 발생 • 사회적 희소 가치의 분배 기준은 ❷ [　　　] 만의 합의가 반영된 기준임 • 사회 불평등 현상은 보편적, 제거해야 할 현상임

답| ❶ 차등 분배 ❷ 지배 집단

02 기출 유형

| 2019학년도 수능 |

다음은 사회 불평등 현상을 바라보는 관점을 나타낸 자료이다. 이에 대한 설명으로 옳은 것은?

> 사회에서 가치 있다고 생각하는 자리를 자격 있는 사람으로 채우기 위해서는 더 많은 보상을 제공해야 한다. 따라서 사회 불평등 현상은 어느 사회에서나 나타난다. 이를 그림으로 표현하면 오른쪽과 같다.

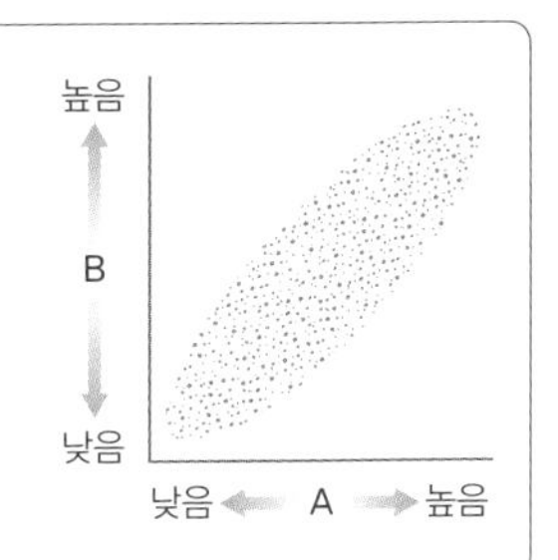

① 사회 불평등 현상을 보편적이지만 제거해야 할 대상이라고 본다.
② 사회적 지위나 직업에는 중요도에 따른 위계 체계가 존재한다고 본다.
③ 지배 집단과 피지배 집단 간의 대립 관계에서 사회 불평등 현상을 이해한다.
④ A가 '부모의 경제적 지위'라면, B는 '자녀의 사회적 성공 가능성'이 적절하다.
⑤ A가 '희소가치의 균등 분배 수준'이라면, B는 '개인의 성취 동기'가 적절하다.

문제 풀이 TIP 제시된 자료의 관점은 기능론이다. 기능론에서는 직업별 중요도에 따라 사회적 희소가치를 차등 분배하는 것이 정당하다고 본다. 답| ②

02 기출 유사

사회 불평등 현상을 바라보는 갑, 을의 관점에 대한 설명으로 옳은 것은?

① 갑은 직업별 중요성의 차이가 존재한다고 본다.
② 갑은 사회 불평등 현상을 제거해야 할 대상으로 본다.
③ 을은 부의 차등 분배 구조가 불공정하다고 본다.
④ 을은 사회 불평등이 지배와 피지배 관계에서 비롯된다고 본다.
⑤ 갑과 을은 모두 가정 배경이나 권력 관계 등에 의해 사회적 희소가치가 분배된다고 본다.

기초력 집중드릴

01 사회 불평등 현상에 대한 두 이론 A, B에 대한 옳은 설명만을 〈보기〉에서 있는 대로 고른 것은?

> A: 다양한 사회적 자원의 소유 정도를 기준으로 상층, 중층, 하층으로 구분한다.
> B: 생산 수단의 소유 여부를 기준으로 지배 계급과 피지배 계급으로 구분한다.

보기
ㄱ. A는 불연속적으로 계급을 구분한다.
ㄴ. B는 경제결정론적 입장을 취하고 있다.
ㄷ. A는 B와 달리 지위 불일치 현상을 설명하기에 적합하다.
ㄹ. A와 B는 모두 사회 불평등 현상의 원인으로 경제적 요인을 고려한다.

① ㄱ, ㄴ ② ㄴ, ㄷ ③ ㄷ, ㄹ
④ ㄱ, ㄴ, ㄷ ⑤ ㄴ, ㄷ, ㄹ

02 사회 불평등 현상을 바라보는 관점 A, B에 대한 옳은 설명을 〈보기〉에서 고른 것은? (단, A, B는 각각 갈등론과 기능론 중 하나이다.)

질문 \ 구분	A	B
직업별 중요도에는 차이가 있습니까?	예	아니오
(가)	예	예

보기
ㄱ. A는 기능론, B는 갈등론이다.
ㄴ. A는 B와 달리 차등 보상이 성취 동기를 감소시킨다고 본다.
ㄷ. B는 A와 달리 지배 집단에 의해 분배 기준이 정해진다고 본다.
ㄹ. (가)에는 '사회 불평등 현상이 불가피한 현상입니까?'가 들어갈 수 있다.

① ㄱ, ㄴ ② ㄱ, ㄷ ③ ㄴ, ㄷ ④ ㄴ, ㄹ ⑤ ㄷ, ㄹ

03 다음은 사회 불평등 현상을 설명하는 이론이다. 이에 대한 설명으로 옳은 것은?

> 생산 수단의 소유 여부는 다른 계급에 대한 지배와 통제력에 영향을 미친다. 생산 수단을 소유한 집단은 단순히 경제력만을 소유한 것이 아니라 자신을 위해 생산 수단을 소유하지 못한 사람들을 지배하고 통제할 수 있는 힘을 갖게 된다. 이러한 상황은 생산 수단을 소유하지 못한 사람들의 저항을 야기하기 때문에 두 집단 간의 갈등은 피할 수 없다.

① 주관적인 요인을 기준으로 집단을 구분한다.
② 다원론적 관점에서 사회 불평등 현상을 바라본다.
③ 정치적인 요인을 강조하며 불평등 현상을 설명한다.
④ 비슷한 환경에 있는 사람들 간의 연대 의식을 강조한다.
⑤ 서로 다른 두 집단을 연속적으로 서열화하여 설명한다.

04 그래프는 사회 불평등 현상을 바라보는 관점을 나타낸 것이다. 이에 대한 분석으로 옳은 것은?

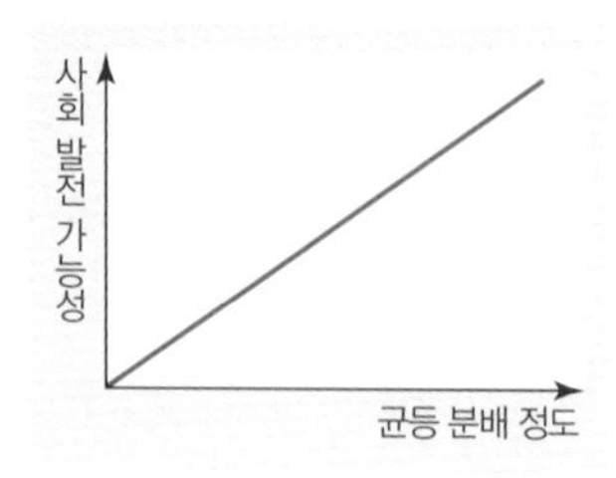

① 사회 불평등의 원인이 개인에게 있다고 본다.
② 사회 불평등 현상의 긍정적인 기능을 강조한다.
③ 사회적 기여도에 따라 직업을 서열화할 수 있다.
④ 사회적 희소가치의 분배 기준은 사회적 합의에 따른 것이다.
⑤ 부모의 경제력이 개인의 사회적 지위 획득에 큰 역할을 수행한다고 본다.

05 그림은 질문 (가)~(다)에 대한 사회 불평등 현상을 설명하는 이론 A, B를 구분한 것이다. 이에 대한 설명으로 옳은 것은? (단, A, B는 각각 계급론과 계층론 중 하나이다.)

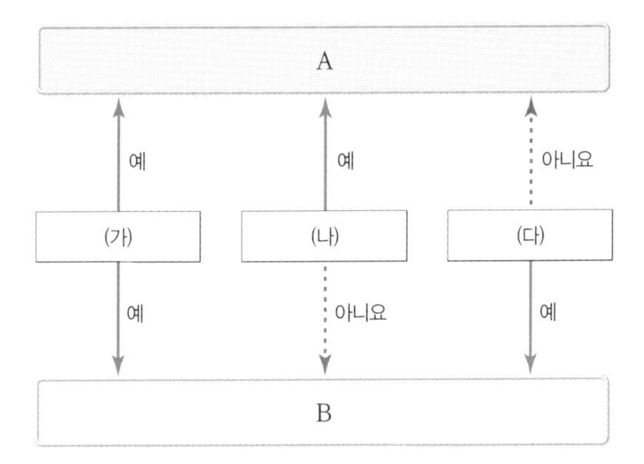

① (가)에는 '계층을 불연속적으로 구분하는가?'가 들어갈 수 있다.
② (나)에는 '경제적 요인을 고려하는가?'가 들어갈 수 있다.
③ (다)에 '사회 계층 구조는 궁극적으로 양분화되는가?'가 들어간다면 A는 계급론, B는 계층론이다.
④ A가 계층론이라면 (나)에 '지위 불일치 현상을 설명하는 데 적합한가?'가 들어갈 수 있다.
⑤ B가 계급론이라면 (가)에 '동일 계급 내 강한 연대 의식이 형성되는가?'가 들어갈 수 있다.

06 다음 자료의 (가)~(라)에 들어갈 대답으로 옳은 것은? (단, A, B는 각각 계급론과 계층론 중 하나이다.)

A는 경제적 차원, 사회적 차원, 권력적 차원 등 다양한 차원을 고려하여 사회 계층화 현상을 바라본다. 반면 B는 사회적 차원이나 권력적 차원에서의 불평등이 경제적 차원에 종속되어 나타난다고 주장하며 경제적인 측면에서만 사회 불평등 현상을 바라보고자 한다. A와 B의 입장을 다음 표와 같이 나타낼 수 있다.

질문	A의 입장	B의 입장
지위 불일치 현상을 설명하는 데 적합한가?	(가)	(나)
사회 계층화 현상이 연속적으로 서열화되어 있다고 보는가?	(다)	(라)

	(가)	(나)	(다)	(라)
①	예	예	아니요	아니요
②	예	아니요	예	아니요
③	아니요	예	아니요	예
④	아니요	예	예	아니요
⑤	아니요	아니요	예	아니요

07 다음 글에 나타난 사회 불평등 현상을 보는 관점에 대한 설명으로 옳은 것은?

> 인체를 구성하는 모든 부분들은 인간의 생명을 유지하기 위해 필요하다. 하지만 뇌와 모발의 역할이 동일한 크기로 중요한 것은 아니다. 모발은 인체의 가장 바깥쪽에 노출되어 있지만, 뇌가 두개골로 둘러싸여 있는 이유는 인체의 생명 활동에 있어 모발보다 뇌가 더 중요한 역할을 수행하기 때문이다. 이와 같은 논리를 통해 다양한 직업들 간에 발생하는 임금 격차는 그 직업이 갖는 사회적 중요도와 큰 연관이 있다고 볼 수 있다.

① 가정 배경의 영향력을 강조한다.
② 사회 불평등 현상이 필수 불가결한 현상이라고 본다.
③ 개인적 노력을 통한 계층 이동이 불가능하다고 본다.
④ 균등 분배 기대치와 성취 동기는 정비례 관계에 있다고 본다.
⑤ 사회 불평등 현상을 극복하기 위한 구조적인 개혁을 주장한다.

08 사회 불평등 현상을 설명하는 이론 A, B에 대한 각 질문에 옳게 대답한 학생은? (단, A, B는 각각 계급 이론, 계층 이론 중 하나이다.)

> A는 생산 수단의 소유 여부를 기준으로 지배 계급과 피지배 계급으로 집단을 구분한다. 그에 비해 B는 정치, 경제, 사회적 차원을 기준으로 집단을 구분하며 현대 사회의 지위 불일치 현상을 그 근거로 제시한다.

학생	질문	A의 입장	B의 입장
갑	경제적 요인에 의해서만 계층화가 발생한다고 보는가?	○	○
을	동일한 계층에 위치한 구성원 간 연대 의식이 약하다고 보는가?	○	×
병	계층 간 수직 이동이 자유롭다고 보는가?	×	×
정	중간 계층의 존재를 부정하는가?	×	○
무	사회 계층이 불연속적으로 위계화되어 있다고 보는가?	○	×

(○: 예, ×: 아니요)

① 갑 ② 을 ③ 병 ④ 정 ⑤ 무

09 사회 불평등 현상을 바라보는 갑, 을의 관점에 대한 설명으로 옳은 것은?

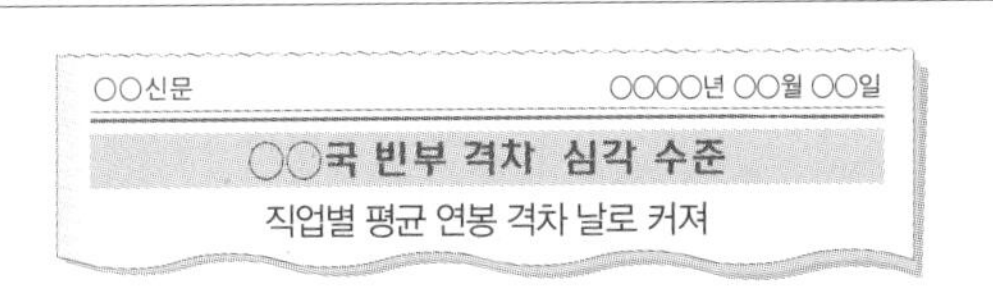
○○신문 ○○○○년 ○○월 ○○일
○○국 빈부 격차 심각 수준
직업별 평균 연봉 격차 날로 커져

갑: 열심히 노력한 사람들이 받는 정당한 결과가 아닐까?
을: 그렇지 않아. 기득권을 가지고 있는 집단이 정책을 결정할 때 자신들에게 유리한 쪽으로 만들었기 때문이야.

① 갑은 사회 불평등 현상을 제거해야 할 대상이라고 본다.
② 을은 균등 분배가 개인의 성취 동기를 저해한다고 본다.
③ 갑은 을과 달리 부모의 경제력이 개인의 성과에 절대적인 영향을 미친다고 본다.
④ 을은 갑과 달리 제도적인 차원에서 사회 불평등 현상을 본다.
⑤ 갑과 을은 모두 사회 불평등 현상이 보편적인 현상이라고 본다.

10 사회 불평등 현상을 설명하는 갑과 을의 관점에 대한 분석으로 가장 적절한 것은?

사회 불평등 현상에 생산 수단의 소유가 영향을 미치는 것은 맞습니다. 그러나 생산 수단뿐만 아니라 권력이나 위신 등의 요인도 큰 영향을 미치고 있기 때문에 간과할 수 없습니다.

그렇지 않습니다. 사회 불평등 현상은 생산 수단의 소유 여부에 따라 결정됩니다. 사회 구성원들이 가지고 있는 권력, 위신 등은 그들의 경제적인 위치를 투영시키는 거울에 불과합니다.

① 갑은 다차원적인 관점에서 사회 불평등 현상을 바라보고 있다.
② 을은 개인의 노력에 의한 계층 이동 가능성을 긍정적으로 볼 것이다.
③ 갑은 을과 달리 개인의 능력을 과소평가한다는 비판을 받을 것이다.
④ 을은 갑과 달리 사회 구성원의 합의에 의한 희소가치의 배분을 주장할 것이다.
⑤ 갑과 을은 모두 미시점 관점에서 사회 불평등 현상을 보고 있다.

06 일차 사회 계층과 사회 보장 제도

오늘 공부할 내용 미리보기

사회 계층 구조와 사회 이동

▲ 피라미드형 계층 구조

▲ 다이아몬드형 계층 구조

공부할 내용

01 사회 계층 구조

02 사회 이동

03 사회 복지 제도

04 사회 불평등 양상

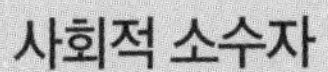

다양한 사회 불평등 양상

사회적 소수자

성 불평등

빈부 격차

사회 보장 제도

공공 부조는 생활이 어려운 국민의 최저 생활을 보장하고 사회 보험은 미래에 발생할 수 있는 사회적 위험을 보험의 방식으로 대처한다.

▲ 사회 보험 제도

▲ 공공 부조

01 핵심 체크 사회 계층 구조

1. 계층 이동 가능성에 따른 계층 구조

구분	특징	도식
폐쇄적 계층 구조	• 다른 계층으로 상승하거나 하강할 가능성이 극히 제한된 계층 구조 → 계층 간 ❶ ( ) 불가능, 수평 이동 가능 • 전근대 사회(신분제 등)에서 지배적인 계층 구조 • 귀속 지위가 중시됨 • 세대 간 계층이 고착화(세습)됨 • 예 조선 시대 신분제, 인도의 카스트 제도 등	
❷  계층 구조	• 다른 계층으로 상승하거나 하강할 가능성이 열려 있는 계층 구조 → 계층 간 수직 이동, 수평 이동 가능 • 근대 이후 사회에서 지배적인 계층 구조 • 주로 성취 지위가 중시됨 • 세대 간 이동 및 세대 내 이동이 허용됨	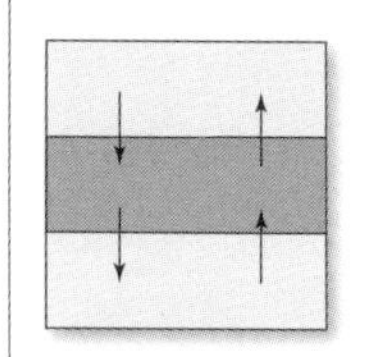

2. 계층 구성원의 비율에 따른 계층 구조

구분	특징		도식
❸ ( ) 계층 구조	• 계층별 구성원 비율 : 상층<중층<하층, 상층에서 하층으로 갈수록 구성원의 비율이 높아짐 • 전근대 사회나 오늘날의 저개발국 등에서 지배적인 계층 구조 • 소수의 상층이 사회적 희소 자원을 대부분 독점하므로 사회적 갈등이 심하게 표출될 수 있음		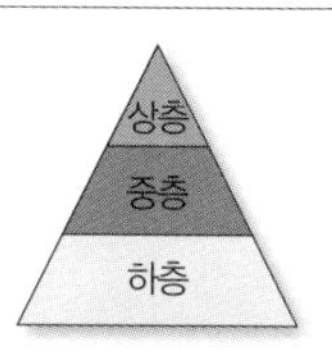
❹ ( ) 계층 구조	• 계층별 구성원 비율 : 상층, 하층<중층, 상층과 하층에 비해 중층의 비율이 높음 • 근대 이후 고도 산업 사회에서 지배적인 계층 구조 • 산업화 이후 전문직의 증가와 복지 제도의 확충으로 인해 중층이 증가함 • 중층의 비율이 가장 높아 사회가 상대적으로 안정된 특성을 보임		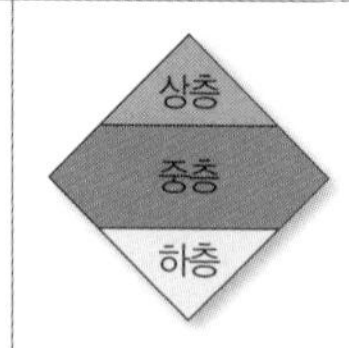
모래시계형 계층 구조	• 계층별 구성원 비율 : 하층>상층>중층, 중층이 가장 적음(양극화) • 정보화 및 세계화에 대한 부정적 전망 → 정보 격차로 인해 상층과 하층 간 불평등이 심화되고, 중층 비율이 현저히 감소함 • 중층에서 몰락한 사람들과 하층의 불만이 매우 높음 • 사회적 불안정이 매우 심각한 계층 구조	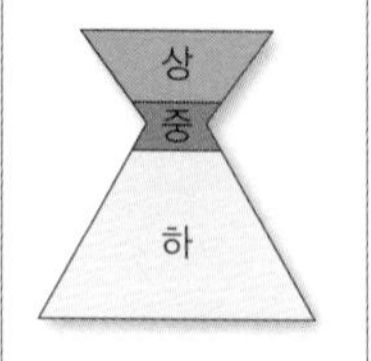	정보화에 따른 계층 구조의 변화
❺ ( ) 계층 구조	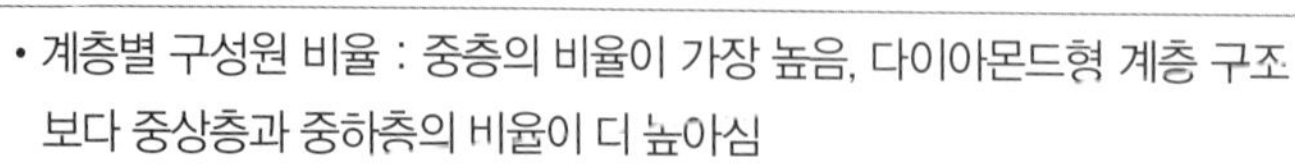• 계층별 구성원 비율 : 중층의 비율이 가장 높음, 다이아몬드형 계층 구조보다 중상층과 중하층의 비율이 더 높아짐 • 정보화 및 세계화에 대한 긍정적 전망 → 지식과 정보에 접근할 수 있는 기회가 모든 계층에게 확대되어 기존에 하층이었던 사람들이 중층이 될 수 있는 기회가 확대됨 • 중층으로 상승 이동한 사람들의 만족감이 매우 높음 • 사회적으로 가장 안정적인 계층 구조	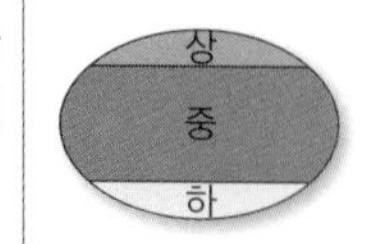	

답 | ❶ 수직 이동 ❷ 개방적 ❸ 피라미드형 ❹ 다이아몬드형 ❺ 타원형

01 기출 유형

| 2020학년도 6월 모평 |

다음 자료에 대한 옳은 분석만을 〈보기〉에서 있는 대로 고른 것은?

갑국의 계층은 상층, 중층, 하층으로만 구분되며, A~C는 각각 상층, 중층, 하층 중 하나이다. 부모 세대의 계층 구성비는 A : B : C=3 : 6 : 1이고, 모든 부모의 자녀는 1명씩이다.

〈부모 세대와 자녀 세대 간 계층 이동 현황〉

구분	A	B	C
부모 세대 계층 대비 부모 세대와 자녀 세대의 계층 일치 비율	50%	25%	50%
자녀 세대 계층 대비 부모 세대와 자녀 세대의 계층 불일치 비율	25%	50%	90%

* 자녀 세대 A는 부모 세대보다 계층이 낮을 수 없다.
** B는 다이아몬드형 계층 구조에서 가장 비율이 높은 계층이다.

보기

ㄱ. 세대 간 상승 이동 비율이 세대 간 하강 이동 비율보다 낮다.
ㄴ. 자녀 세대의 계층 구조는 부모 세대의 계층 구조보다 사회 통합에 유리하다.
ㄷ. 중층 부모를 둔 하층 자녀 인구는 상층 부모를 둔 중층 자녀 인구의 최대 3배이다.
ㄹ. 중층 대물림 인구 대비 상층 대물림 인구의 비는 하층 대물림 인구 대비 중층 대물림 인구의 비보다 낮다.

① ㄱ, ㄴ ② ㄱ, ㄹ ③ ㄴ, ㄷ
④ ㄱ, ㄷ, ㄹ ⑤ ㄴ, ㄷ, ㄹ

문제 풀이 TiP 문제의 조건을 통해 A는 상층, B는 중층, C는 하층인 것을 알 수 있다. 부모 세대의 계층 구성비는 '상층 : 중층 : 하층 = 30 : 60 : 10'이다. 부모 세대 계층 비율을 기준으로 계층이 대물림된 비율은 상층 15%(30×0.5), 중층 15%(60×0.25), 하층 5%(50×0.1)이다.

구분		부모 세대			
		상층	중층	하층	계
자녀 세대	상층	15%			20%
	중층		15%		30%
	하층			5%	50%
	계	30%	60%	10%	100%

ㄱ. 세대 간 상승 이동 비율은 최대 10%(=5%+5%)이고, 세대 간 하강 이동은 최소 55%이다. ㄹ. 중층 대물림 인구 대비 상층 대물림 인구의 비는 '상층/중층'으로 구할 수 있고, 하층 대물림 인구 대비 중층 대물림 인구의 비는 '중층/하층'으로 구할 수 있다. 따라서 중층 대물림 인구 대비 상층 대물림 인구의 비(15/15)는 하층 대물림 인구 대비 중층 대물림 인구의 비(15/5)보다 낮다.

답| ②

01 기출 유사

다음 자료에 대한 분석으로 옳은 것은?

갑국의 계층은 상층, 중층, 하층으로만 구분되며, A~C는 각각 상층, 중층, 하층 중 하나이다. 부모 세대의 계층 구성비는 A : B : C=2 : 5 : 3이고, 자녀 세대의 계층 구성비는 A : B : C=2 : 2 : 6이다. 자녀 세대 B는 부모 세대보다 계층이 높을 수 없다. C는 다이아몬드형 계층 구조에서 가장 비율이 높은 계층이다.

① 부모 세대는 폐쇄적 계층 구조이다.
② 자녀 세대는 개방적 계층 구조이다.
③ 자녀 세대의 계층 구조는 부모 세대의 계층 구조에 비해 보다 안정적인 계층 구조이다.
④ 자녀 세대의 계층 구조는 부모 세대의 계층 구조에 비해 전통 사회에서 지배적이었던 계층 구조이다.
⑤ 부모 세대의 계층 구조는 자녀 세대의 계층 구조와 달리 정보 사회에 대한 긍정적 전망이 반영된 계층 구조이다.

02 핵심 체크 사회 이동의 유형

1. **사회 이동**: 한 사회의 계층 구조 속에서 개인이나 집단의 계층적 위치가 변하는 현상

2. 이동 방향에 따른 유형

구분	내용
수직 이동	• 계층적 위치가 위, 아래로 변하는 사회 이동 • 하위 계층에서 상위 계층으로 올라가는 상승 이동과 그 반대인 하강 이동으로 구분됨 • 예 사원으로 입사하여 사장이 된 경우(상승), 사장이 실업자가 된 경우(하강), 귀족이 평민으로 된 경우
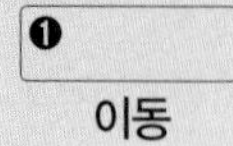 ❶ 이동	• 동일한 계층 내에서의 위치 변화로 계층적 위치의 높낮이가 바뀌지 않은 상태에서 지위만 변하는 사회 이동 • 계층적 위치에 변화가 없음 • 예 영업부 부장에서 기획부 부장으로 이동한 경우

3. 이동 원인에 따른 유형

구분	내용
개인적 이동	• 주어진 계층 체계 내에서 개인의 능력이나 노력으로 계층적 위치가 바뀌는 사회 이동 • 계층적 구조에는 변화가 없음 • 예 회사 평사원이 관리직으로 승진한 경우
 ❷ 이동	• 전쟁, 혁명, 산업화 등의 급격한 변동으로 인해 기존의 계층 구조 자체가 변하여 계층적 위치가 변화되거나, 새로운 계층이 생겨남에 따라 기존의 계층적 위치가 변하는 사회 이동 • 기존의 계층 구조에 변화가 동반됨 • 예 노비가 신분제 철폐로 인해 시민으로 살아가게 된 경우

4. 이동 범위에 따른 유형

구분	내용
세대 내 이동	• 개인이나 집단의 사회적 위치가 한 사람의 생애 내에서 바뀌는 사회 이동 • 예 병사로 입대한 군인이 전쟁에서 큰 공을 세워 장군이 된 경우
 ❸ 이동	• 부모 세대와 자녀 세대에 걸쳐 계층적 위치가 바뀌는 사회 이동 • 예 백정의 아들이 의사가 된 경우

답| ❶ 수평 ❷ 구조적 ❸ 세대 간

02 기출 유형

| 2019학년도 수능 |

다음 자료에 대한 분석으로 옳은 것은?

다음은 갑국에서 가구주 1,000명을 대상으로 ㉠ 부모의 계층과 본인의 현재 계층 간 이동 및 ㉡ 부모로부터 독립 후 본인의 최초 계층과 현재 계층 간 이동을 조사한 결과이다. (단, 계층은 상층, 중층, 하층으로만 구성된다.)

〈계층의 상대적 비(比)〉

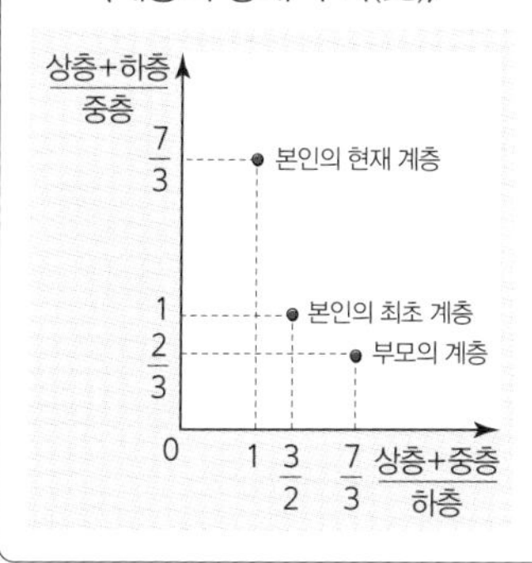

〈계층 일치 비율〉

구분	A	B
상층	80	100
중층	50	52
하층	80	90

* A : 부모 계층 대비 부모 계층과 본인 현재 계층의 일치 비율(%)
** B : 본인 최초 계층 대비 본인 최초 계층과 현재 계층의 일치 비율(%)

① ㉠과 ㉡을 모두 경험한 가구주가 ㉠과 ㉡ 중 어느 하나도 경험하지 않은 가구주보다 적다.
② ㉠을 경험하고 ㉡은 경험하지 않은 가구주가 ㉠은 경험하지 않고 ㉡을 경험한 가구주보다 적다.
③ 세대 내 하강 이동보다 세대 내 상승 이동이 많다.
④ 현재 계층이 중층인 가구주의 최초 계층은 모두 중층이었다.
⑤ 가구주의 현재 계층 구조가 부모의 계층 구조보다 사회 통합에 유리한 계층 구조이다.

문제 풀이 TIP ① ㉠과 ㉡을 모두 경험한 가구주가 ㉠과 ㉡ 중 어느 하나도 경험하지 않은 가구주보다 34 %P 적다.

답 | ①

구분		부모 계층(%)			
		상	중	하	계
본인 현재 계층(%)	상	8	6	6	20
	중	0	30	0	30
	하	2	24	24	50
	계	10	60	30	100

구분		본인 최초 계층(%)			
		상	중	하	계
본인 현재 계층(%)	상	10	10	0	20
	중	0	26	4	30
	하	0	14	36	50
	계	10	50	40	100

구분		세대 간 이동(㉠)		계
		경험함	경험하지 않음	
세대 내 이동(㉡)	경험함	A	B	28
	경험하지 않음	C	D	72
계		38	62	100

02 기출 유사

다음 표에 대한 설명으로 옳은 것은? (단, 모든 부모의 자녀는 1명씩이다.)

(단위 : %)

구분		부모 세대			
		상	중	하	계
자녀 세대	상	5	5	10	20
	중	5	25	20	50
	하	0	10	20	30
	계	10	40	50	100

① 계층 대물림한 사람과 수직 이동한 사람의 수는 같다.
② 하강 이동한 사람이 상승 이동한 사람보다 많다.
③ 상승 이동한 사람은 하강 이동한 사람의 3배이다.
④ 자녀 세대 계층 대비 계층 대물림 비율은 중층이 가장 높다.
⑤ 부모 세대 계층 대비 계층 대물림 비율은 하층이 상층보다 높다.

03 핵심 체크 사회 복지 제도

1. 사회 보장 제도의 유형

구분	사회 보험	공공 부조	사회 서비스
목적	상해, 질병, 노령, 실업, 사망 등 미래의 불안에 대처하여 국민을 보호	생활을 유지할 능력이 없거나 생활이 어려운 국민의 최저 생활 보장 및 자립 지원	사회적 취약 계층의 자립과 생활 능력 향상 및 인간다운 생활 보장
대상	일정 수준 이상의 소득이나 재산이 있는 사람	일정 소득 수준 이하의 국민	도움이 필요한 모든 국민(주로 사회적 취약 계층)
비용 부담	국가, 기업, 국민이 분담	국가 및 지방 자치 단체가 전액 부담	국가, 지방 자치 단체, 민간 단체가 부담
특징	• 강제(의무) 가입 원칙 • ❶ ______ 목적, 상호 부조적임 • 경제적 능력에 따라 보험료를 차등 부담하고, 위험이 발생했을 때 비슷한 수준의 보험 급여를 지급함 → 소득 재분배 효과 발생 • 수혜자와 부담자가 일치함 • 금전적 지원을 원칙으로 함	• 대상자 자격 심사 필요 • 사후 처방적 목적 • ❷ ______ 효과가 큼 • 수혜자와 부담자가 불일치함 • 금전적·물질적 지원을 원칙으로 함	• 수혜자에게 재활 직업 훈련, 직업 알선, 사회 복지 시설 활용 등의 서비스 제공 • 수혜자가 비용 일부를 분담하기도 함 → 소득 재분배 효과가 크지 않음 • 공공 부문만이 아니라 민간 부문도 참여 가능함 • ❸ ______ 지원이 원칙임
한계	복지 사각 지대 발생	• 국가 재정 부담이 큼 • 부정적 낙인, 근로 의욕 저하	보조적 사회 보장에 그침
종류	국민 연금 제도, 국민 건강 보험 제도, 고용 보험 제도, 산업 재해 보상 보험 제도, 노인 장기 요양 보험 제도 등	국민 기초 생활 보장 제도, 의료 급여, 기초 연금 제도, 장애인 연금 제도 등	노인 돌봄, 장애인 활동 지원, 가사·간병 방문 지원, 산모·신생아 건강 관리 지원 등

2. 생산적 복지

의미	생산 활동에 참여하여 근로 소득을 얻도록 유도하는 복지 정책 → 복지와 경제적 생산성을 동시에 추구함
등장 배경	과도한 복지비 지출에 따른 국가 재정 부담 증가, ❹ ______ 발생, 생산성과 효율성 저하
특징	복지 정책의 축소 지향, 복지 수급자들의 자립 지원, 복지와 효율성 동시 추구
한계	노동 능력이 전혀 없는 사람은 복지에서 소외될 가능성이 큼
사례	근로 장려 세제, 실직자 직업 교육 및 직업 알선 등

답| ❶ 사전 예방적 ❷ 소득 재분배 ❸ 비금전적 ❹ 복지병

03 기출 유형

| 2019학년도 수능 |

그림은 우리나라 사회 보장 제도 A~C를 구분한 것이다. 이에 대한 설명으로 옳은 것은? (단, A~C는 각각 공공 부조, 사회 보험, 사회 서비스 중 하나이다.)

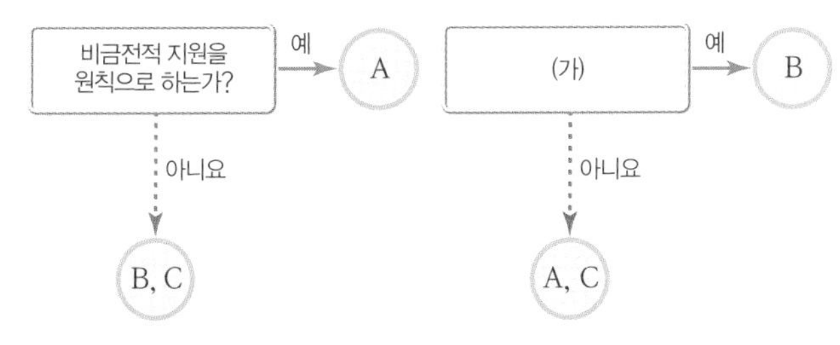

① A는 B, C와 달리 사전 예방적 성격이 강하다.
② B보다 C가 대상자의 범위가 넓다면, B는 A에 비해 소득 재분배 효과가 작다.
③ C가 사회 보험이면, (가)에는 '강제 가입을 원칙으로 하는가?'가 적절하다.
④ (가)가 '국가와 지방 자치 단체가 비용을 모두 부담하는가?'라면, A와 C의 대상자는 중복될 수 없다.
⑤ (가)가 '상호 부조의 원리를 기반으로 하는가?'라면, C는 생활 유지 능력이 없거나 생활이 어려운 사람을 대상으로 한다.

문제 풀이 TIP A는 비금전적 지원을 원칙으로 하는 사회 서비스이다. 따라서 B, C는 각각 사회 보험과 공공 부조 중 하나이다. 사회 보험은 사전 예방적 성격이 강하고, 전 국민을 대상으로 하므로 대상자의 범위가 넓으며, 강제 가입이 원칙이다. 공공 부조는 사후 처방적 성격이 강하고, 소득 재분배 효과가 가장 크며, 국가와 지방 자치 단체가 비용을 모두 부담한다. ⑤ 상호 부조의 원리를 기반으로 하는 것은 사회 보험이다. (가)가 '상호 부조의 원리를 기반으로 하는가?'라면 B는 사회 보험, C는 공공 부조이다. 공공 부조는 생활 유지 능력이 없거나 생활이 어려운 사람을 대상으로 한다.

답| ⑤

03 기출 유사

사회 보장 제도 (가)~(다)에 대한 설명으로 옳은 것은? (단, (가)~(다)는 공공 부조, 사회 보험, 사회 서비스 중 하나이다.)

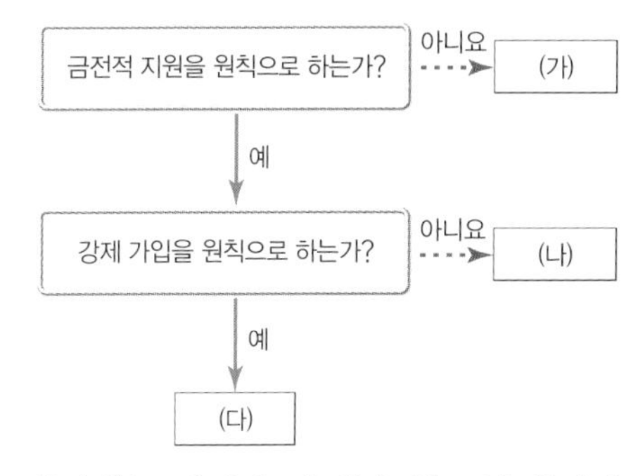

① (가)는 가입자 간 상호 부조의 성격이 강하다.
② (나)는 능력별 비용 부담 원칙이 적용된다.
③ (다)는 미래의 위험을 보험의 방식으로 대체한다.
④ (가)는 (나)와 달리 수혜자 부담 원칙이 적용된다.
⑤ (나)는 (다)와 달리 소득 재분배 효과가 있다.

04 핵심 체크 사회 불평등 양상

사회적 소수자	• 의미: 신체적 또는 문화적 특징으로 인해 사회의 다른 성원들로부터 불평등한 처우를 받는 집단 또는 그러한 집단에 속해 있다는 의식을 가진 사람 • 수적으로 반드시 소수(小數)를 의미하는 것은 아님 • 집단의 성립 요건: 식별 가능성, 권력의 열세, 차별적 대우, 집단 의식 및 소속 의식
성 불평등	• 의미: 생물학적 성과 사회적 성에 기반을 두어 남성과 여성에 대한 편견과 차별이 존재하는 상태 • 원인: 가부장제 사회 구조, ❶ [ ] 사회화
빈곤	• 의미: 인간의 기본적 욕구와 관련된 물질적 결핍이 지속되는 상태 • 절대적 빈곤: 인간이 최소한의 생활 수준을 유지하는 데 필요한 자원이나 소득이 부족한 상태 → 우리나라는 ❷ [ ]를 절대적 빈곤선의 기준으로 삼고 있음 • ❸ [ ] 빈곤: 사회 구성원 대다수가 누리는 생활 수준을 영위하지 못하는 상태 → 우리나라는 중위 소득의 50%를 상대적 빈곤선으로 삼고 있음

답| ❶ 차별적 ❷ 최저 생계비 ❸ 상대적

04 기출 유형

| 2021학년도 6월 모평 |

표는 질문에 따라 빈곤의 유형 A, B를 구분한 것이다. 이에 대한 설명으로 옳은 것은? (단, A, B는 각각 절대적 빈곤, 상대적 빈곤 중 하나이다.)

질문 \ 유형	A	B
인간의 기본적 욕구 충족 및 최소한의 생활 유지에 필요한 자원이 결핍된 상태라고 정의되는가?	아니요	예
(가)	예	아니요

① 우리나라에서는 A에 해당하는 가구를 객관화된 기준에 따라 규정한다.
② B 가구는 소득 수준이 높은 국가에서는 나타나지 않는다.
③ B에 해당하는 모든 가구는 항상 A 가구에 포함된다.
④ 전체 빈곤율은 A에 따른 빈곤율과 B에 따른 빈곤율을 합한 것이다.
⑤ (가)에는 '상대적 박탈감 발생의 원인이 되는가?'가 들어갈 수 있다.

문제 풀이 TIP A는 상대적 빈곤, B는 절대적 빈곤이다. (가)에는 상대적 빈곤에만 해당되는 질문이 들어가야 한다. ① 우리나라에서는 절대적 빈곤 가구와 상대적 빈곤 가구 모두 객관화된 기준에 따라 규정한다. 우리나라에서 절대적 빈곤 가구의 기준은 최저 생계비이고, 상대적 빈곤 가구의 기준은 중위 소득의 50%이다. 답| ①

04 기출 유사

표는 질문에 따라 우리나라 빈곤의 유형 A, B를 구분한 것이다. 이에 대한 설명으로 옳은 것은? (단, A, B는 각각 절대적 빈곤, 상대적 빈곤 중 하나이다.)

질문 \ 유형	A	B
(가)	예	아니요
사회의 전반적인 소득 수준과 비교하여 상대적으로 소득 수준이 낮은 상태입니까?	아니요	예

① A는 상대적 빈곤이다.
② A는 B와 달리 선진국에서만 발생한다.
③ B는 A와 달리 소득의 불평등 정도를 측정하는 데 활용된다.
④ A와 B는 모두 객관적 기준에 의해 규정된다.
⑤ (가)에는 '기본적인 의식주가 충족된 가구라도 빈곤 가구에 포함되는가?'가 들어갈 수 있다.

기초력 집중드릴

01 다음 글에 대한 설명으로 옳은 것은?

> 현재 갑국에는 A, B, C 세 개의 계층이 존재한다. A 계층은 10년 전과 비교하여 상승, 하강 이동이 모두 가능하고, B 계층은 상승 이동이 불가능하다. 한편 C 계층은 하강 이동이 불가능한 계층이다. 갑국의 인구는 10년 전과 동일하며, 10년 전 구성원의 양적 비율을 살펴보면 전체 인구 중 A 계층은 50%, B 계층은 20%, C 계층은 30%이다. 하지만 현재는 A 계층이 30%, B 계층이 10%, C 계층은 60%이다.

① 갑국은 폐쇄적 계층 구조로 변하였다.
② A 계층은 상층, B 계층은 중층이다.
③ 갑국의 10년 전 계층 구조는 완전 불평등형 구조이다.
④ 갑국의 계층 구조는 다이아몬드형에서 피라미드형으로 바뀌었다.
⑤ 현재 갑국의 계층 구조는 10년 전과 비교하여 더 안정적이다.

02 계층 구조 A, B에 대한 옳은 설명을 <보기>에서 고른 것은?

> • A, B는 각각 피라미드형, 다이아몬드형 계층 구조 중 하나이다.
> • A는 중층의 비율이 가장 높고, B는 하층의 비율이 가장 높다.

보기
ㄱ. A에서는 수직 이동이 불가능하다.
ㄴ. 봉건적 신분제 사회에서는 주로 B가 나타났다.
ㄷ. A는 B에 비해 더 안정적인 계층 구조이다.
ㄹ. B는 A와 달리 수직, 수평 이동 모두 가능하다.

① ㄱ, ㄴ ② ㄱ, ㄷ ③ ㄴ, ㄷ ④ ㄴ, ㄹ ⑤ ㄷ, ㄹ

03 표에 대한 분석으로 옳은 것은? (단, (가)~(다)는 각각 상층, 중층, 하층 중 하나이다. A~C는 계층 구조이며, C는 피라미드형 계층 구조이다.)

구분	A	B	C
(가)	70	30	60
(나)	25	20	10
(다)	5	50	30

① (가)는 상승 이동이 불가능한 계층이다.
② (나)는 상승 이동과 하강 이동이 모두 가능한 계층이다.
③ (다)는 하강 이동이 불가능한 계층이다.
④ A는 B, C와 달리 정보 사회에 대한 긍정적 전망과 관련이 있는 계층 구조이다.
⑤ B는 A, C에 비해 사회 통합 및 안정에 더 유리한 계층 구조이다.

04 다음 사회 이동에 대한 설명으로 옳은 것은?

> 사회 이동은 A에 따라 ㉠과 세대 내 이동으로 구분할 수 있고, 이동 원인에 따라 개인적 이동과 ㉡으로 구분할 수 있다. 또한 B에 따라 ㉢과 수평 이동으로 구분할 수 있다.

① A는 이동 방향, B는 이동 범위이다.
② ㉠의 사례로 초등학생에서 중학생이 된 경우를 들 수 있다.
③ ㉡의 사례로 부모는 부자였지만, 아들은 도박에 빠져 빈곤층이 된 경우를 들 수 있다.
④ 회사의 영업부 부장에서 기획부 부장으로 이동한 것은 ㉢의 사례이다.
⑤ 산업 구조의 변화로 인해 부모보다 높은 계층으로 이동한 사례는 ㉠, ㉡, ㉢ 모두 해당된다.

05 갑이 경험한 사회 이동만을 〈보기〉에서 있는 대로 고른 것은?

> 천민으로 분류되던 백정의 아들로 태어난 갑은 갑오개혁으로 신분제가 철폐되고 열심히 노력한 끝에 ◇◇의학교에 입학하여 우리나라 최초의 의사 7명 중 한 명이 되었고, 많은 후진을 양성하고 병원을 개업하여 독립군들의 의료를 도맡기도 하였다.

보기
ㄱ. 수평 이동　ㄴ. 구조적 이동
ㄷ. 세대 간 이동　ㄹ. 세대 내 이동

① ㄱ, ㄴ　② ㄴ, ㄷ　③ ㄷ, ㄹ
④ ㄱ, ㄴ, ㄷ　⑤ ㄴ, ㄷ, ㄹ

06 사회 계층 구조 (가), (나)에 대한 설명으로 옳은 것은?

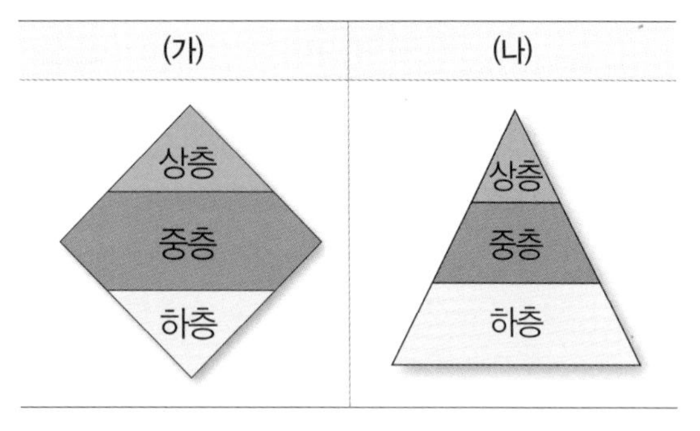

① (가)는 정보 사회의 부정적인 전망을 나타낸 계층 구조이다.
② (나)는 수직 이동이 불가능한 계층 구조이다.
③ (가)는 (나)에 비해 현대 사회에서 더 많이 볼 수 있는 계층 구조이다.
④ (나)는 (가)에 비해 사회 안정에 유리한 계층 구조이다.
⑤ (가)와 (나)는 모두 귀속 지위 중심의 계층 구조이다.

07 표는 빈곤의 유형 A, B의 특징을 비교한 것이다. 이에 대한 옳은 설명을 〈보기〉에서 고른 것은? (단, A, B는 각각 상대적 빈곤과 절대적 빈곤 중 하나이다.)

A	최소한의 인간다운 삶을 유지하는데 필요한 자원이나 소득이 부족한 상태
B	사회 구성원 다수가 누리는 생활 수준을 누리지 못하는 상태

보기
ㄱ. 우리나라에서 A는 중위 소득의 50% 미만을 기준으로 한다.
ㄴ. 우리나라에서 B는 최저 생계비를 기준으로 한다.
ㄷ. A는 B와 달리 사회 구성원들의 경제적인 생활 수준이 높아지면 줄어드는 경향이 있다.
ㄹ. A, B는 모두 객관적 기준에 의해 파악된다.

① ㄱ, ㄴ　② ㄱ, ㄷ　③ ㄴ, ㄷ　④ ㄴ, ㄹ　⑤ ㄷ, ㄹ

08 그림은 우리나라 빈곤의 유형을 분류한 것이다. 이에 대한 설명으로 옳은 것은? (단, A, B는 각각 상대적 빈곤, 절대적 빈곤 중 하나이다.)

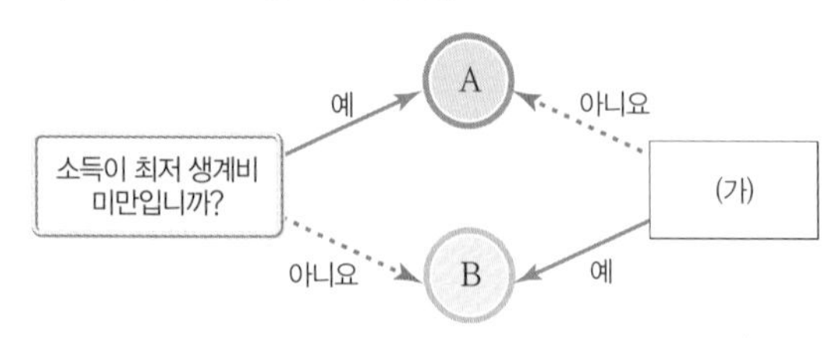

① A는 소득 수준이 높은 나라에서만 나타난다.
② B는 기본적인 인간다운 삶을 누리지 못하는 상태이다.
③ A는 B와 달리 소득의 불평등 정도를 측정하는 데 활용된다.
④ B는 A와 달리 주관적인 기준에 따라 분류된다.
⑤ (가)에는 '소득이 중위 소득의 50% 미만입니까?'가 들어갈 수 있다.

09 그림은 시대별 복지 이념의 변화를 나타낸 것이다. 이에 대한 옳은 설명을 <보기>에서 고른 것은?

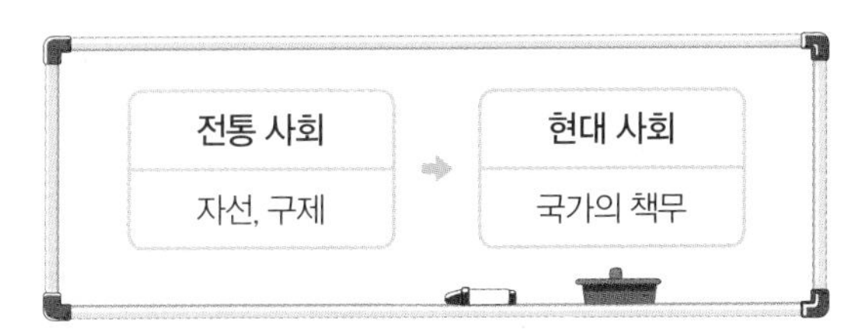

보기
ㄱ. 전통 사회에서는 사회 복지가 국민의 권리로 인식되었다.
ㄴ. 현대 사회는 전통 사회보다 사전 예방적 성격의 사회 복지를 강조한다.
ㄷ. 현대 사회에서는 빈곤층에 한정된 사회 복지 정책을 실시하고자 한다.
ㄹ. 전통 사회에서는 빈곤의 원인으로 개인적인 특성을 강조하는 경향이 있다.

① ㄱ, ㄴ ② ㄱ, ㄷ ③ ㄴ, ㄷ ④ ㄴ, ㄹ ⑤ ㄷ, ㄹ

10 (가)~(다)는 우리나라의 사회 보장 제도를 분류한 것이다. 이에 대한 옳은 설명을 <보기>에서 고른 것은? (단, (가)~(다)는 각각 공공 부조, 사회 보험, 사회 서비스 중 하나이다.)

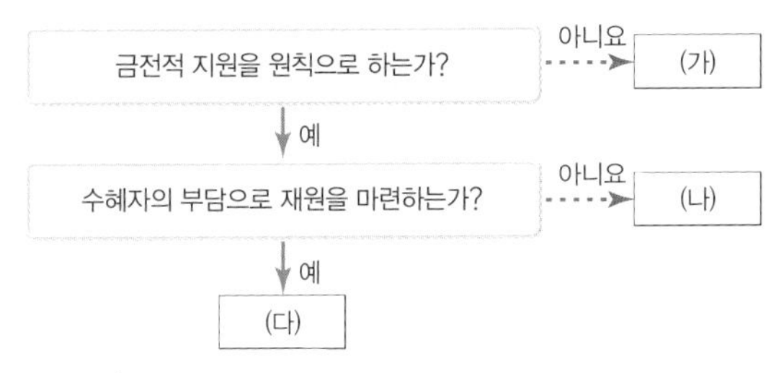

보기
ㄱ. (가)는 사전 예방적 성격이 강하다.
ㄴ. (나)는 사회 서비스의 성격을 가지고 있다.
ㄷ. (나)는 (다)보다 소득 재분배 효과가 강하다.
ㄹ. (다)는 (나)보다 수혜 대상자의 범위가 넓다.

① ㄱ, ㄴ ② ㄱ, ㄷ ③ ㄴ, ㄷ ④ ㄴ, ㄹ ⑤ ㄷ, ㄹ

11 표는 우리나라의 사회 보장 제도 A~C의 사례를 정리한 것이다. 이에 대한 옳은 설명을 <보기>에서 고른 것은? (단, A~C는 각각 공공 부조, 사회 보험, 사회 서비스 중 하나이다.)

• A: 노인 돌봄, 가사·간병 방문 지원
• B: ㉠, 국민 기초 생활 보장 제도
• C: 국민 건강 보험, ㉡

보기
ㄱ. A는 B, C와 달리 금전 지원을 원칙으로 한다.
ㄴ. C는 A, B와 달리 소득 재분배 효과가 있다.
ㄷ. ㉠에는 '의료 급여'가 들어갈 수 있다.
ㄹ. ㉡에는 '고용 보험'이 들어갈 수 있다.

① ㄱ, ㄴ ② ㄱ, ㄷ ③ ㄴ, ㄷ ④ ㄴ, ㄹ ⑤ ㄷ, ㄹ

12 그림은 사회 보장 제도 A, B의 특징을 나타낸 것이다. 이에 대한 설명으로 옳은 것은? (단, A, B는 각각 공공 부조, 사회 보험 중 하나이다.)

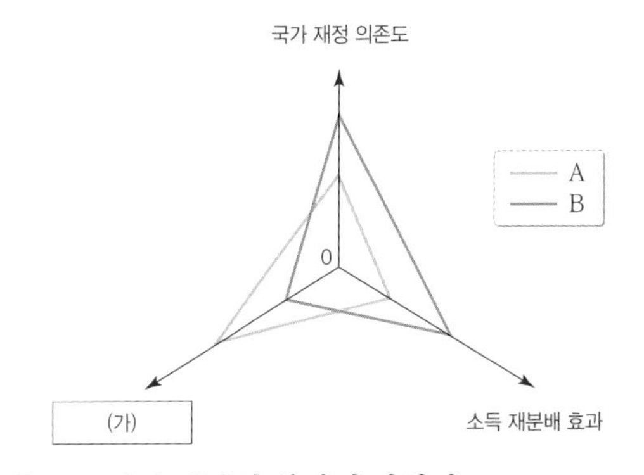

① A는 사전 예방의 성격이 강하다.
② B는 수혜자 부담의 원칙이 적용된다.
③ B는 A에 비해 수혜자의 범위가 넓은 편이다.
④ B는 A와 달리 의무 가입을 원칙으로 한다.
⑤ (가)에는 '비금전적 지원 정도'가 들어갈 수 있다.

13 다음의 갑, 을에 대한 설명으로 옳은 것은?

> 갑은 미래 사회에는 인공 지능의 발달로 인해 현재 존재하는 직업의 절반 정도가 사라질 것으로 예측하고 있다. 이는 많은 노동자들을 실업으로 내몰게 되어 극단적인 양극화 사회가 될 것을 의미하는 것이다. 이에 반해 을은 정보화와 세계화의 진행은 많은 사람들이 정보에 쉽게 접근함으로써 부의 원천이 되는 지식과 정보를 공유하면서 자연스럽게 절대 다수가 중층이 되고, 이를 통한 사회 통합과 안정적인 질서 유지에 도움이 된다고 주장하였다.

① 갑은 미래 사회는 수직 이동이 불가능할 것으로 예측하고 있다.
② 을은 미래 사회가 피라미드형이 될 것으로 예측하고 있다.
③ 갑은 을과 달리 계층 간 불평등이 심화될 것으로 본다.
④ 을은 갑과 달리 계층 구조의 변화를 예측하고 있다.
⑤ 갑과 을은 모두 미래 사회는 신분제 사회가 될 것이라고 주장하고 있다.

14 다음 글을 통해 도출할 수 있는 옳은 내용을 〈보기〉에서 고른 것은?

> 우리나라의 경우 학교 교육을 비롯한 시민 사회의 활발한 영향으로 인해 시민들의 성인지 감수성 및 양성 평등 의식이 과거에 비해 많이 향상되었다. 그러나 평균 임금을 볼 때, 남성이 여성보다 높고, 고위직도 남성의 비율이 높은 것이 현실이다. 이러한 현상은 우리가 해결해야 할 숙제이며, 이를 위해서는 구속력이 있는 방안도 필요하다.

보기

ㄱ. 개인의 의식 개선으로는 성 불평등 문제를 해결할 수 없다.
ㄴ. 성 불평등 문제의 해결을 위해서는 제도의 보완이 필요하다.
ㄷ. 생물학적 차이를 부정할 때 성 불평등 문제를 해결할 수 있다.
ㄹ. 성 불평등 문제를 해결하기 위해 강제력을 동원할 수 있는 방안도 필요하다.

① ㄱ, ㄴ ② ㄱ, ㄷ ③ ㄴ, ㄷ
④ ㄴ, ㄹ ⑤ ㄷ, ㄹ

15 신문 기사에 나타난 사회적 소수자 문제에 대한 옳은 설명을 〈보기〉에서 고른 것은?

○○신문 ○○○○년 ○○월 ○○일

장애인 의무 고용 제도 시행

국가와 지방 자치 단체의 장은 이번 달부터 시행되는 ㉠ '장애인 고용 촉진 및 직업 재활법'에 따라 의무적으로 장애인을 소속 공무원의 일정 비율 이상 고용해야 한다. 이에 대해 공무원 시험을 준비하고 있는 비장애인 A 씨(26세)는 그 비율이 과도하다고 주장하며 해당 제도의 ㉡ 부작용을 지적하였다.

보기

ㄱ. ㉠은 사회적 소수자에 대한 적극적 우대 조치에 해당한다.
ㄴ. 비장애인에 대한 역차별은 ㉡에 해당되지 않는다.
ㄷ. 사회 제도적인 차원에서 사회적 소수자 문제를 해결하고자 한다.
ㄹ. 평등의 가치를 위해서라면 ㉠의 장점보다 ㉡이 크더라도 무조건 ㉠을 시행해야 한다.

① ㄱ, ㄴ ② ㄱ, ㄷ ③ ㄴ, ㄷ
④ ㄴ, ㄹ ⑤ ㄷ, ㄹ

16 표는 갑국의 세대 간 계층 분포 변화를 나타낸 것이다. 이에 대한 옳은 분석을 〈보기〉에서 고른 것은? (단, 갑국의 모든 부모의 자녀는 1명씩이다.)

(단위 : %)

구분		부모 세대			
		상층	중층	하층	계
자녀 세대	상층	5	5	10	20
	중층	10	15	25	50
	하층	5	10	15	30
	계	20	30	50	100

보기

ㄱ. 계층 대물림한 자녀의 수는 전체 자녀의 35%이다.
ㄴ. 세대 간 상승 이동 인구가 세대 간 하강 이동 인구보다 많다.
ㄷ. 자녀 세대 계층 대비 부모 세대 계층 일치 비율은 중층과 하층이 같다.
ㄹ. 부모 세대 계층 대비 자녀 세대 계층 일치 비율은 하층이 중층의 3배이다.

① ㄱ, ㄴ ② ㄱ, ㄷ ③ ㄴ, ㄷ
④ ㄴ, ㄹ ⑤ ㄷ, ㄹ

17 다음 자료는 갑국의 계층 이동 현황을 나타낸 것이다. 이에 대한 분석으로 옳은 것은? (단, 갑국 부모의 자녀는 1명씩이며, 부모 세대 하층에서 자녀 세대 상층으로의 이동은 없다.)

〈부모 세대와 자녀 세대의 계층 비율〉

(단위 : %)

구분	상층+중층	중층+하층
부모 세대	70	70
자녀 세대	50	90

〈자녀 세대 계층 대비 계층 대물림 비율〉

(단위 : %)

상층	중층	하층
80	80	50

① 부모 세대 계층 구조는 피라미드형이다.
② 자녀 세대 계층 구조는 다이아몬드형이다.
③ 계층 대물림 인구와 계층 이동 인구는 같다.
④ 개방적 계층 구조에서 폐쇄적 계층 구조로 변하였다.
⑤ 세대 간 상승 이동한 인구보다 하강 이동한 인구가 더 많다.

18 빈곤의 유형 A, B에 대한 설명으로 옳은 것은? (단, A, B는 각각 절대적 빈곤과 상대적 빈곤 중 하나이다.)

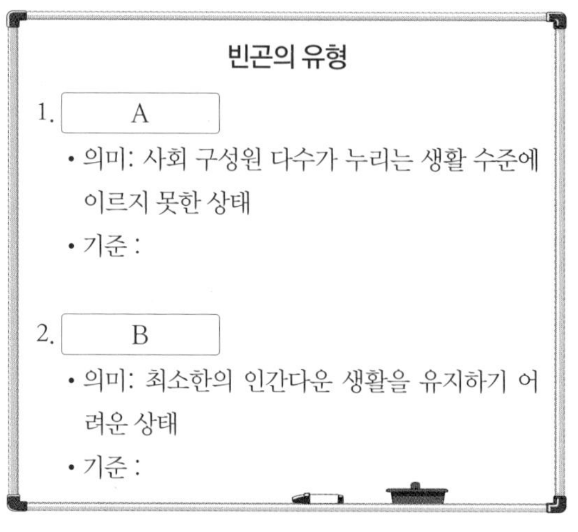

① 최저 생계비를 낮게 책정하면 A는 줄어든다.
② 중위 소득이 200만 원일 경우, 가구 소득이 99만 원인 가구는 A에 속하게 된다.
③ B는 A에 비해 주로 경제 수준이 높은 나라에서 많이 발생한다.
④ A는 B와 달리 스스로 빈곤하다고 인식하는 주관적인 개념이다.
⑤ A와 B의 합이 그 나라의 전체 빈곤율이다.

19 우리나라의 사회 보장 제도 (가)~(다)에 대한 옳은 설명을 〈보기〉에서 고른 것은?

(가) 국민의 질병이나 부상에 대한 예방, 진단, 치료, 재활 및 건강 증진을 위한 보험 급여를 시행하는 제도
(나) 생활이 어려운 국민의 최저 생활을 보장하고 자활을 지원하기 위한 생계 급여 등을 지급하는 제도
(다) 노후를 미처 대비하지 못한 노인들의 생활 안정을 위해 65세 이상 노인 중 가구의 소득 인정액이 선정 기준액 이하인 노인에게 매달 일정액의 연금을 지급하는 제도

보기
ㄱ. (가)는 (나)에 비해 소득 재분배 효과가 작다.
ㄴ. (가)는 (나)와 달리 국가, 고용주, 피보험자가 비용을 분담한다.
ㄷ. (나)는 (가)와 달리 의무 가입 원칙이 적용된다.
ㄹ. (다)는 (나)와 달리 모든 국민이 수급 대상자가 된다.

① ㄱ, ㄴ ② ㄱ, ㄷ ③ ㄴ, ㄷ
④ ㄴ, ㄹ ⑤ ㄷ, ㄹ

20 다음 자료에 대한 옳은 분석을 〈보기〉에서 고른 것은?

〈자료 1〉은 갑국의 세대별 계층 간 상대적 비(比)를, 〈자료 2〉는 갑국의 부모 세대 계층 대비 부모와 자녀의 계층 일치 비율을 나타낸 것이다. 갑국의 계층은 상층, 중층, 하층으로만 구성되어 있으며, 모든 부모의 자녀는 1명씩이다. 단, 부모 세대 상층에서 자녀 세대 하층으로 이동한 인구와 부모 세대 하층에서 자녀 세대 상층으로 이동한 인구는 없다.

〈자료 1〉

구분	부모 세대	자녀 세대
$\frac{하층}{상층+중층}$	1	$\frac{1}{4}$
$\frac{상층}{중층}$	$\frac{2}{3}$	$\frac{1}{3}$

〈자료 2〉

(단위 : %)

상층	중층	하층
50	50	30

보기
ㄱ. 자녀 세대 계층 구조는 다이아몬드형이다.
ㄴ. 중층의 계층 대물림 인구와 하층의 계층 대물림 인구는 같다.
ㄷ. 세대 간 상승 이동 인구보다 세대 간 하강 이동 인구가 더 많다.
ㄹ. 자녀 세대 계층 대비 부모와 자녀의 계층 일치 비율은 하층이 가장 낮다.

① ㄱ, ㄴ ② ㄱ, ㄷ ③ ㄴ, ㄷ
④ ㄴ, ㄹ ⑤ ㄷ, ㄹ

07 일차

현대 사회의 사회 변동

오늘 공부할 내용 미리보기

진화론과 순환론

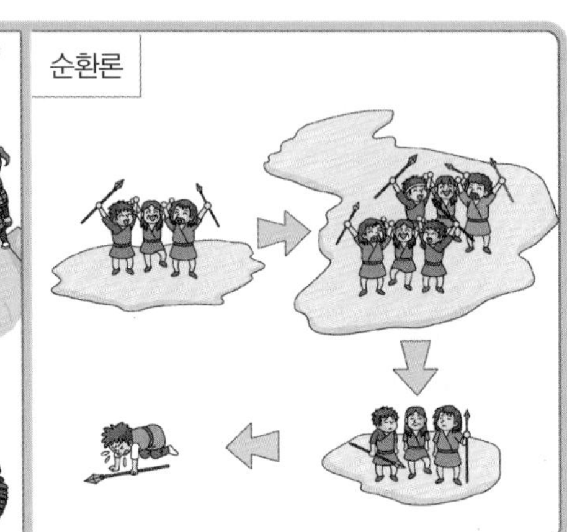

사회 운동과 사회 변동

공부할 내용

01 사회 변동

02 사회 운동

03 세계화와 정보화

04 저출산·고령화, 다문화, 전 지구적 문제

세계화와 정보화

저출산·고령화, 다문화, 전 지구적 문제

01 핵심 체크 사회 변동 이론

구분		내용
❶	관점	• 사회는 단순하고 미분화된 상태에서 복잡하고 분화된 상태로 변화함 • 사회는 일정한 방향으로 변동하며, 변동은 곧 진보와 발전을 의미함
	장점	사회 발전의 양상을 설명하고 예측하는 데 유용함
	한계	• 서구 사회가 진보된 사회임을 전제로 함, 서구 중심적이라는 비판을 받음 • 과거에 비해 퇴보·멸망한 사회의 변동을 설명하기 어려움
순환론	관점	• 사회는 생명을 가진 ❷ 처럼 생성, 성장, 쇠퇴, 해체를 반복함 • 사회는 진보의 과정을 거친 후에 퇴보하는 순환적인 변동을 반복함
	장점	역사 속에서 반복되는 사회 변동을 설명하는 데 유용함
	한계	• 미래 사회의 변동을 예측·대응하는 데 적합하지 않음 • 중·단기적인 사회 변동을 설명하기 어려움

답| ❶ 진화론 ❷ 유기체

01 기출 유형

| 2021학년도 수능 |

사회 변동 이론 (가), (나)에 대한 설명으로 옳은 것은?

(가) 생물 유기체와 마찬가지로 사회는 단순한 상태에서 복잡하고 분화된 상태로 변동한다. 즉 사회도 야만, 미개, 문명이라는 일정한 단계를 거친다.

(나) 각 문화는 유기체의 일생처럼 생성, 성장, 쇠퇴, 소멸이라는 일정한 변화 과정을 거친다. 자연이 봄, 여름, 가을, 겨울의 과정을 거치는 것처럼 인간의 역사 또한 무르익을대로 무르익으면 몰락, 사멸에 이른다.

① (가)는 제국주의를 정당화하는 수단으로 악용될 우려가 있다는 비판을 받는다.
② (나)는 사회 변동에 대한 역동적 대응이 용이하다는 평가를 받는다.
③ (가)는 (나)와 달리 사회 변동에 대응하는 인간의 노력을 과소 평가한다는 비판을 받는다.
④ (나)는 (가)와 달리 사회 변동에 일정한 방향이 있다고 본다.
⑤ (가), (나)는 모두 사회 변동을 사회 발전으로 인식한다.

문제 풀이 TIP (가)는 진화론, (나)는 순환론이다. ① 서구 중심적인 진화론은 제국주의를 정당화하는 수단으로 악용될 우려가 있다는 비판을 받는다.

답| ①

01 기출 유사

그림은 사회 변동 방향을 보는 관점을 나타낸 것이다. 이에 대한 설명으로 옳은 것은?

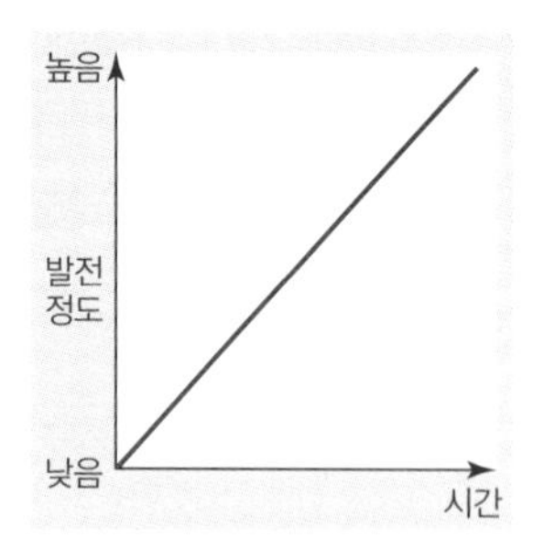

① 사회는 필연적으로 소멸한다고 본다.
② 사회 변동에 대한 운명론적 관점이다.
③ 미래 사회 변동을 예측하기 어렵다는 비판을 받는다.
④ 현대 사회가 과거 사회보다 모든 분야에서 우수하다고 본다.
⑤ 과거에 나타난 여러 나라들의 흥망성쇠를 설명하는 데 용이하다.

02 핵심 체크 사회 운동

의미	다수의 사람이 사회 변동을 달성, 저지하려는 의도를 갖고 지속적, 조직적으로 움직이는 집단 행동
특징	뚜렷한 목표, 목표 달성을 위한 구체적인 활동 방법, 목표와 활동 방식을 정당화하는 이념, 체계적 조직
유형	• 개혁적 사회 운동: 기존 사회 질서를 유지하면서 부분적으로 개혁을 추구하는 운동 예 소비자 보호 운동 • ❶ (　　　) 사회 운동: 기존 사회 질서를 근본적, 급진적으로 바꾸고자 하는 운동 예 시민 혁명 • ❷ (　　　) 사회 운동: 기존 질서를 고수하거나 과거의 전통으로 돌아가고자 하는 운동 예 위정척사 운동

답| ❶ 혁명적 ❷ 복고(반동)적

02 기출 유형

| 2021학년도 9월 모평 |

(가), (나)에 나타난 사회 운동에 대한 설명으로 가장 적절한 것은?

(가) 1955년 한 흑인 여성이 백인 승객에게 자리를 양보하지 않아서 체포되었다. 시내버스에서의 인종 분리를 규정한 몽고메리시의 법을 위반했다는 죄목이었다. 흑인들은 이에 반발하여 집단 파업과 버스 승차 거부 운동을 벌였다. 이듬해 인종 분리법이 위헌이라는 판결이 났고 흑인들의 버스 승차 거부도 끝이 났다.

(나) 대통령의 장기 집권과 경제 실정으로 시민들의 불만이 높았던 튀니지에서, 경찰의 노점 단속에 항의하던 한 청년의 죽음이 시민들의 반정부 운동을 촉발하였다. 정부의 강경 진압은 시민들을 분노케 하여 전국적 규모의 반정부 시위로 확대되었고, 마침내 대통령이 물러났다.

① (가)에는 사회적 소수자의 권리 보장을 목적으로 하는 사회 운동이 나타난다.
② (나)에는 과거의 사회 질서로 돌아가려는 사회 운동이 나타난다.
③ (가)에는 (나)와 달리 계급 철폐를 목적으로 하는 혁명적 사회 운동이 나타난다.
④ (나)에는 (가)와 달리 뚜렷한 목표를 가지고 지속적으로 이루어진 사회 운동이 나타난다.
⑤ (가), (나)에는 사회 정권을 교체한 사회 운동이 나타난다.

문제 풀이 TIP (가)에는 사회적 소수자인 흑인들의 권리 보장을 목적으로 하는 버스 승차 거부 운동, (나)에는 반정부 운동이 나타나 있다. 답| ①

02 기출 유사

밑줄 친 ㉠에 대한 설명으로 옳은 것은?

○○신문 ○○○○년 ○○월 ○○일

1987년 6월의 의미 되새겨

학생들과 시민들이 함께 참여한 평화적 시위였던 1987년 ㉠ 6월 민주 항쟁은 대통령 직선제 개헌을 이끌어내 우리나라 민주주의 성장에 크게 기여한 사건이다. 이를 기리기 위해 ○○고등학교 학생 300여 명은 …(후략)…

① 복고적 사회 운동이다.
② 우발적인 집단 행동에 불과하다.
③ 시민들이 자발적으로 참여한 사회 운동이다.
④ 일시적인 현상이기 때문에 사회 운동이 아니다.
⑤ 사회 구성원들의 지지를 얻지 못했기 때문에 사회 운동이 아니다.

03 핵심 체크 세계화와 정보화

세계화	의미	국가 간 상호 의존성이 커지고 지구촌 전체가 단일한 체계로 통합되는 현상
	요인	교통·통신 기술의 발달, 세계 무역 기구(WTO)의 출범, 국가 간 교류 확대 등
	양상	여러 지역의 생활 양식이 빠르게 확산됨, 전 세계가 단일한 시장으로 통합됨, 지구촌 문제에 공동 대응함
	과제	문화의 다양성 약화, 문화의 ❶ ______, 선진국과 개발 도상국 간 국가 간 경제적 격차 심화, 강대국 중심의 의사 결정으로 약소국의 자율성 침해 우려
정보화	의미	지식과 ❷ ______가 사회 활동 전반에서 차지하는 비중이 커지는 현상
	요인	정보 통신 기술의 비약적 발전, 지식과 정보의 경제적 가치 인정 및 정보 관련 산업 성장 등
	양상	❸ ______ 의사 소통, 다품종 소량 생산 방식 확산, 재택 근무 등 경제 활동의 양상 변화, 비대면적 접촉 증가, 사이버 공동체 형성, 탈관료제와 같은 수평적 사회 조직 증가, 사이버 공간 활용 및 전자 투표 확대 등
	과제	정보의 오남용, 사이버 범죄, 정보 격차, 정보 통제와 감시, 인간 소외 등

답| ❶ 획일화 ❷ 정보 ❸ 쌍방향

03 기출 유형

| 2021학년도 수능 |

(가), (나) 사례에 나타난 정보 사회의 문제에 대한 설명으로 가장 적절한 것은?

(가) 갑은 유명인의 1인 방송 채널에서 과장된 사용 후기를 우연히 보고 해당 제품을 구매하였으나, 품질이 방송 내용과 달라서 당황하였다.
(나) 을은 절찬리에 상영 중인 영화가 불법으로 유통되는 것을 알고, 이를 다운로드하여 친구들과 공유하였다.

① (가)는 정보 기기에 대한 과도한 의존 양상에 해당한다.
② (가)는 비판적 정보 수집·분석 능력 함양의 필요성을 보여준다.
③ (나)는 타인의 개인 정보를 유출한 양상에 해당한다.
④ (나)는 정보 격차 해소를 위한 환경 구축의 필요성을 보여준다.
⑤ (가), (나)는 모두 익명성을 바탕으로 한 거짓 정보의 유포로 인해 발생한 것이다.

문제 풀이 TiP (가)는 인터넷 방송에서 과장 광고를 통해 피해를 입은 사례이다. 뉴 미디어를 통해 제공되는 정보에 대해 비판적 수용 능력 함양의 필요성을 보여준다. (나)는 대가를 지불하고 이용해야 하는 정보를 불법적으로 접근한 사례이다. 답| ②

03 기출 유사

밑줄 친 '이 현상'에 대한 옳은 설명을 〈보기〉에서 고른 것은?

이 현상은 지식과 정보가 사회 활동 전반에서 차지하는 비중이 커지는 현상으로, 지식과 정보가 가장 중요한 부의 원천이 되는 시대를 일컫기도 한다. 이로 인해 지식과 정보에 대한 개인적인 욕구들이 증가하여 정보 통신 기술의 비약적 발달에 큰 영향을 주기도 하였다.

보기
ㄱ. 대면 접촉의 비중이 커진다.
ㄴ. 소품종 대량 생산 방식이 확산된다.
ㄷ. 뉴 미디어의 발달로 양방향 정보 전달이 가능하다.
ㄹ. 정보 통신 기술 발달로 사이버 공간을 활용한 시민의 정치 참여가 증가한다.

① ㄱ, ㄴ ② ㄱ, ㄷ ③ ㄴ, ㄷ
④ ㄴ, ㄹ ⑤ ㄷ, ㄹ

핵심 체크 저출산·고령화, 다문화, 전 지구적 문제

저출산	출산율이 적정 수준보다 낮은 현상 → 혼인 및 출산에 대한 가치관 변화, 출산 및 자녀 양육에 대한 경제적 부담 증가
❶	• 전체 인구에서 노인 인구가 차지하는 비율이 증가하는 현상 • 저출산·고령화의 영향: 경제 성장 둔화, 부양 인구 감소, 세대 갈등 심화, 실버 산업의 성장, 노인 빈곤 문제 발생 등
다문화	의미: 서로 다른 문화적 배경을 가진 다양한 인종 및 민족이 함께 살아가는 사회 → 샐러드 볼 이론, 용광로 이론
전 지구적 문제	지구 온난화, 열대 우림 파괴, 사막화, 황사 및 미세먼지 등 (❷ 문제), 자원 고갈, 식량 부족, 물 부족 등(자원 문제), 전쟁과 테러

답| ❶ 고령화 ❷ 환경

04 기출 유형

| 2021학년도 수능 |

다음 자료에 대한 분석으로 옳은 것은? (단, 제시된 모든 연도의 부양 인구는 동일하다.)

구분	t년	t+30년	t+60년
총부양비	70	64	56
노령화 지수	40	60	100

* 총부양비 = $\frac{\text{유소년 인구(0~14세 인구)+노인 인구(65세 이상 인구)}}{\text{부양 인구(15~64세 인구)}} \times 100$

** 노령화 지수 = $\frac{\text{노인 인구(65세 이상 인구)}}{\text{유소년 인구(0~14세 인구)}} \times 100$

*** 전체 인구에서 노인 인구가 차지하는 비율이 7% 이상이면 고령화 사회, 14% 이상이면 고령 사회, 20% 이상이면 초고령 사회임

① 노인 인구는 t년 대비 t+30년에 24% 증가하였다.

② t년은 고령화 사회, t+30년은 고령 사회, t+60년은 초고령 사회에 해당한다.

③ 65세 이상 인구 1명당 15~64세 인구는 t년이 가장 적고, t+60년이 가장 많다.

④ 전체 인구에서 유소년 인구가 차지하는 비율은 t년이 가장 높고, t+30년이 가장 낮다.

⑤ 유소년 인구의 t+30년 대비 t+60년의 비는 노인 인구의 t+30년 대비 t+60년의 비보다 작다.

문제 풀이 TIP

구분	t년	t+30년	t+60년
65세 이상 인구	20명	24명	28명
15~64세 인구	100명	100명	100명
0~14세 인구	50명	40명	28명

답| ⑤

04 기출 유사

다음 자료에 대한 분석으로 옳은 것은? (단, t년과 t+30년의 15~64세 인구는 같다.)

(단위 : %)

구분	t년	t+30년
노년 부양비	10	40
유소년 부양비	25	20

* 유소년 부양비(%) = $\frac{\text{0~14세 인구}}{\text{15~64세 인구}} \times 100$

** 노년 부양비(%) = $\frac{\text{65세 이상 인구}}{\text{15~64세 인구}} \times 100$

① 유소년 인구는 t년이 t+30년보다 많다.

② 노년 인구는 t년이 t+30년보다 많다.

③ t년에는 15~64세 인구 1명이 노년 인구 10명을 부양해야 한다.

④ t+30년에는 15~64세 인구 1명이 유소년 인구 20명을 부양해야 한다.

⑤ 15~64세 인구 1명이 부양해야 하는 노년 인구는 t년이 t+30년보다 많다.

기초력 집중드릴

01 다음 대화에서 사회 변동의 방향을 보는 관점에 대한 옳은 설명을 〈보기〉에서 고른 것은?

보기

ㄱ. 단선적인 사회 발전 경로에 주목한다.
ㄴ. 운명론적 관점에서 사회 변동을 바라본다.
ㄷ. 단기적 사회 변동 과정을 설명하기 어렵다.
ㄹ. 미래 사회 변동을 예측하고 준비하기에 용이하다.

① ㄱ, ㄴ ② ㄱ, ㄷ ③ ㄴ, ㄷ ④ ㄴ, ㄹ ⑤ ㄷ, ㄹ

02 A, B는 사회 변동의 방향을 보는 관점을 그래프로 나타낸 것이다. 이에 대한 설명으로 옳은 것은?

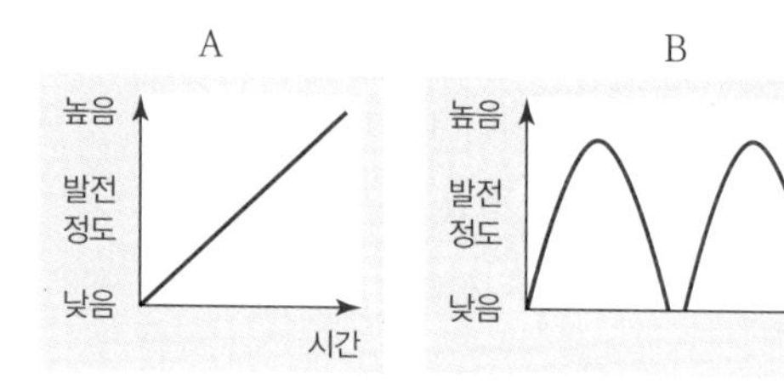

① A는 운명론적 시각으로 사회 변동을 바라본다.
② B는 사회 변동이 발전을 의미한다고 본다.
③ A는 B와 달리 단선적인 발전 경로를 중시한다.
④ B는 A와 달리 개발 도상국이 선진국으로 발전하는 현상을 설명하는 데 용이하다.
⑤ A와 B는 모두 미시적인 관점에서 사회 변동을 바라본다.

03 사회 변동의 방향을 보는 관점 (가), (나)에 대한 옳은 설명만을 〈보기〉에서 있는 대로 고른 것은?

(가) 한 사회가 일련의 도전에 어떻게 반응하는가에 따라 사회 변동 방향이 결정된다. 그 반응의 성공 여부에 의해 개별 사회가 성장하고 쇠퇴하는데, 결국 인류 역사에서 이러한 성장과 쇠퇴는 지속적으로 되풀이될 것이다.
(나) 사회는 기술적 혁신을 통해 더욱 크고 복잡한 사회로 변화한다. 원시 수렵 사회에서 농경 사회, 산업 사회, 정보 사회 등을 거쳐 변화해 왔는데, 이러한 변화는 새로운 기술의 발전으로 과거의 단순한 사회가 더욱 복잡한 사회에 의해 소멸하였기 때문에 나타난 것이다. 사회가 복잡해질수록 인간이 환경에 적응하고 생존하기 위한 능력은 발달하게 된다.

보기

ㄱ. (가)는 운명론적 관점을 바탕으로 한다.
ㄴ. (나)는 서구 사회가 진보된 사회임을 전제로 한다.
ㄷ. (가)는 (나)와 달리 사회 변동에 일정한 방향이 존재한다고 본다.
ㄹ. (나)는 (가)와 달리 서구 제국주의를 정당화하는 수단으로 악용된다는 비판을 받는다.

① ㄱ, ㄴ ② ㄴ, ㄷ ③ ㄷ, ㄹ
④ ㄱ, ㄴ, ㄹ ⑤ ㄴ, ㄷ, ㄹ

• 정답과 풀이 30쪽

04 사회 변동을 바라보는 갑, 을의 관점에 대한 옳은 설명을 〈보기〉에서 고른 것은?

갑: 사회 변동은 구조적 불평등에 따른 지배 집단과 피지배 집단 간의 갈등에서 시작된 현상이야.
을: 사회 변동은 사회 구조가 일시적인 마찰을 극복하고 전체적인 균형과 안정 상태를 되찾아가는 과정이야.

보기
ㄱ. 갑의 관점은 갈등을 일종의 병리 현상이라고 본다.
ㄴ. 을의 관점은 협동과 조화에 의한 균형을 중시한다.
ㄷ. 갑의 관점은 을의 관점에 비해 점진적인 사회 변동을 설명하기에 유용하다.
ㄹ. 갑의 관점과 을의 관점 모두 사회 변동을 사회 구조적인 측면에서 바라본다.

① ㄱ, ㄴ ② ㄱ, ㄷ ③ ㄴ, ㄷ ④ ㄴ, ㄹ ⑤ ㄷ, ㄹ

05 다음 대화에서 사회 변동의 방향을 보는 관점에 대한 설명으로 옳은 것은?

갑: 사회의 경제 성장 과정을 살펴보면 전통 사회에서 도약 단계를 거쳐서 대중 소비 단계로 발전하는 모습을 볼 수 있어.
을: 결국 사회는 단순한 모습에서 고도로 발전된 단계로 변화한다는 이야기구나.

① 사회가 발전한다는 것을 부정한다.
② 사회는 필연적으로 소멸하게 된다고 본다.
③ 흥망성쇠를 경험한 국가를 사례로 들 수 있다.
④ 사회 변동은 발전만을 의미하는 것은 아니라고 본다.
⑤ 모든 사회가 동일한 단계를 거쳐 단선적으로 발전한다고 본다.

06 사회 변동을 바라보는 관점 A, B에 대한 설명으로 옳은 것은?

A는 권력을 가진 집단이 그렇지 않은 집단에 대한 강제력 때문에 사회 질서가 유지된다고 주장한다. 이 과정에서 기득권을 가진 집단과 그렇지 않은 집단 간의 갈등이 발생하고 이로 인해 사회 변동이 일어난다고 본다. 그에 비해 B는 우리 몸에 상처가 나면 피가 응고되어 과다 출혈을 막아주는 기능을 예로 들면서, 살아 있는 유기체가 원래 상태로 돌아가고자 하는 성향이 있듯이 사회 변동도 같은 차원에서 생각해야 한다고 주장한다.

① A는 사회 변동의 결과 '생성–성장–쇠퇴–소멸'을 반복한다고 본다.
② B는 사회 변동이 항상 단순한 것에서 복잡한 것으로 변한다고 본다.
③ A는 B와 달리 사회 구성 요소들의 상호 의존성에 주목한다.
④ A는 B에 비해 급격한 사회 변동을 설명하는 데 유용하다.
⑤ A, B는 모두 미시적인 측면에서 사회 변동을 바라보고 있다.

07 표에 대한 옳은 설명을 〈보기〉에서 고른 것은? (단, A와 B는 각각 산업 사회와 정보 사회 중 하나에 해당한다.)

구분	대면 접촉 가능성	가정과 일터의 분리 정도
A	+	++
B	+++	+++

* +의 수가 많을수록 그 정도가 높음을 의미함

보기

ㄱ. 2차 산업의 비중은 A보다 B가 더 높다.
ㄴ. 직업의 종류는 B보다 A가 더 다양하다.
ㄷ. A보다 B에서 수평적 인간 관계의 비중이 더 크다.
ㄹ. B보다 A에서 소품종 대량 생산 방식이 더 보편적이다.

① ㄱ, ㄴ ② ㄱ, ㄷ ③ ㄴ, ㄷ ④ ㄴ, ㄹ ⑤ ㄷ, ㄹ

08 그림은 A, B의 특징을 비교한 것이다. 이에 대한 설명으로 옳은 것은? (단, A, B는 각각 산업 사회, 정보 사회 중 하나이다.)

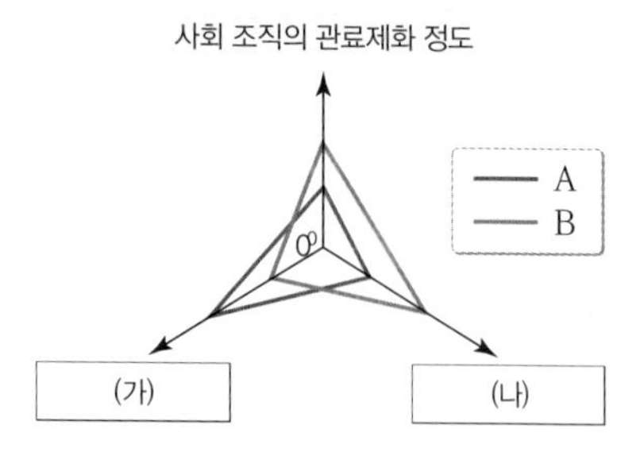

① A는 B에 비해 직업의 분화 정도가 높다.
② B는 A에 비해 가정과 일터의 분리 정도가 낮다.
③ 생산자와 소비자 간의 경계는 A가 B보다 더 명확한 경향이 있다.
④ (가)에는 '대면 접촉의 비중'이 들어갈 수 있다.
⑤ (나)에는 '다품종 소량 생산의 비중'이 들어갈 수 있다.

09 (가), (나)에 대한 옳은 설명을 〈보기〉에서 고른 것은?

(가) ☆☆ 환경 보호 단체는 지난 달 1일부터 탄소 배출 감축에 대한 정부의 노력을 촉구하기 위해 국회와 정부 청사 앞에서 기자 회견 및 서명 운동, 집회 등 다양한 활동을 진행하고 있다.

(나) 인기 야구 구단인 '◎◎쌍둥이' 팬들은 라이벌 구단인 '◇◇곰돌이'와의 경기에서 자기 팀의 선수가 친 홈런을 심판이 무효로 판정하자 비디오 판독을 하라고 단체로 요구하고 있다.

보기

ㄱ. (가)는 (나)와 달리 사회 운동으로 볼 수 있다.
ㄴ. (나)는 (가)와 달리 특정 목표 달성을 위한 행동이다.
ㄷ. (가)를 수행하는 사람들은 (나)와 달리 지속적인 상호 작용을 한다.
ㄹ. (나)를 수행하는 사람들은 (가)와 달리 구성원 간 역할이 뚜렷하다.

① ㄱ, ㄴ ② ㄱ, ㄷ ③ ㄴ, ㄷ
④ ㄴ, ㄹ ⑤ ㄷ, ㄹ

10 그림은 A, B의 특징을 비교한 것이다. 이에 대한 설명으로 옳은 것은? (단, A, B는 각각 산업 사회, 정보 사회 중 하나이다.)

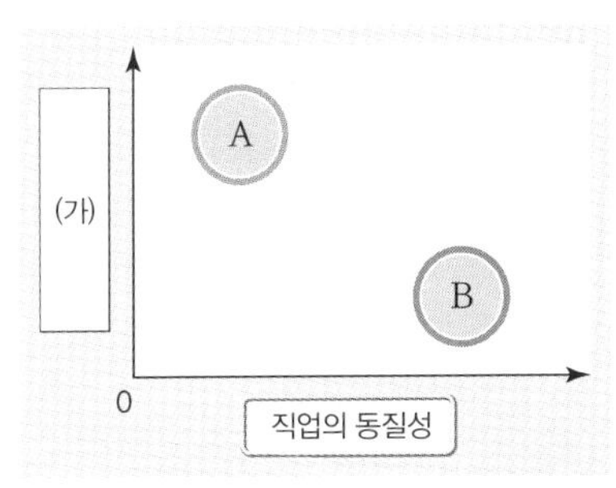

* 0에서 멀어질수록 그 정도가 높거나 강함.

① A는 B보다 수직적 인간 관계의 비중이 크다.
② B는 A보다 3차 산업의 비중이 크다.
③ A는 B와 달리 관료제 조직만 존재한다.
④ B는 A와 달리 지식과 정보가 부의 원천이 된다.
⑤ (가)에는 '비대면 접촉 정도'가 들어갈 수 있다.

11 다음과 같이 A, B를 구분할 때, 이에 대한 설명으로 옳은 것은? (단, A, B는 각각 산업 사회와 정보 사회 중 하나이다.

질문 \ 구분	A	B
노동과 자본이 부가 가치의 주요 원천인가?	(가)	(나)
(다)	예	아니요

① A가 산업 사회라면 (가)는 '아니요'이다.
② B가 정보 사회라면 (다)에는 '2차 산업 중심의 사회인가?'가 들어갈 수 있다.
③ (나)가 '예'라면 A는 B보다 비대면적 접촉 정도가 낮다.
④ (가)가 '예'라면 (다)에 '양방향 대중 매체가 보편적으로 사용되는 사회인가?'가 들어갈 수 있다.
⑤ (나)가 '아니요'라면 A가 B보다 다품종 소량 생산 방식이 보편화되었다.

12 다문화 사회의 이민자 정책 A, B에 대한 옳은 설명을 〈보기〉에서 고른 것은?

> A는 문화 일원주의인 통합 교육을 바탕으로 이민자들을 주류 문화로 편입시켜 사회 통합을 도모하고자 하는 정책이다. 그에 비해 B는 이민자들의 문화 정체성을 인정하면서 모자이크와 같이 해당 사회의 문화적 다양성을 증진시키고자 하는 정책이다.

보기

ㄱ. A는 문화 상대주의, B는 문화 사대주의를 바탕으로 한다.
ㄴ. A는 이주민들을 동화의 대상으로, B는 공존의 대상으로 본다.
ㄷ. A는 B보다 주류 집단의 전통 문화의 정체성이 약해질 가능성이 더 높다.
ㄹ. B는 A보다 사회 구성원들의 관용 의식 고취 교육에 더 적극적이다.

① ㄱ, ㄴ ② ㄱ, ㄷ ③ ㄴ, ㄷ
④ ㄴ, ㄹ ⑤ ㄷ, ㄹ

13 표는 A, B의 특징을 비교한 것이다. 이에 대한 옳은 설명을 〈보기〉에서 고른 것은? (단, A, B는 각각 산업 사회, 정보 사회 중 하나이다.)

비교 기준	비교 결과
관료제 조직의 비중	A > B
구성원 간 익명성 정도	A < B

보기
ㄱ. A는 B에 비해 1차 산업의 비중이 높다.
ㄴ. A는 B에 비해 사회의 다원화 정도가 높다.
ㄷ. B는 A에 비해 직업 간 동질성이 낮다.
ㄹ. B는 A에 비해 다품종 소량 생산 방식의 비중이 높다.

① ㄱ, ㄴ ② ㄱ, ㄷ ③ ㄴ, ㄷ ④ ㄴ, ㄹ ⑤ ㄷ, ㄹ

14 그림에 대한 옳은 분석을 〈보기〉에서 고른 것은?

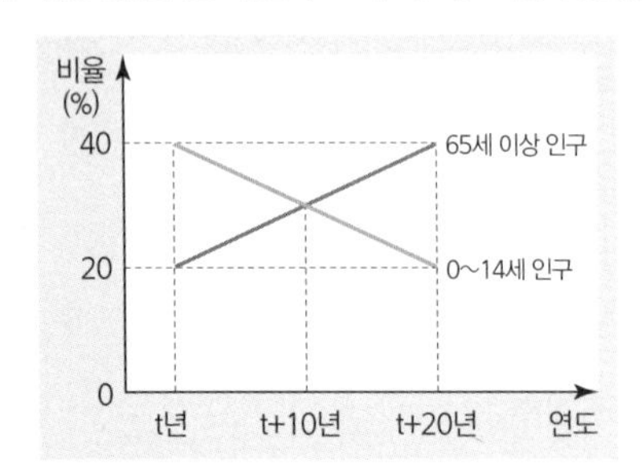

보기
ㄱ. 65세 이상 인구는 t+20년이 t년의 2배이다.
ㄴ. t+10년에는 0~14세 인구와 15~64세 인구수가 같다.
ㄷ. t년의 65세 이상 인구수와 t+20년의 0~14세 인구수는 같다.
ㄹ. t+10년에는 총인구에서 15~64세 인구가 차지하는 비율이 가장 높다.

① ㄱ, ㄴ ② ㄱ, ㄷ ③ ㄴ, ㄷ ④ ㄴ, ㄹ ⑤ ㄷ, ㄹ

15 다음 자료에 대한 분석으로 옳은 것은?

다음은 t년과 t+10년에 갑국의 15~64세 인구에 대한 0~14세 인구와 65세 이상 인구의 비를 나타낸 것이다. 단, 갑국의 15~64세 인구는 t+10년이 t년의 1.5배이다.

구분	t년	t+10년
0~14세 인구	0.4	0.3
65세 이상 인구	0.2	0.7

① 총인구는 t년과 t+10년이 같다.
② 0~14세 인구는 t년이 t+10년보다 많다.
③ 65세 이상 인구는 t+10년이 t년의 3.5배이다.
④ 총인구 대비 15~64세 인구 비율은 t년이 t+10년보다 크다.
⑤ t+10년의 0~14세 인구는 t년의 65세 이상 인구의 1.5배이다.

16 A, B에 대한 설명으로 옳은 것은? (단, A, B는 각각 전쟁과 테러 중 하나이다.)

A는 개인이나 집단이 자신들의 목적을 달성하기 위해 무차별적으로 폭력을 행사하여 사회적 공포를 일으키는 행위이다. 그에 비해 B는 서로 대립하는 국가나 이에 준하는 집단 간에 전면적 또는 국지적으로 군사력과 같은 무력을 동원하여 자신의 의지를 관철시키고 상대방을 제압히고자 하는 행위이다.

① A는 종교적인 문제로만 발생한다.
② B는 자국의 이익을 최우선으로 생각한다.
③ 일반적으로 A는 B에 비해 규모가 크다.
④ A와 B는 모두 현재 세대에만 피해를 준다.
⑤ B는 A와 달리 이해관계가 없는 불특정 다수에게 피해를 준다.

17 다음 대화의 갑~병에 대한 설명으로 옳은 것은?

> 선생님: 각자 조사한 사회 운동의 사례에 대해 발표해 볼까요?
> 갑: 환경 운동 NGO에 대해 조사했습니다.
> 을: 조선 말 위정척사 운동에 대해 조사했습니다.
> 병: 영국의 명예혁명에 대해 조사했습니다.

① 갑은 복고적 사회 운동을 조사했다.
② 을은 개혁적 사회 운동을 조사했다.
③ 병은 반동적 사회 운동을 조사했다.
④ 갑은 을과 달리 기존의 질서를 유지하고자 하는 사회 운동을 조사했다.
⑤ 병은 갑에 비해 급진적인 사회 운동을 조사했다.

18 표는 갑국의 유소년 인구와 노년 인구 비율의 변화를 나타낸 것이다. 이에 대한 분석으로 옳은 것은? (단, 총 인구수는 매년 같다.)

(단위 : %)

구분	t년	t+5년	t+10년
유소년(0~14세) 인구 비율	20	15	10
노년(65세 이상) 인구 비율	10	15	20

* 유소년 부양비(%) = $\frac{\text{0~14세 인구}}{\text{15~64세 인구}} \times 100$
** 노년 부양비(%) = $\frac{\text{65세 이상 인구}}{\text{15~64세 인구}} \times 100$

① 유소년 인구는 매년 감소했다.
② t년 유소년 부양비는 노년 부양비의 10배이다.
③ t+5년 노년 인구 대비 t+10년의 노년 인구 증가율은 5%이다.
④ t+10년에는 15~64세 인구 1명이 노년 인구 20명을 부양해야 한다.
⑤ t+5년에는 유소년 인구 1명을 부양하는 데 15~64세 인구 15명이 필요하다.

19 다음 자료에 대한 옳은 분석을 〈보기〉에서 고른 것은? (단, 갑국과 을국의 15~64세 인구는 같다.)

구분	갑국	을국
노년 부양비	20	40
유소년 부양비	20	20

* 유소년 부양비(%) = $\frac{\text{0~14세 인구}}{\text{15~64세 인구}} \times 100$
** 노년 부양비(%) = $\frac{\text{65세 이상 인구}}{\text{15~64세 인구}} \times 100$

보기
ㄱ. 0~14세 인구는 갑국이 을국보다 많다.
ㄴ. 65세 이상 인구는 을국이 갑국의 2배이다.
ㄷ. 갑국의 65세 이상 인구와 을국의 0~14세 인구수는 같다.
ㄹ. 전체 인구에서 15~64세 인구가 차지하는 비율은 을국이 갑국보다 크다.

① ㄱ, ㄴ ② ㄱ, ㄷ ③ ㄴ, ㄷ ④ ㄴ, ㄹ ⑤ ㄷ, ㄹ

20 (가)에 들어갈 말로 가장 적절한 것은?

① 개별 국가의 자율성을 보장받게 됩니다.
② 국제 사회에서 힘의 논리가 사라집니다.
③ 해외 기업의 국내 진출이 어려워집니다.
④ 다양한 문화를 접할 기회가 증가합니다.
⑤ 인류의 보편적 가치가 훼손될 수 있습니다.

memo

수능 Final
기초 course

사회 탐구 영역

수능 기초 10일 격파 사회·문화

정답과 해설

천재교육

10일 격파

봉합 모의고사

정답과 풀이

01 일차 사회·문화 현상의 탐구

기출 유사 6~9쪽

01 ③ 02 ② 03 ③ 04 ③

01 사회·문화 현상과 자연 현상의 특징 답 ③

㉠은 인간의 가치가 개입되지 않은 자연 현상에 해당하고, ㉡과 ㉢은 인간의 가치가 개입되어 있는 사회·문화 현상에 해당한다.

③ 사회·문화 현상은 자연 현상과 달리 인과 관계가 다소 불분명하여 예외가 존재한다.

선택지 바로 보기

① ㉠과 같은 현상은 ㉡과 같은 현상과 달리 확률의 원리가 적용된다. (×)
→ 확률의 원리는 사회·문화 현상의 특징이다.

② ㉡과 같은 현상은 ㉢과 같은 현상과 달리 인간의 가치가 반영된다. (×)
→ 인간의 가치가 반영되는 것은 사회·문화 현상의 특징이다.

③ ㉢과 같은 현상은 ㉠과 같은 현상과 달리 인과 관계가 다소 불분명하다. (○)

④ ㉠과 같은 현상은 ㉡, ㉢과 같은 현상과 달리 보편성과 특수성이 공존한다. (×)
→ 보편성과 특수성이 공존하는 것은 사회·문화 현상의 특징이다.

⑤ ㉢과 같은 현상은 ㉠, ㉡과 같은 현상과 달리 경험적인 자료로 연구할 수 있다. (×)
→ 사회·문화 현상과 자연 현상 모두 경험적 자료를 통해 연구할 수 있다.

더 알아보기 사회·문화 현상과 자연 현상의 특징

사회·문화 현상	자연 현상
가치 함축성	몰가치성
당위 법칙	존재 법칙
개연성과 확률의 원리	필연성과 확실성의 원리
보편성과 특수성	보편성

02 사회·문화 현상을 보는 관점 답 ②

갑은 이혼 문제의 원인으로 가족 구성원의 역할 혼란과 가족과 관련된 각 기관과 제도가 제대로 작동하지 못함을 지적하고 있으므로 기능론에 해당한다. 을은 이혼 문제의 핵심이 가족 내 남성 중심의 가부장적 권력 구조에 있음을 지적하고 있으므로 갈등론에 해당한다.

② 기능론은 지배 집단의 이익을 대변하는 논리로 활용될 수 있다는 비판을 받는다.

03 사회·문화 현상의 연구 방법 답 ③

A는 사회·문화 현상이 자연 현상과 본질적으로 다른 특성을 지니고 있어 자연 현상의 연구 방법으로는 사회·문화 현상을 연구할 수 없다고 보는 질적 연구 방법이다. B는 사회·문화 현상이 자연 현상과 본질적으로 동일한 특성을 지니고 있어 자연 현상의 연구 방법과 동일한 연구 방법을 통해 사회·문화 현상을 연구할 수 있다고 보는 양적 연구 방법이다.

③ 인간 행위의 이면에 담긴 의미 파악을 중시하는 연구 방법은 질적 연구 방법이다.

선택지 바로 보기

① A는 사회·문화 현상의 일반화된 법칙 발견을 중시한다. (×)
→ 일반화된 법칙 발견을 중시하는 연구 방법은 양적 연구 방법이다.

② B는 일기, 낙서, 메모 등의 비공식적 자료의 수집을 중시한다. (×)
→ 비공식적 자료의 수집을 중시하는 연구 방법은 질적 연구 방법이다.

③ A는 B와 달리 인간 행위의 이면에 담긴 의미 파악을 중시한다. (○)

④ B는 A와 달리 직관적 통찰과 감정 이입적 이해 기법을 통해 자료를 해석한다. (×)
→ 직관적 통찰과 감정 이입적 이해 기법을 통해 자료를 해석하는 연구 방법은 질적 연구 방법이다.

⑤ A와 B 모두 변인 간의 관계 규명을 통한 일반화된 법칙 발견을 목적으로 한다. (×)
→ 변인 간의 관계 규명을 통한 일반화된 법칙 발견을 목적으로 하는 연구 방법은 양적 연구 방법이다.

04 자료 수집 방법 답 ③

A는 비교적 장기간 연구 대상자들과 함께 생활하며 이들의 생활 세계를 관찰하고자 하는 참여 관찰법이다. B는 다수를 대상으로 변인 간의 상관관계를 분석하고자 하는 질문지법이다.

③ 질문지법은 참여 관찰법에 비해 수집된 자료를 통계적으로 처리하기가 용이하다.

선택지 바로 보기

① A는 B와 달리 연구자의 가치가 개입될 가능성이 낮다. (×)
→ 참여 관찰법은 연구자의 가치가 개입될 가능성이 높은 자료 수집 방법이다.

② A는 B와 달리 언어를 매개로 한 상호 작용이 필수적이다. (×)
→ 면접법, 질문지법이 언어를 매개로 한 상호 작용이 필수적인 자료 수집 방법이다.

③ B는 A에 비해 수집된 자료를 통계적으로 처리하기가 용이하다. (○)

④ B는 A에 비해 자료 수집 과정에서 연구자의 유연성이 높다. (×)
→ 자료 수집 과정에서 연구자의 유연성이 높은 자료 수집 방법은 면접법이다.

⑤ A와 B는 공통적으로 표준화·구조화된 도구를 사용하여 자료를 수집한다. (×)
→ 표준화·구조화된 도구를 사용하는 자료 수집 방법은 질문지법이다.

기초력 집중드릴 10~15쪽

01 ③	02 ②	03 ①	04 ②	05 ③
06 ⑤	07 ⑤	08 ③	09 ⑤	10 ③
11 ③	12 ③	13 ⑤	14 ①	15 ③
16 ②	17 ②	18 ①	19 ②	20 ④
21 ④				

01 사회·문화 현상과 자연 현상의 특징 답 ③

㉠과 ㉡은 인간의 가치가 개입되지 않은 자연 현상이고, ㉢은 인간의 가치가 반영된 사회·문화 현상이다.
③ 보편성과 특수성이 공존하는 현상은 사회·문화 현상이다.
오답 피하기 ①, ② 가치 함축적, 당위 법칙을 따르는 것은 사회·문화 현상이다.
④ 필연성의 원리에 의해 설명되는 현상은 자연 현상이다.
⑤ 자연 현상과 사회·문화 현상 모두 경험적 연구가 가능하다.

02 상징적 상호 작용론 답 ②

인간 스스로 상황을 규정하고 해석하며 그 해석에 따라 행동한다고 보는 것은 상징적 상호 작용론에 대한 설명이다. 상징적 상호 작용론은 개인의 능동성과 자율성을 중시하는 전제를 가진다.
오답 피하기 ① 상징적 상호 작용론은 상징을 통한 상호 작용을 중시한다.
③ 갈등을 사회 변동의 원동력으로 보는 관점은 갈등론이다.
④ 상징적 상호 작용론은 미시적 관점에서 사회·문화 현상을 설명한다.
⑤ 기득권층의 이익을 대변하는 논리로 이용된다는 비판을 받는 관점은 기능론이다.

03 기능론 답 ①

사회의 본질이 상호 의존적인 단위 또는 부분의 합성인 하나의 체계라고 보는 것은 기능론에 해당하는 설명이다. 기능론은 거시적 관점에 해당하며, 사회 유기체설을 바탕으로 한다.
오답 피하기 ② 개인들의 주관적인 상황 정의에 대한 이해를 중시하는 관점은 상징적 상호 작용론이다.
③ 사회 규범이 지배 집단의 합의를 통해 형성된다고 보는 관점은 갈등론이다.
④ 사회적 희소가치를 둘러싼 집단 간 대립 관계에 주목하는 관점은 갈등론이다.
⑤ 사회 체계보다 개인에 대한 이해가 우선되어야 한다고 보는 관점은 미시적 관점인 상징적 상호 작용론이다.

04 실험법 답 ②

일반적으로 양적 연구에서 활용되고, 가장 엄격한 통제가 가해지는 자료 수집 방법이며, 정확성, 정밀성, 객관성이 높은 결론을 도출할 수 있고, 윤리적인 문제가 발생하기 쉬운 자료 수집 방법은 실험법이다.

더 알아보기 실험법과 관련된 개념

독립 변수와 종속 변수	독립 변수는 인위적인 자극이 된 변수이고, 종속 변수는 독립 변수의 영향을 받아 변화하는 변수이다.
실험 집단과 통제 집단	실험 집단은 실험 처치가 이루어진 집단이고, 통제 집단은 실험 처치가 이루어지지 않은 집단이다.

05 질적 연구 방법 답 ③

제시된 연구의 목적이 결혼 이주 여성 근로자가 겪은 차별 경험과 결혼 이주 여성으로서 겪은 차별 경험을 심층적으로 이해하는 데 있으며, 연구에 사용된 자료 수집 방법도 면접법과 참여 관찰법을 활용하고 있으므로 이 연구에 사용된 연구 방법은 질적 연구 방법으로 볼 수 있다.
③ 질적 연구 방법은 연구 대상자의 행위 동기와 목적을 중시한다.
오답 피하기 ① 방법론적 일원론에 기초하는 연구 방법은 양적 연구 방법이다.
② 통계 자료 분석을 통한 일반화를 시도하는 연구 방법은 양적 연구 방법이다.
④ 질적 연구 방법에서는 현상에 대한 기술(記述)과 직관적 통찰을 중시한다.
⑤ 일반적으로 가설을 설정하고 검증하는 과정을 중시하는 연구 방법은 양적 연구 방법이다.

06 양적 연구 방법의 주제 답 ⑤

양적 연구 방법은 사회·문화 현상에 내재한 규칙성을 발견함으로써 일반화와 법칙 정립을 목적으로 한다. 따라서 (가)~(라)는 모두 양적 연구 방법의 주제에 해당한다.
⑤ (마) 한국 남성들이 군 제대 직후에 경험하는 생활 세계에 대한 심층적 이해는 행위자의 주관적 가치 및 행위 동기 등 사회·문화 현상에 대하여 심층적으로 이해하고자 하는 질적 연구 방법의 주제에 해당한다.

07 사회·문화 현상과 자연 현상의 특징 답 ⑤

(가)는 자연 현상, (나)는 사회·문화 현상에 해당한다. ⑤ 사회·문화 현상은 인간의 가치나 신념이 반영되어 나타난다.

오답 피하기 ① 보편성보다 특수성이 강하게 나타나는 것은 사회·문화 현상이다.
② 사회·문화 현상은 개연성과 확률의 원리가 적용된다.
③ 사회·문화 현상은 인과 관계가 다소 불분명하여 예외가 존재한다.
④ 자연 현상은 사회·문화 현상에 비해 예측이 용이하다.

08 갈등론 답 ③

제시문에서 학교에서 가르치는 내용은 지배 계급의 이익을 위한 것이고, 학교는 지배 계급이 선호하는 규범, 가치관 등을 전수함으로써 기존의 위계질서를 재생산한다고 보고 있으므로 A 관점은 갈등론에 해당한다.
③ 갈등론은 사회적 희소가치를 둘러싼 집단 대립과 갈등을 강조하므로 사회 통합을 경시한다는 비판을 받는다.
오답 피하기 ① 사회가 유기체와 유사하다고 보는 관점은 기능론이다.
② 갈등론은 사회 갈등을 필연적이고 정상적인 것으로 본다.
④ 사회 현상을 구성하는 개인의 능동성에 주목하는 관점은 상징적 상호 작용론이다.
⑤ 사회 구성 요소의 기능과 역할을 사회적으로 합의된 것으로 보는 관점은 기능론이다.

09 면접법 답 ⑤

제시된 내용에 해당하는 자료 수집 방법은 면접법이다.
⑤ 분석 기준이 명확하고 통계 처리가 용이하여 비교 분석 연구에 적합한 자료 수집 방법은 양적 연구 방법에 주로 활용되는 질문지법과 실험법이다.

10 기능론 답 ③

제시문에서 대부분의 사람들은 사회 전체의 합의를 통해 만들어진 법을 준수하는데 일부 사람들이 법을 어길 경우 사회의 원활하고 효율적인 기능을 방해하거나 사회의 존립 자체를 위협한다고 보고 있으므로 이에 부합하는 관점은 기능론이다.
③ 기능론은 사회가 스스로 균형을 유지하려는 속성을 지닌다고 본다.
오답 피하기 ① 행위자의 능동성과 자율성을 중시하는 관점은 미시적 관점으로 상징적 상호 작용론이 이에 해당한다.
② 사회 구조를 지배와 피지배의 관계로 단순화하는 관점은 갈등론이다.
④ 기능론은 사회의 질서 유지 및 안정 회복 능력을 중시한다.
⑤ 사회·문화 현상에 대한 상황 맥락적 이해를 중시하는 관점은 상징적 상호 작용론이다.

11 질문지법과 면접법 답 ③

A는 다수를 대상으로 대량의 자료를 수집하는 데 유리한 질문지법이고, B는 조사 대상자의 주관적인 세계를 심층적으로 이해하는 데 유리한 면접법이다.
ㄴ. 면접법은 조사자의 주관적 가치가 개입될 가능성이 크다.
ㄷ. 질문지법이 면접법에 비해 자료 수집 상황에 대한 통제 정도가 높다.
오답 피하기 ㄱ. 질문지법은 양적 자료를 수집하기에 용이하다. 질적 자료를 수집하기에 용이한 자료 수집 방법은 면접법이다.
ㄹ. 질문지법과 면접법은 모두 언어를 매개로 한 상호 작용이 필수적이다.

12 사회·문화 현상의 특징 답 ③

세계 어느 나라, 어느 지역에나 상대방에게 반가움을 표현하는 인사법은 존재하지만 구체적인 방법은 나라와 지역마다 상이하게 나타난다는 점을 통해 사회·문화 현상은 보편성과 특수성이 공존한다는 것을 알 수 있다.
오답 피하기 ① 몰가치적인 것은 자연 현상의 특징이다.
② 존재 법칙의 지배를 받는 것은 자연 현상의 특징이다.
④ 인간의 의지와 무관하게 나타나는 것은 자연 현상의 특징이다.
⑤ 인과 관계가 예외없이 분명하게 나타나는 것은 자연 현상의 특징이다.

13 질문지법 답 ⑤

제시된 연구에서 활용된 자료 수집 방법은 질문지법이다.
⑤ 질문지법은 문자 언어를 통해 조사할 경우 문맹자에게 활용하기 곤란하다는 단점이 있다.
오답 피하기 ① 자료의 실제성을 확보하는 데 용이한 자료 수집 방법은 참여 관찰법이다.
② 질문지법은 시간과 비용 측면에서 효율적인 자료 수집 방법이다.
③ 의사소통이 곤란한 대상에게도 적용할 수 있는 자료 수집 방법은 참여 관찰법이다.
④ 자료 수집 과정에서 조사자가 융통성을 발휘할 수 있는 자료 수집 방법은 면접법이다.

14 질적 연구 방법의 사례 답 ①

질적 연구 방법의 목적은 사회·문화 현상을 구성하는 인간 행위 속에 담긴 주관적 동기와 의미를 해석하고 이해하는 것이다.
① '개인의 계층과 삶의 만족도 간의 상관관계 연구'는 양적 연구 방법에 적합한 사례이다.

15 사회·문화 현상의 연구 방법 답 ③

(가)는 면접법을 활용하여 명품 소비의 인식을 심층적으로 이해하고자 하는 질적 연구 방법에 해당하고, (나)는 질문지법을 활용하여 소득 수준과 명품 소비 간의 상관관계를 분석하고자 하는 양적 연구 방법에 해당한다.

ㄴ. 통계 분석을 활용하여 결론을 도출하는 연구 방법은 양적 연구 방법이다.

ㄷ. 연구자의 직관적 통찰을 강조하는 연구 방법은 질적 연구 방법이다.

오답 피하기 ㄱ. 방법론적 일원론에 근거한 연구 방법은 양적 연구 방법이다.

ㄹ. 제시된 연구 주제에 대해 질적 연구 방법은 면접법을 통해 1차 자료를 수집하여 경험적 연구를 진행하였고, 양적 연구 방법은 질문지법을 통해 1차 자료를 수집하여 경험적 연구를 진행하였다. 두 연구 방법 모두 1차 자료를 바탕으로 경험적 연구를 진행하였다.

16 사회·문화 현상과 자연 현상의 특징 답 ②

㉠은 인간의 가치가 개입되지 않은 자연 현상이고, ㉡과 ㉢은 인간의 가치가 개입된 사회·문화 현상이다. ② 사회·문화 현상은 개연성과 확률의 원리를 따른다.

오답 피하기 ① 자연 현상은 몰가치적이다.

③ 사회·문화 현상은 인과 관계가 다소 불분명하다.

④ 자연 현상과 사회·문화 현상 모두 보편성이 나타난다.

⑤ ㉡과 ㉢은 사회·문화 현상으로 당위 법칙의 지배를 받는다.

17 참여 관찰법 답 ②

연구자 갑은 6개월 동안 어린이집의 일상생활에 참여하여 모든 과정을 관찰하고 기록하는 자료 수집 방법인 참여 관찰법을 연구에 사용하였다. 참여 관찰법은 문맹자를 대상으로 실시할 수 있으며, 자료의 실제성을 확보하기에 용이하다.

오답 피하기 ㄴ. 참여 관찰법은 비구조화·비표준화된 방법이다.

ㄹ. 참여 관찰법은 양적 자료보다 질적 자료 수집에 적합하다.

더 알아보기 참여 관찰법의 장·단점

장점	단점
• 자료의 실제성 확보에 용이함 • 조사 대상자의 일상생활 세계에 대한 심층적인 자료를 수집하는 데 유리함 • 의사소통이 곤란한 집단을 대상으로 조사를 수행할 수 있음	• 관찰하고자 하는 현상이 나타날 때까지 기다려야 하므로 시간과 비용 측면에서 비효율적임 • 예상하지 못한 상황이 발생할 경우 유연하게 대처하기 곤란함 • 관찰자의 편견이나 주관적 가치가 개입될 우려가 큼

18 기능론과 갈등론 답 ①

갑의 관점은 사회 규범과 제도가 사회 질서의 유지와 안정이라는 사회 전체의 필요에 의해 형성되었다고 보는 기능론에 해당한다. 을의 관점은 사회 규범과 제도가 피지배 계급을 통제하기 위한 지배 계급의 필요에 의해 형성되었다고 보는 갈등론에 해당한다.

① 기능론은 사회 질서의 안정을 강조하여 사회 구성 요소들 간의 대립과 갈등을 간과하는 단점이 있다.

오답 피하기 ② 사회 규범에 사회 전체의 합의가 반영되어 있다고 보는 관점은 기능론이다.

③ 사람들이 구성해 내는 주관적 생활 세계를 중시하는 관점은 상징적 상호 작용론이다.

④ 사회 구성원들이 상황 정의를 바탕으로 행동한다고 보는 관점은 상징적 상호 작용론이다.

⑤ 사회를 유기체로 간주하는 거시적 관점에 해당하는 관점은 기능론이다.

19 자료 수집 방법 답 ②

'주로 1차 자료를 얻기 위해 사용됩니까?'라는 첫 번째 질문을 통해 2차 자료를 중심으로 자료를 수집하는 문헌 연구법은 A가 된다. 그리고 B와 C는 (가)에 들어가는 질문에 따라 각각 면접법과 참여 관찰법 중 하나에 해당한다.

② 면접법과 참여 관찰법은 일상생활을 심층적으로 파악하기에 용이한 질적 자료 수집 방법이다.

오답 피하기 ① A는 문헌 연구법으로, 연구 대상자와의 정서적 교감을 중시하는 자료 수집 방법은 참여 관찰법이다.

③ B와 C는 면접법과 참여 관찰법 중 하나로, 주로 질적 연구에 사용되는 자료 수집 방법이기 때문에 (가)에 '양적 연구에 주로 사용되는가?'가 들어갈 수 없다.

④ B와 C는 면접법과 참여 관찰법 중 하나로, 주로 질적 연구에 사용되는 자료 수집 방법이다. 따라서 (가)에 '질적 연구에 주로 사용되는가?'가 들어갈 경우 그에 대한 응답이 모두 '예'가 되어야 한다.

⑤ (가)에 '원하는 현상이 나타날 때까지 장시간 기다려야 하는 경우가 발생하는가?'가 들어갈 경우 B는 면접법, C는 참여 관찰법에 해당한다.

20 사회·문화 현상을 보는 관점 답 ④

A는 상징적 상호 작용론, B는 기능론, C는 갈등론에 해당한다.

④ 기능론과 갈등론은 모두 개개인의 행위를 초월한 사회 체계에 초점을 맞추어 사회·문화 현상을 이해하는 거시적 관점에 해당한다.

자료 분석 +

개인의 행위보다 사회 구조를 강조하는가? --아니요--> A
↓ 예
사회 제도를 지배 집단의 이익을 위한 것으로 보는가? --아니요--> B
↓ 예
C

'개인의 행위보다 사회 구조를 강조하는가?'라는 질문에 긍정으로 답하는 관점은 거시적 관점으로, 기능론과 갈등론이 해당한다. 따라서 이 질문에 부정으로 답한 A는 미시적 관점인 상징적 상호 작용론에 해당한다. '사회 제도를 지배 집단의 이익을 위한 것으로 보는가?'라는 질문에 부정으로 답한 B는 기능론, 긍정으로 답한 C는 갈등론에 해당한다.

오답 피하기 ① 지배 계급과 피지배 계급의 이익은 양립할 수 없다고 보는 관점은 갈등론이다.

② 사회 구성원들이 상황 정의를 바탕으로 행동한다고 보는 관점은 상징적 상호 작용론이다.

③ 사회 구조나 제도가 개인에게 미칠 수 있는 영향력을 간과하는 것은 상징적 상호 작용론의 한계에 해당한다.

⑤ 사회의 각 부분들이 사회 전체의 존속과 통합을 위해 각각의 기능을 수행한다고 보는 관점은 기능론이다.

21 질적 연구 방법 답 ④

제시된 내용은 질적 연구 방법의 특징이다. 따라서 (가)에는 질적 연구 방법과 관련된 내용이 들어갈 수 있다.

ㄱ. 질적 연구 방법은 자연 현상의 연구 방법으로는 사회·문화 현상을 연구할 수 없다고 보는 방법론적 이원론을 전제로 한다.

ㄴ. 질적 연구 방법은 연구 대상이 부여하는 의미를 전체적인 상황 맥락 속에서 이해하고자 한다.

ㄹ. 질적 연구 방법은 연구자의 직관적 통찰을 활용하여 사회·문화 현상의 의미를 해석하고 이해하려는 연구 방법이다.

오답 피하기 ㄷ. 규칙성 발견, 일반화된 법칙 발견은 양적 연구 방법의 특징이다.

02 일차 사회·문화 현상의 탐구 태도~사회적 존재로서의 인간

기출 유사 18~21쪽

01 ⑤ 02 ④ 03 ② 04 ③

01 성찰적 태도 답 ⑤

사회학적 상상력을 가지고 일상생활에서 발생하고 있는 다양한 사회·문화 현상들이 어떤 의미가 있는지 반성적으로 탐구하는 태도와, 겉으로 드러난 행위에만 집중하는 것이 아니라 행위 이면에 숨겨진 원리를 규명하기 위해 노력해야 하는 사회학자의 태도를 통해 제시문에서 공통적으로 나타나는 사회·문화 현상의 탐구 태도는 성찰적 태도임을 알 수 있다.

⑤ 성찰적 태도는 사회·문화 현상의 탐구 시 현상의 이면의 원인을 파악하기 위해 노력하는 태도이다.

02 과학적 탐구 과정에서의 가치 중립과 가치 개입 답 ④

갑은 연구 주제를 선정하고 가설을 설정하여 통계화된 자료 수집 방법인 질문지법을 활용해 자료를 수집하고 분석한 후 연구 주제에 대한 결론을 내리고 연구 결과를 활용하는 방안을 제시하였다. 이를 통해 갑은 양적 연구를 진행하였음을 알 수 있다.

ㄴ. 가설 설정 단계에서는 연구자의 가치가 개입될 수 있다.

ㄹ. 자료 분석 단계는 결론 활용 단계와 달리 연구자의 엄격한 가치 중립이 요구된다.

오답 피하기 ㄱ. ㉠에서 독립 변수는 청소년과 부모와의 유대 관계이다.

ㄷ. 제시된 연구에서 모집단인 청소년을 대표하기 위해 ○○시의 중학생 1,000명을 무작위로 하여 표본 집단을 선정하였지만, 특정 지역의 중학생만을 표본으로 선정하는 것은 청소년 전체를 대표하지 못하기 때문에 표본의 대표성이 결여되었다고 볼 수 있다.

03 연구 윤리 답 ②

연구 대상자와 관련된 윤리 원칙에 따르면 연구자는 연구 대상자에게 연구 목적이나 연구 과정 등에 대해 알리고 자발적인 동의를 얻어야 한다. 연구 과정과 관련된 윤리 원칙에는 연구자는 정직한 방법으로 자료를 수집해야 하며, 의도한 결론을 이끌어 내기 위해 자료 분석 과정에서 자료를 조작해서는 안 되며, 수집한 자료 및 분석 내용과 일치하지 않는 해석, 즉 왜곡을 해서는 안 된다.

② 연구자 갑은 자신의 설문에 참여하지 않는 학생들에게는 학기

말 성적에 불이익을 주겠다는 공지를 했다. 이것은 연구 대상자의 자발적 참여를 보장하지 않은 것이다.

오답 피하기 ① 다른 사람의 연구 결과를 도용하는 것은 연구 결과의 공표와 관련된 윤리 원칙에 위배되는 것으로 제시문과 관련 없다.
③ 연구 대상자인 학생으로부터 특정한 응답을 요구하지는 않았다.
④ 연구 대상자의 개인 정보 및 사생활을 보호하지 않은 것은 연구 대상자와 관련된 윤리 원칙에 위배되는 것으로 제시문과 관련 없다.
⑤ 개인적 이해관계에 의한 자료 조작은 제시문과 관련 없다.

04 사회화 기관, 지위와 역할 답 ③

㉣ 요리 학원은 요리 분야와 관련된 전문적인 지식, 기능을 사회화하는 2차적 사회화 기관에 해당한다.

자료 분석 +

- 교사 갑은 ㉠ 학교에 도입된 '스마트 교실'의 운영을 위해 퇴근 후 ㉡ 교육 연수원에서 연수를 받고 있다. 그런데 아들의 병원 입원으로 연수를 그만두어야 할지 ㉢ 고민 중이다.
- 을은 요리사의 꿈을 실현하고자 ㉣ 요리 학원에 다니고 있다. 독자적으로 가게를 운영할지 프랜차이즈 형태로 가게를 운영할지 ㉤ 고민 중이다.

㉠은 사회화를 목적으로 설립된 공식적 사회화 기관이며, 동시에 전문적인 지식, 기능을 심화하는 사회화를 담당하는 2차적 사회화 기관에 해당한다.
㉡ 새롭게 학교에 도입된 스마트 교실의 운영을 위해 퇴근 후 교육 연수원에서 연수를 받는 행위는 사회 변화나 개인이 처한 상황, 소속 집단의 변동에 적응하기 위해 새로운 지식, 기능, 가치 및 규범을 습득하는 과정인 재사회화에 해당한다.
㉢은 스마트 교실 운영을 위해 연수를 받는 교사로서의 역할과 사고를 당한 아들을 돌봐야 하는 부모로서의 역할이 충돌하는 역할 갈등에 해당한다.
㉤은 독자적으로 가게를 운영하는 것과 프랜차이즈 형태로 가게를 운영하는 것 가운데 어떠한 방법이 더 좋을지 단순하게 고민하는 형태이므로 서로 다른 역할이 충돌하는 역할 갈등에는 해당하지 않는다.

기초력 집중드릴 22~27쪽

01 ②	02 ③	03 ②	04 ⑤	05 ④
06 ①	07 ②	08 ④	09 ①	10 ①
11 ④	12 ⑤	13 ④	14 ⑤	15 ③
16 ⑤	17 ②	18 ③	19 ⑤	20 ⑤
21 ②	22 ②	23 ①		

01 개방적 태도 답 ②

제시문에서 사회 과학자는 지속적인 검토와 비판의 과정을 거쳐 사회 과학적 연구가 계속 수정되고 정교하게 다듬어질 수 있음을 인정해야 하는 개방적 태도를 강조하고 있다.
② 개방적 태도는 자신의 주장과 다른 주장의 존재를 인정하고 경험적인 비판을 받아들이는 태도이다.

오답 피하기 ① 제3자의 관점에서 사회·문화 현상을 탐구하려는 태도는 객관적 태도이다.
③ 사회·문화 현상에 내재된 사실과 가치를 엄격하게 분리하는 태도는 객관적 태도이다.
④ 사회·문화 현상의 이면에 담겨 있는 원리들에 대해 능동적으로 탐구하려는 태도는 성찰적 태도이다.
⑤ 연구자의 문화적 배경이 아닌 연구 대상자의 문화적 배경에서 이해하려는 태도는 상대주의적 태도이다.

02 과학적 탐구 과정에서의 가치 중립과 가치 개입 답 ③

일반적인 연구 과정은 '연구 주제 선정 → 가설 설정 → 연구 설계 → 자료 수집 → 자료 분석 → 가설 검증 → 결론 도출 → 일반화 및 결론 활용'의 순서로 진행된다. 자료 수집, 자료 분석, 가설 검증, 결론 도출 단계에서는 연구자의 엄격한 가치 중립이 요구된다. 반면 연구 주제 선정, 가설 설정, 연구 설계, 일반화 및 결론 활용 단계에서는 연구자의 가치가 개입될 수 있다.
ㄴ. 자료 수집 단계는 가설 설정 단계와 달리 연구자의 철저한 가치 중립이 요구된다.
ㄷ. 연구 결과 활용 단계에서는 사회적 가치를 고려하는 연구자의 사회적 책임이 중시된다.

오답 피하기 ㄱ. 결론 도출과 가설 검증 단계 모두 연구자의 엄격한 가치 중립이 요구된다.
ㄹ. 일반적인 연구 단계의 순서는 '(마) → (라) → (다) → (나) → (가) → (바)'이다.

03 연구 윤리 답 ②

갑의 경우 부동산 가격 상승에 도움이 되는 자료만을 근거로 제시하여 부동산 가격의 상승을 예견한 논문을 발표하였다. 을의 경우 자기 지역의 경제적 발전을 위해 발전소 건설에 대한 부적합 의견을 은폐하여 연구 결과를 발표하였다. 두 사례 모두 연구 결과의 공표가 자신에게 미칠 악영향을 고려하거나 공표를 통해 이익을 얻을 목적으로 일부 연구 결과를 은폐한 사례에 해당한다.

② 갑과 을 모두 연구 결과를 공표할 때 특정 자료를 은폐하였다.

더 알아보기 연구 윤리

연구 대상자와 관련된 윤리 원칙	• 연구자는 연구 대상자에게 연구 목적과 과정을 알리고 자발적인 동의를 얻어야 함 • 연구자는 연구에 참여하는 것이 연구 대상자에게 어떤 영향을 미치는지 정확하고 자세하게 설명해 주어야 함 • 연구를 진행하면서 예상하지 못한 문제가 발생할 경우 연구 대상자의 안전과 이익을 최대한 고려해야 함 • 연구자는 연구 대상자의 익명성을 보장해야 하며, 사생활 정보 및 개인 정보를 연구 목적 이외의 용도로 활용해서는 안 됨
연구 과정과 관련된 윤리 원칙	• 연구자는 정직한 방법으로 자료를 수집해야 함 • 의도한 결론을 도출하기 위해 자료 분석 과정에서 자료를 조작해서는 안 됨 • 수집한 자료 및 분석 내용을 왜곡해서는 안 됨
연구 결과의 공표와 관련된 윤리 원칙	• 연구 결과의 공표가 자신에게 미칠 악영향을 고려하거나 공표를 통해 이익을 얻을 목적으로 연구 결과를 은폐, 왜곡, 축소, 과장해서는 안 됨 • 다른 연구자의 연구물을 활용하는 경우 출처를 정확하게 밝혀야 함 • 연구 성과가 사회적으로 악용되지 않도록 결과에 대하여 책임있는 자세가 요구됨

04 예기 사회화 답 ⑤

신입생 예비 교육, 신입 사원 연수, 훈련소 신병 교육, 외국어 조기 교육 등의 사례는 모두 미래에 속하기를 기대하거나 속하게 될 집단이나 지위에서 요구하는 지식, 기능, 가치, 규범을 미리 습득하는 과정인 예기 사회화에 해당한다.

05 객관적 태도 답 ④

첫 번째 제시문에서는 올바른 판단을 막는 선입견이나 편견을 우상으로 정의하고 우상의 극복만이 올바른 지식이나 판단을 얻는 길임을 주장하고 있다. 두 번째 제시문에서는 사회 과학자도 주위 환경에 영향을 받으며 자신이 중요하다고 여기는 가치에 얽매이기 쉬움을 지적하며 사실로부터 사회 과학적 지식을 얻기 위해 노력해야 함을 주장하고 있다. 따라서 공통으로 강조하는 사회·문화 현상의 탐구 태도는 객관적 태도임을 알 수 있다.

④ 객관적 태도는 사회·문화 현상을 제3자의 입장에서 객관적으로 접근해야 한다고 본다.

오답 피하기 ① 사회 과학적 지식이 잠정적 결론임을 강조하는 태도는 개방적 태도이다.

② 사회·문화 현상에 대한 깊이 있는 성찰을 중시하는 태도는 성찰적 태도이다.

③ 사회·문화 현상이 지닌 고유한 가치의 인정을 중시하는 태도는 상대주의적 태도이다.

⑤ 연구자 입장이 아닌 연구 대상자의 입장에서 연구를 진행해야 함을 강조하는 태도는 상대주의적 태도이다.

06 사회화 기관 답 ①

가장 중요하고 기초적인 사회화 기관이며, 기본적인 인성 형성을 비롯하여 언어, 예절, 규범, 가치관 등을 습득하게 하고, 사회화 내용을 기준으로 분류했을 때 또래 집단과 같은 유형으로 분류되는 사회화 기관은 가족에 해당한다. 가족은 설립 목적에 따라 분류할 경우 사회화가 아닌 다른 목적으로 설립되었으나 부수적으로 사회화를 담당하는 비공식적 사회화 기관이고, 사회화의 내용에 따라 분류할 경우 기초적인 수준의 사회화를 담당하는 1차적 사회화 기관이다.

더 알아보기 사회화 기관

기준	유형	내용
사회화 내용	1차적 사회화 기관	기초적인 수준의 사회화를 담당하는 기관 예 가족, 또래 집단 등
	2차적 사회화 기관	전문적인 지식, 기능을 심화하는 사회화를 담당하는 기관 예 학교, 직장 등
설립 목적	공식적 사회화 기관	사회화를 주 목적으로 설립된 기관 예 학교, 교육 기관 등
	비공식적 사회화 기관	사회화가 아닌 다른 목적으로 설립되었지만 부수적으로 사회화를 담당하는 기관 예 가족, 대중 매체, 직장 등

07 사회화 기관 답 ②

A는 학교, B와 C는 (가)의 질문에 따라서 가족과 회사 중 하나에 해당된다.

ㄱ. 학교는 설립 목적에 따라 사회화를 목적으로 하는 공식적 사회화 기관에 해당한다.

ㄷ. 회사는 사회화의 내용에 따라 분류했을 때 전문적인 지식, 기능을 심화하는 사회화를 담당하는 2차적 사회화 기관에 해당한다. (가)의 질문에 따른 C로 향하는 화살표가 '아니요'이기 때문에 C가

회사일 경우 (가)에 '전문적 지식 전수를 중심으로 사회화를 수행하는가?'가 들어갈 수 없다.

오답 피하기 ㄴ. B와 C는 가족과 회사 중 하나이다. 가족과 회사 중 정서적 친밀감을 바탕으로 사회화를 수행하는 기관은 가족에만 해당된다.

ㄹ. (가)에 '기초적인 사회화를 수행하는가?'가 들어갈 경우 B는 가족이고, C는 회사이다. 가족과 회사 모두 보상과 제재를 통한 사회화가 이루어진다.

08 지위의 종류 답 ④

노인은 개인의 노력, 능력과 상관없이 선천적·자연적으로 갖게 되는 귀속 지위이고, 남편과 아버지는 개인의 노력과 능력에 의해 후천적으로 획득하는 성취 지위이다. 따라서 A는 성취 지위, ㉠은 노인이다.

09 사회·문화 현상의 탐구 태도 답 ①

성찰적 태도는 사회·문화 현상의 이면의 원인 파악을 위해 노력하는 태도이다. 개방적 태도는 다른 연구자의 주장이나 다른 연구의 결론을 무조건 수용하는 태도가 아니라 경험적인 근거를 통해 검증하기 전에는 하나의 가설로 받아들이는 태도이다. 상대주의적 태도는 연구 대상자가 속한 사회의 역사적 맥락 속에서 사회·문화 현상을 이해하려는 태도이다. 객관적 태도는 사회·문화 현상의 탐구 시 주관적 가치와 이해관계를 최대한 배제하고자 하는 태도이다. 따라서 네 가지 질문에 모두 옳게 답한 학생은 '갑'이다.

10 가치 중립과 가치 개입 답 ①

사회·문화 현상의 일반적인 연구 절차에서 연구자의 엄격한 가치 중립이 요구되는 단계는 자료 수집, 자료 분석, 가설 검증, 결론 도출 단계이다. 반면 연구자의 가치가 개입되는 단계는 문제 제기 및 연구 주제 선정, 가설 설정, 연구 설계, 결론 활용 단계이다.

오답 피하기 ㄷ. 자료 수집 단계에서는 연구자의 엄격한 가치 중립이 요구된다.

ㄹ. 결론 활용 단계에서는 사회적 가치나 인류 보편적 가치를 존중하는 연구자의 가치가 개입될 수 있다.

11 귀속 지위 답 ④

귀속 지위는 개인의 노력이나 능력과 상관없이 선천적·자연적으로 갖게 되는 지위를 의미한다. 대표적인 예로 딸, 아들, 백인, 세습적 신분 등이 해당한다.

오답 피하기 ① 남편과 아내, ② 아빠와 엄마, ③ 회사원과 교사, ⑤ 학급 회장과 기업 CEO는 모두 성취 지위에 해당한다.

12 사회화 기관 답 ⑤

자신의 사회화에 미친 영향은 동그라미 크기에 비례하므로 또래 집단, 가족, 대중 매체, 학교의 순으로 영향을 받았다. 또래 집단과 가족은 사회화의 내용에 따라 분류할 경우 기초적인 수준의 사회화를 담당하는 1차적 사회화 기관이고, 대중 매체와 학교는 전문적인 지식, 기능을 심화하는 사회화를 담당하는 2차적 사회화 기관이다. 학교는 설립 목적에 따라 분류할 경우 사회화를 주 목적으로 설립된 공식적 사회화 기관이고, 가족, 또래 집단, 대중 매체는 사회화가 아닌 다른 목적으로 설립되었으나 사회화를 담당하는 비공식적 사회화 기관에 해당한다.

⑤ 네 번째 영향을 받은 학교는 세 번째 영향을 받은 대중 매체와 달리 공식적 사회화 기관에 해당한다.

오답 피하기 ① 또래 집단, 가족, 대중 매체, 학교는 모두 사회화 기관에 해당한다.

② 또래 집단은 1차적 사회화 기관에 해당한다.

③ 학교는 2차적 사회화 기관에 해당한다.

④ 가족과 대중 매체는 모두 비공식적 사회화 기관에 해당한다.

13 사회·문화 현상의 탐구 태도 답 ④

(가)는 사회·문화 현상을 보이는 그대로 받아들이기보다 현상의 이면에 담겨 있는 발생 원인이나 원리, 그것이 초래할 결과 등에 대하여 적극적·능동적으로 살펴보려는 성찰적 태도이다. (나)는 사회·문화 현상의 연구 방법이나 연구 관점이 다양할 수 있으므로 자신의 주장과 다른 주장이 존재할 수 있음을 인정하고, 자신의 주장에 대한 비판을 허용하는 개방적 태도이다. (다)는 사회·문화 현상을 탐구할 때 사회·문화 현상이 발생한 맥락이나 배경 속에서 연구하려는 상대주의적 태도이다.

14 사회화 기관 답 ⑤

제시된 질문에 따라 사회화 기관을 분류했을 때 A는 가족, B는 회사, C는 대학교에 해당한다.

⑤ 사회화의 내용에 따라 분류했을 때 또래 집단은 가족과 같은 유형으로 분류된다.

오답 피하기 ① 가족은 회사와 달리 1차적 사회화 기관에 해당한다.

② 회사는 대학교와 달리 비공식적 사회화 기관에 해당한다.

③ 대학교는 가족과 달리 공식적 사회화 기관에 해당한다.

④ 설립 목적에 따라 분류했을 때 대중 매체는 비공식적 사회화 기관으로 가족과 같은 유형으로 분류된다.

15 연구 윤리 답 ③

연구 윤리에 대한 설명이 옳은 경우에는 화살표가 시계 방향(A 방향)으로 한 칸 이동하고, 옳지 않은 경우에는 화살표가 시계 반대 방향(B 방향)으로 한 칸 이동한다. 1번은 옳지 않은 설명, 2번~4번은 모두 옳은 설명에 해당한다. 따라서 제시된 내용을 회전판에 적용한 결과 화살표의 이동 경로는 'ㄱ → ㅇ → ㄱ → ㄴ → ㄷ'이다.

자료 분석 +

• 조건 : '연구 윤리'에 대한 설명이 옳은 경우에는 화살표가 시계 방향(A 방향)으로 한 칸 이동하고, 옳지 않은 경우에는 시계 반대 방향(B 방향)으로 한 칸 이동한다. 제시문 1~4에 따라 순서대로 실시하며, 화살표는 'ㄱ'에서 출발한다.

1. 사회·문화 현상의 연구에 있어서 결과가 과정을 항상 정당화할 수 있다.
2. 연구자는 연구 과정에서 연구 대상자의 안전과 이익을 우선적으로 고려해야 한다.
3. 수집한 자료 및 분석 내용과 일치하지 않는 해석, 즉 왜곡을 해서는 안 된다.
4. 연구 대상자에게 연구 목적이나 연구 과정 등에 대해 알리고, 자발적 동의를 얻어야 한다.

〈회전판〉

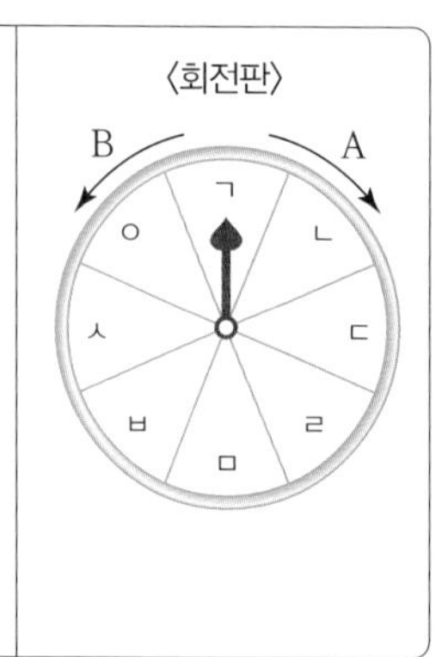

1. 사회·문화 현상의 탐구 결과가 사회에 유익할지라도 연구 과정에서 연구 대상자들에 대한 인권 침해가 발생했다면 연구 결과가 연구 과정을 정당화할 수 없다. 제시된 내용은 옳지 않은 설명으로 회전판은 ㄱ에서 ㅇ으로 한 칸 이동한다.
2. 연구자는 연구 과정에서 예상하지 못한 문제가 발생할 경우 연구 대상자의 안전과 이익을 최대한 고려해야 한다. 제시된 내용은 옳은 설명으로 회전판은 ㅇ에서 ㄱ으로 한 칸 이동한다.
3. 연구자는 수집한 자료 및 분석 내용을 왜곡해서는 안 된다. 제시된 내용은 옳은 설명으로 회전판은 ㄱ에서 ㄴ으로 한 칸 이동한다.
4. 연구자는 연구 대상자에게 연구 목적이나 연구 과정 등에 대해 알리고, 자발적인 동의를 얻어야 한다. 제시된 내용은 옳은 설명으로 회전판은 ㄴ에서 ㄷ으로 한 칸 이동한다.

16 연구 윤리 답 ⑤

연구자는 연구에 참여하는 것이 연구 대상자에게 어떤 영향을 미치는지, 특히 예상되는 피해가 무엇인지 정확하고 자세하게 설명해 주어야 한다. 하지만 제시된 연구에서는 연구 과정에서 백신이 가져올 부정적인 결과를 임상 실험 참가자들에게 알릴 경우 충분한 참여가 보장되지 않을 것을 우려해 해당 내용을 연구 대상자에게 알리지 않았다. 그러므로 연구자는 연구 대상자에게 예상되는 부정적인 피해를 알려야 하는 연구 윤리를 위반하였다.

17 양적 연구 방법의 탐구 절차 답 ②

제시된 연구 과정은 양적 연구 방법이다. 일반적인 양적 연구 방법의 연구 순서는 '문제 인식 및 연구 주제 선정 → 가설 설정 → 연구 설계 → 자료 수집 → 자료 분석 → 가설 검증 → 결론 도출 → 결론 활용'이다.

② 연구 설계 단계에서 독립 변인과 종속 변인에 대한 개념의 조작적 정의가 이루어진다.

오답 피하기 ① 양적 연구 방법은 방법론적 일원론에 근거한 연구 과정이다.

③ 양적 연구 방법의 자료 수집 단계에서는 주로 질문지법과 실험법을 활용하여 양적 자료를 수집한다.

④ 자료 수집 단계에서는 결론 활용 단계와 달리 연구자의 엄격한 가치 중립이 요구된다.

⑤ 가설 검증 단계와 결론 도출 단계 모두 연구자의 엄격한 가치 중립이 요구된다.

18 사회화 기관 답 ③

ㄴ. (가)가 사회화의 내용이라면 A의 사례가 회사이므로 A는 2차적 사회화 기관이고, B는 1차적 사회화 기관에 해당한다. 따라서 가족은 1차적 사회화 기관인 B에 해당한다.

ㄷ. (나)가 설립 목적이라면 D의 사례가 고등학교이므로 C는 비공식적 사회화 기관이고, D는 공식적 사회화 기관에 해당한다.

오답 피하기 ㄱ. (가)가 설립 목적이라면 A의 사례가 회사이므로 A는 비공식적 사회화 기관이고, B는 공식적 사회화 기관에 해당한다.

ㄹ. (나)가 사회화의 내용이라면 D의 사례가 고등학교이므로 D는 2차적 사회화 기관이고, C는 1차적 사회화 기관에 해당한다. 따라서 또래 집단은 C에 포함된다.

19 사회화의 유형 답 ⑤

㉠은 미래에 속하게 될 집단이나 지위, 미래에 속하게 되기를 바라는 집단이나 지위에서 요구되는 행동 양식을 미리 학습하는 예기 사회화이다. ㉡은 사회 변동으로 인해 기존에 습득한 지식과 가치관으로는 변화된 사회에 적응하기 어려워 새롭게 등장한 정보와 기술, 가치관 등을 습득하는 사회화의 유형인 재사회화에 해당한다.

오답 피하기 ① 노인을 대상으로 한 정보화 교육은 재사회화에 해당한다.

② 이직 후 새로운 직장에서의 재교육은 재사회화에 해당한다.

③ 신입생 예비 교육은 예기 사회화에 해당한다.

④ 외국어 조기 교육은 예기 사회화에 해당한다.

20 지위와 역할, 역할 갈등 답 ⑤

⑤ 계약직 직원으로 회사 일을 성실하게 감당한 결과 회사에서 정직원이 된 것은 회사원 갑으로서의 역할 행동에 대한 보상에 해당한다. 대학원에서도 최우수 논문상을 받으며 졸업한 것은 대학원생 갑으로서의 역할 행동에 대한 보상에 해당한다. 따라서 ㉥과 ㉦ 모두 갑의 역할 행동에 대한 보상에 해당한다.

오답 피하기 ① 장손은 계약직 직원과 달리 귀속 지위에 해당한다.

② 갑이 대학 졸업 후 대학원에 진학하여 공부를 할지 취업하여 돈을 벌지 고민하는 것은 서로 다른 역할이 충돌하는 것이 아니므로 역할 갈등에 해당하지 않는다.

③ 회사는 설립 목적에 따라 구분할 경우 비공식적 사회화 기관에 해당한다.

④ 야간 대학원은 사회화의 내용에 따라 구분할 경우 공식적 사회화 기관에 해당한다.

21 역할과 역할 행동, 역할 갈등 답 ②

(가)는 역할, (나)는 역할 행동, (다)는 역할 갈등이다. 역할이란 지위에 따라 사회적으로 기대되는 행동 양식을 의미하고, 역할 행동이란 개인이 역할을 실제로 수행하는 방식을 의미한다. 한 개인이 동시에 두 가지 이상의 서로 다른 지위에 따른 역할을 수행하고자 할 때 역할 간에 충돌이 발생하는 것을 역할 갈등이라고 한다.

22 사회화 기관과 지위 답 ②

ㄱ. 갑은 앨범 홍보를 위해 2차적 사회화 기관인 대중 매체의 활용을 고려하고 있다.

ㄷ. (나)에는 (가)와 달리 장남이라는 귀속 지위가 나타나 있다.

오답 피하기 ㄴ. 갑은 ◇◇엔터테인먼트라는 비공식적 사회화 기관에 속해 있고, 을은 □□회사라는 비공식적 사회화 기관에 속해 있다. 따라서 갑과 을 모두 비공식적 사회화 기관에 속해 있다.

ㄹ. 갑은 서로 다른 역할이 충돌하는 역할 갈등을 경험하고 있지 않지만, 을은 회사 부장으로서의 역할과 장남으로서의 역할이 충돌하는 역할 갈등을 경험하고 있다.

23 사회화 기관의 설립 목적에 따른 분류 답 ①

사회화 기관은 설립 목적에 따라 공식적 사회화 기관과 비공식적 사회화 기관으로 구분된다. 공식적 사회화 기관에는 학교, 교도소, 학원, 직업 훈련소 등이 해당된다. 비공식적 사회화 기관에는 직장, 대중 매체, 가족 등이 해당된다.

① 직업 훈련 학교는 공식적 사회화 기관이다.

03 일차 사회적 존재로서의 인간

기출 유사 30~33쪽

01 ② 02 ① 03 ④ 04 ④

01 사회 집단과 사회 조직 답 ②

사회 집단은 구성원의 결합 의지에 따라 공동 사회와 이익 사회로 구분할 수 있다. A 집단은 구성원들의 선택 의지에 따라 인위적으로 형성된 집단이므로 A 집단은 이익 사회이고, B 집단은 공동 사회에 해당한다. 한편 구성원들의 접촉 방식에 따라서는 1차 집단과 2차 집단으로 구분할 수 있다. C 집단은 대면 접촉과 친밀감을 바탕으로 형성된 집단이므로 C 집단은 1차 집단이고, D 집단은 2차 집단에 해당한다.

오답 피하기 ① A 집단은 이익 사회이고, B 집단은 공동 사회이다.

③ C 집단은 1차 집단이고, D 집단은 2차 집단이다.

④ 또래 집단은 공동 사회인 B 집단과 1차 집단인 C 집단에 모두 해당하는 사회 집단이다.

⑤ 공동 사회와 1차 집단 모두에 해당하는 사회 집단의 사례는 가족이다.

02 관료제와 탈관료제 답 ①

업무의 표준화 정도는 탈관료제보다 관료제가 높게 나타난다. 따라서 A는 관료제이고, B는 탈관료제이다.

① 관료제는 업무의 전문화와 세분화를 강조한다.

선택지 바로 보기

① A는 업무의 전문화, 세분화를 강조한다. (○)

② B는 수직적 의사 결정 구조로 의사 결정 권한이 집중되어 있다. (×)
→ 수직적 의사 결정 구조로 의사 결정 권한이 집중된 사회 조직은 관료제이다.

③ A에 비해 B는 연공서열에 따른 보상을 중시한다. (×)
→ 연공서열에 따른 보상을 중시하는 사회 조직은 관료제이다.

④ A는 B와 달리 효율적인 업무 수행을 추구한다. (×)
→ 관료제와 탈관료제 모두 효율적인 업무 수행을 추구한다.

⑤ (가)에 '업무 수행의 안정성, 지속성, 예측 가능성'이 들어갈 수 있다. (×)
→ 업무 수행의 안정성, 지속성, 예측 가능성은 탈관료제보다 관료제에서 높게 나타난다.

03 개인과 사회의 관계를 바라보는 관점 답 ④

갑은 이혼율의 급증 이유로 사회 제도와 정책의 변화를 중시하고 있으므로 사회 실재론에 해당하는 입장이다. 반면, 을은 이혼율의 급증 이유로 개인의 선택을 중시하고 있으므로 사회 명목론에 해당하는 입장이다.

④ 사회 현상이 개인으로 환원되어 설명할 수 있다고 보는 관점은 사회 명목론에 해당한다.

선택지 바로 보기

① 갑의 관점은 인간의 능동성과 자율성을 중시한다. (×)
→ 인간의 능동성과 자율성을 중시하는 관점은 사회 명목론이다.

② 을의 관점은 개인이 사회에 의해 구조화된 행동을 한다고 본다. (×)
→ 개인이 사회에 의해 구조화된 행동을 한다고 보는 관점은 사회 실재론이다.

③ 을의 관점은 개인의 속성은 사회의 속성이 반영된 결과라고 본다. (×)
→ 개인의 속성은 사회의 속성이 반영된 결과라고 보는 관점은 사회 실재론이다.

④ 을의 관점은 사회 현상이 개인으로 환원되어 설명될 수 있다고 본다. (○)

⑤ 갑, 을의 관점 모두 전체주의로 변질될 우려가 있다. (×)
→ 전체주의로 변질될 우려가 있는 관점은 사회 실재론이다.

04 일탈 행동 이론 답 ④

(가)는 청년층의 도박 문제가 부자가 되고 싶은 목표는 있지만, 정당한 방법으로 돈을 모으기가 쉽지 않다는 것에서 기인한다는 점을 통해 머튼의 아노미 이론에 해당함을 알 수 있다. (나)는 학교 폭력 사건의 재범률이 해마다 증가하고 있는 이유로 1차적 일탈 후 주위 사람들의 비난으로 부정적 자아 정체감이 형성되어 지속적인 일탈이 야기될 수 있다는 점을 통해 낙인 이론에 해당함을 알 수 있다.

④ 낙인 이론은 타인과의 상호 작용이 일탈 행동의 발생 과정에 미치는 영향을 중시한다.

선택지 바로 보기

① (가)는 일탈 행동을 규정하는 객관적 기준이 존재하지 않는다고 본다. (×)
→ 일탈 행동을 규정하는 객관적인 기준이 존재하지 않는다고 보는 관점은 낙인 이론이다.

② (가)는 일탈 행동 자체보다 일탈 행동에 대한 사회적 평가와 반응을 중시한다. (×)
→ 일탈 행동 자체보다 일탈 행동에 대한 사회적 평가와 반응을 중시하는 관점은 낙인 이론이다.

③ (가)는 일탈 집단 대신 정상적인 집단과의 교류가 일탈 행동을 억제한다고 본다. (×)
→ 일탈 집단 대신 정상적인 집단과의 교류가 일탈 행동을 억제한다고 보는 관점은 차별 교제 이론이다.

④ (나)는 타인과의 상호 작용이 일탈 행동의 발생에 미치는 영향을 중시한다. (○)

⑤ (나)는 문화적 목표와 제도적 수단 간의 괴리에서 일탈 행동이 비롯된다고 본다. (×)
→ 문화적 목표와 제도적 수단 간의 괴리에서 일탈 행동이 비롯된다고 보는 관점은 머튼의 아노미 이론이다.

기초력 집중드릴 34~39쪽

01 ④	02 ③	03 ②	04 ⑤	05 ①
06 ②	07 ③	08 ③	09 ①	10 ③
11 ②	12 ④	13 ⑤	14 ④	15 ⑤
16 ④	17 ③	18 ①	19 ⑤	20 ②
21 ①				

01 사회 집단과 사회 조직 답 ④

㉠ 가족은 결합 의지에 따라 분류할 경우 공동 사회이고, 접촉 방식에 따라 분류할 경우 1차 집단에 해당한다. ㉡ 시민 단체, ㉢ 아파트 단지 내 축구 모임, ㉣ 사내 노동조합으로 모두 결합 의지에 따라 구분할 경우 이익 사회이고, 공통의 관심사와 친밀한 인간관계를 바탕으로 자발적으로 형성된 자발적 결사체이다. ㉤ 회사는 사회 집단 중 목표와 경계가 뚜렷하고, 구성원의 지위와 역할이 명확하며, 규범과 절차가 체계화되어 있는 사회 집단인 공식 조직에 해당한다.

ㄴ. ○○시민 단체는 아파트 단지 내 축구 모임과 달리 공식 조직에 해당한다.

ㄹ. 사내 노동조합은 회사와 달리 자발적 결사체에 해당한다.

오답 피하기 ㄱ. 가족은 시민 단체와 달리 공동 사회에 해당한다.

ㄷ. 아파트 단지 내 축구 모임은 공식 조직 내에서 공식 조직 구성원들에 의해 결성된 것이 아니기 때문에 비공식 조직에 해당하지 않는다.

02 관료제와 탈관료제 답 ③

'상향식 의사 결정 방식을 강조하는가?'라는 질문에 '예'라고 답한 A는 탈관료제이고, '효율적인 과업 수행을 지향하는가?'라는 질문에 '예'라고 답한 B는 관료제에 해당한다.

ㄴ. 탈관료제는 환경 변화에 유연한 대처가 용이하다.

ㄷ. 관료제는 탈관료제에 비해 연공서열에 따른 보상과 신분 보장을 중시하여 구성원의 업무 경험 및 숙련도를 중시한다.

오답 피하기 ㄱ. '상향식 의사 결정 방식을 강조하는가?'라는 질문에 '예'라고 답한 A는 탈관료제, B는 관료제에 해당한다. 따라서 ㉠에는 '아니요'가 들어간다. '효율적인 과업 수행을 지향하는가?'라는 질문은 관료제와 탈관료제 모두 해당되므로 ㉡에는 '예'가 들어간다.

ㄹ. (가)에는 탈관료제에는 해당하고, 관료제에는 해당하지 않는 질문이 들어갈 수 있다. 관료제와 탈관료제 모두 조직 구성원을 공식적인 규범으로 통제한다.

03 개인과 사회의 관계를 바라보는 관점 답 ②

갑은 시합에서 이기기 위해서 선수 개개인의 기량 향상이 중요하다고 보고 있으므로 사회보다 개인을 강조하는 사회 명목론에 해당한다. 반면 을은 대회에서 좋은 성적을 낼 수 있었던 비결이 강력한 팀 정신에 있다고 보고 있으므로 개인보다 사회를 강조하는 사회 실재론에 해당한다.

② 개인들의 필요에 의해 사회가 구성되고 유지된다고 보는 것은 사회 명목론이다.

오답 피하기 ① 개인이 사회에 의해 구조화된 행동을 하게 된다고 보는 것은 사회 실재론이다.

③ 사회를 개인의 권리를 보장하기 위한 수단으로 인식하는 것은 사회 명목론이다.

④ 사회 규범의 구속성보다 개인의 능동성을 중시하는 것은 사회 명목론이다.

⑤ 사회 문제의 해결을 위해 사회 구조 및 제도의 개혁을 강조하는 것은 사회 실재론이다.

04 사회 집단의 유형 답 ⑤

가족, 또래 집단은 접촉 방식에 따라 분류할 경우 1차 집단에 해당하고, 결합 의지에 따라 분류할 경우 공동 사회에 해당한다. 학교, 회사, 정당은 접촉 방식에 따라 분류할 경우 2차 집단에 해당하고, 결합 의지에 따라 분류할 경우 이익 사회에 해당한다.

ㄷ. 공동 사회에 해당하는 사회 집단은 가족과 또래 집단으로 2개이다.

ㄹ. 이익 사회에 해당하는 사회 집단은 학교, 회사, 정당으로 3개이다.

오답 피하기 ㄱ. 1차 집단에 해당하는 사회 집단은 가족과 또래 집단으로 2개이다.

ㄴ. 2차 집단에 해당하는 사회 집단은 학교, 회사, 정당으로 3개이다.

05 이익 사회 답 ①

갑과 달리 을이 발표한 내용은 틀렸다는 교사의 말을 통해 ㉠은 구성원의 선택 의지에 따라 인위적으로 형성된 집단인 이익 사회임을 알 수 있다. 회사와 학교가 대표적인 이익 사회의 사례이다.

오답 피하기 ㄷ. 자신이 속해 있지 않으면서 이질감을 느끼는 집단은 외집단이다.

ㄹ. 공동의 가치관과 정서를 가지는 친밀한 인간관계가 형성되는 사회 집단은 공동 사회이다.

06 사회 집단 답 ②

접촉 방식에 따라 집단을 구분하고, 간접적인 접촉과 과업 지향적인 접촉이 주를 이루며, 수단적이고 형식적인 인간관계를 맺고, 공식적인 통제가 주로 이루어지는 사회 집단은 2차 집단에 해당한다.

오답 피하기 ① 1차 집단은 접촉 방식에 따라 분류되며 대면 접촉과 친밀감을 바탕으로 형성된 집단이다. 전인격적 인간관계를 형성하고, 비공식적 통제가 주로 이루어진다. 대표적인 1차 집단의 사례에는 가족, 친족, 또래 집단 등이 있다.

③ 준거 집단은 자신의 행동이나 가치 판단의 기준으로 삼는 집단을 의미한다.

④ 공동 사회는 결합 의지에 따라 분류되며 구성원의 본질 의지에 따라 자연 발생적으로 형성된 집단이다. 대표적인 공동 사회의 사례로는 가족, 또래 집단 등이 있다.

⑤ 이익 사회는 결합 의지에 따라 분류되며 구성원의 선택 의지에 따라 인위적으로 형성된 집단이다. 특정 목적을 달성하기 위해 결합되며 이해관계에 따른 인간관계가 주로 형성된다. 대표적인 이익 사회의 사례로는 회사, 학교, 정당 등이 있다.

07 관료제의 역기능 답 ③

관료제의 역기능으로는 크게 네 가지가 있다. 첫째, 규약과 절차를 지나치게 강조할 경우 목적 전치 현상이 발생할 수 있다. 둘째, 구성원들이 각자의 단편적인 업무만을 반복적으로 수행하고 자율성과 창의성을 발휘할 수 없어 인간 소외가 발생할 수 있다. 셋째, 경직된 조직 구조가 형성될 경우 외부 환경의 변화에 유연하게 대처할 수 없다. 넷째, 연공서열에 따른 보상과 신분 보장이 지나치게 강조될 경우 무사안일주의가 발생할 수 있다.

③ 업무 담당자의 개인적 특성, 구성원의 변동과 상관없이 조직을 운영할 수 있다는 점은 관료제의 순기능에 해당한다.

더 알아보기 관료제의 순기능

- 대규모의 업무를 효율적으로 수행할 수 있음
- 업무 담당자의 개인적 특성, 구성원의 변동과 상관없이 업무 수행의 안정성 및 지속성, 예측 가능성을 확보할 수 있음
- 업무에 대한 책임 소재의 명확성이 높음

08 개인과 사회의 관계를 바라보는 관점 답 ③

제시된 글에서 나타나는 개인과 사회의 관계를 바라보는 관점은 사회 실재론이다.

ㄴ. 사회 실재론에서 사회는 개인으로 환원될 수 없다고 본다.

ㄷ. 사회 실재론에서 사회는 개인에 외재하며 독자적인 성격을 갖는다고 본다.

오답 피하기 ㄱ. 사회 실재론의 이론적 배경은 사회 유기체설이다.

ㄹ. 개인은 사회에 대해 독립적이고 자율적인 존재라고 보는 관점은 사회 명목론이다.

09 비공식 조직 답 ①

제시된 내용을 통해 알 수 있는 사회 조직은 비공식 조직이다. 비공식 조직은 구성원의 만족감과 사기를 높여 공식 조직의 효율성 향상에 기여한다. 지나치게 비공식 조직의 활동에 빠질 경우 공식 조직의 업무 달성을 방해할 수 있으며, 업무의 공정성을 저해할 수 있다.
① 사내 동호회는 비공식 조직에 해당하지만, 사내 노동조합은 공식 조직에 해당한다.

10 내집단과 외집단 답 ③

자신이 속해 있을 뿐만 아니라 강한 소속감, 일체감, 애착심 등을 갖는 사회 집단인 B는 내집단이고, C는 개인이 속해 있지 않고 이질감, 배타적 감정, 경쟁의식이나 적대감 등을 갖는 사회 집단인 외집단이다. 내집단과 외집단을 구분하는 기준인 A는 소속감이다.
③ 소속 집단이 반드시 내집단인 것은 아니다. 내집단은 개인이 속해 있을 뿐만 아니라 강한 소속감과 일체감 등 내집단 의식을 갖는 사회 집단이기 때문이다.
오답 피하기 ① A는 소속감이다.
② B는 내집단, C는 외집단이다.
④ 외집단은 개인이 속해 있지 않고, 이질감, 배타적 감정, 경쟁 의식이나 적대감 등을 갖는 사회 집단이므로 속해 있지 않은 모든 사회 집단이 외집단에 해당하는 것은 아니다.
⑤ 외집단에 대한 경쟁 의식이나 적대감은 내집단 의식 강화에 기여할 수 있다.

11 사회 실재론 답 ②

제시문은 사회 유기체설에 대한 설명이다. 개인과 사회의 관계를 바라보는 관점 중 사회 유기체설을 이론적 배경으로 하는 것은 사회 실재론이다.
② 사회 실재론에서 사회는 개인들의 합 이상의 실체로 존재한다고 본다.
오답 피하기 ① 개인의 이익이 사회의 이익보다 우선한다고 보는 관점은 사회 명목론이다.
③ 전체를 위해 개인이 희생하는 것은 정당하지 않다고 보는 관점은 사회 명목론이다.
④ 개인의 행동에 영향을 미치는 사회 구조의 영향력을 간과하는 관점은 사회 명목론이다.
⑤ 사회는 단지 개인들의 집합체에 붙여진 이름에 불과하다고 보는 관점은 사회 명목론이다.

12 사회 실재론 답 ④

제시문의 '사회 구성원들의 사고와 행동은 사회 집단의 영향 속에서 형성되는 것'이라는 표현을 통해 사회 실재론임을 알 수 있다.
ㄴ. 사회 실재론은 사회 전체의 이익을 명분으로 개인의 희생을 정당화하는 전체주의로 변질될 우려가 있다.
ㄹ. 사회 실재론은 인간의 주체적이고 능동적인 행위를 설명하기 곤란하다는 한계가 있다.
오답 피하기 ㄱ. 사회 전체의 이익을 경시하고 맹목적으로 자신만의 이익을 강조하는 극단적인 개인주의로 변질될 우려가 있는 것은 사회 명목론이다.
ㄷ. 사회 실재론은 사회가 개인보다 우월한 존재로서 구성원들의 의식과 행동을 구속한다고 보는 관점이지만 개인의 존재 가능성을 부정하지는 않는다.

13 아노미 이론 답 ⑤

(가)는 급속한 사회 변동으로 인해 일탈이 발생한다는 뒤르켐의 아노미 이론이다. (나)는 사회적으로 규정된 문화적 목표와 제도적 수단 간의 괴리로 인해 일탈이 발생한다는 머튼의 아노미 이론이다.
⑤ 뒤르켐의 아노미 이론과 머튼의 아노미 이론 모두 일탈 행동을 초래하는 사회 구조적 요인에 주목하는 거시적 관점에 해당한다.
오답 피하기 ① 뒤르켐의 아노미 이론은 급속한 사회 변동을 일탈 행동의 원인으로 본다.
② 일탈 행동 자체보다 그에 대한 사회적 평가에 주목하는 이론은 낙인 이론이다.
③ 아노미 이론은 거시적 관점에 해당한다.
④ 부정적인 자아상의 내면화를 일탈 행동의 원인으로 보는 이론은 낙인 이론이다.

14 사회 조직 답 ④

■■ 낚시 동호회는 친목 집단으로 자발적 결사체, □□회사 내 등산 동호회는 자발적 결사체이면서 비공식 조직, ◇◇회사 내 노동조합과 ◎◎ 인권 시민 단체는 모두 자발적 결사체이면서 공식 조직에 해당하는 사례이다.
ㄴ. □□회사 내 등산 동호회는 ◇◇회사 내 노동조합과 달리 비공식 조직에 해당한다.
ㄹ. ■■ 낚시 동호회, □□회사 내 등산 동호회, ◇◇회사 내 노동조합, ◎◎ 인권 시민 단체는 모두 구성원들의 선택 의지에 의해 인위적으로 형성된 집단인 이익 사회에 해당한다.

오답 피하기 ㄱ. ■■ 낚시 동호회와 □□회사 내 등산 동호회 모두 공통의 관심사나 목표를 가진 사람들이 자발적으로 결성하는 사회 집단인 자발적 결사체에 해당한다.
ㄷ. ◇◇회사 내 노동조합과 ◎◎ 인권 시민 단체는 모두 자발적 결사체이면서 공식 조직에 해당한다.

15 개인과 사회의 관계를 바라보는 관점 답 ⑤

A는 사회를 독자적인 존재로 인식하는 사회 실재론이고, B는 사회는 개인들의 총합에 불과하다고 보는 사회 명목론이다.
ㄷ. '사회 전체의 이익보다 개인의 이익이나 권리 보장을 중시하는가?'라는 질문에 사회 명목론은 '예', 사회 실재론은 '아니요'로 대답할 수 있으므로 해당 질문은 (나)에 들어갈 수 있다.
ㄹ. '개인의 행위에 사회 구조나 사회 제도가 미치는 영향력을 간과하는가?'라는 질문에 사회 명목론은 '예', 사회 실재론은 '아니요'로 대답할 수 있으므로 해당 질문은 (나)에 들어갈 수 있다.
오답 피하기 ㄱ, ㄴ. (가)에는 사회 실재론은 긍정, 사회 명목론은 부정의 답변을 할 질문이 들어가야 한다.

16 사회 집단의 분류 기준 답 ④

현대 사회에서 공동 사회의 기능과 영향력이 약화되면서 이익 사회 중에서 동호회와 같은 인간관계 지향적인 사회 집단도 있다. 동호회와 같은 친목 단체는 결합 의지에 따르면 구성원들의 선택 의지에 의해 인위적으로 형성된 집단인 이익 사회에 해당하지만, 구성원 간 접촉 방식에 따르면 직접적인 대면 접촉, 전인격적인 접촉, 인간관계 자체를 목적으로 하는 접촉이 중심이 되는 집단인 1차 집단의 특성이 강하다. 따라서 A는 결합 의지, B는 접촉 방식에 해당한다.

17 낙인 이론과 머튼의 아노미 이론 답 ③

A는 머튼의 아노미 이론, B는 낙인 이론에 해당한다.
ㄴ. 머튼의 아노미 이론은 일탈 행동에 대한 대책으로 사회적 목표를 이룰 수 있는 적합한 수단의 제공을 강조한다.
ㄷ. 낙인 이론은 일탈 행동에 대한 대책으로 사회적 낙인의 신중한 접근을 강조한다.
오답 피하기 ㄱ. A는 머튼의 아노미 이론, B는 낙인 이론이다.
ㄹ. 지배적인 도덕적 규범의 부재가 일탈 행동을 유발한다고 보는 관점은 뒤르켐의 아노미 이론이다.

더 알아보기 낙인 이론

- 처음부터 일탈 행동의 의미를 갖는 행동이나 일탈 행위자는 없으며, 상호 작용 과정에서 사람들에 의해 일탈 행동이나 일탈 행위자가 규정됨
- 1차적 일탈을 저지른 사람에 대한 낙인으로 인해 낙인찍힌 사람에게 정상적인 생활 기회가 감소하고, 부정적 자아가 형성됨으로써 2차적 일탈의 발생 가능성이 높아짐
- 일탈 행동의 대책으로 일탈 행위에 대한 신중한 접근과 검토를 요구함

18 탈관료제 답 ①

A 조직은 바둑에 비유되며 각 돌마다 자율성과 재량권이 주어져 있고, 환경 변화에 유연하게 대처할 수 있다는 특성을 통해 탈관료제임을 추론할 수 있다.
① 탈관료제에서는 중간 관리층의 역할 비중이 작다.
오답 피하기 ② 탈관료제는 능력, 업적 및 성과에 따른 보상을 중시한다.
③ 탈관료제는 정보화 등으로 인해 사회 변동 속도가 빨라짐에 따라 경직성을 지닌 관료제의 역기능이 심화되면서 관료제의 한계를 극복하기 위해 등장한 정보 사회의 새로운 조직 형태이다.
④ 탈관료제도 공식 조직으로서 조직 구성원을 공식적인 규범으로 통제한다.
⑤ 탈관료제는 상향식 의사 결정 과정이 지배적으로 나타난다.

더 알아보기 탈관료제의 특징

- 의사 결정 권한이 분산되고 의사 결정 과정에서 구성원의 참여가 확대되는 수평적 조직 체계를 가짐
- 중간 관리층의 감소 및 의사 결정 단계의 축소와 구성원의 재량권 및 자율성 확대를 통해 신속한 의사 결정 및 환경 변화에 대한 유연한 대처가 가능함
- 연공서열보다 구성원의 능력, 업적 및 성과에 따른 보상을 중시함

19 차별 교제 이론과 낙인 이론 답 ⑤

(가)는 일탈 집단과의 상호 작용을 통해 일탈에 필요한 기술과 일탈 행위에 대한 우호적 태도까지 내면화한다고 보는 차별 교제 이론이다. (나)는 일탈 행동을 저지른 일탈자를 쉽게 문제아로 낙인찍을 경우 일탈자 스스로 부정적 자아가 형성되어 지속적인 일탈이 발생할 수 있다고 보는 낙인 이론이다.
⑤ 차별 교제 이론과 낙인 이론 모두 구성원 간의 상호 작용을 중심으로 일탈 행동을 이해한다는 공통점을 지닌다.
오답 피하기 ① 일탈 행동을 차별적 제재의 결과로 보는 것은 낙인 이론이다.

② 무규범 상태를 일탈 행동의 원인으로 보는 것은 뒤르켐의 아노미 이론이다.
③ 2차적 일탈의 발생 과정을 설명하는 데 초점을 맞추는 것은 낙인 이론이다.
④ 정상적인 일탈 집단과의 교류 촉진을 일탈 문제의 대책으로 보는 것은 차별 교제 이론이다.

20 일탈 행동 이론 답 ②

갑의 일탈 행동은 타인과의 상호 작용 과정을 통해 일탈 행동의 기술을 습득하고, 일탈 행동을 정당화하는 동기나 가치관을 내면화함으로써 학습되는 차별 교제 이론의 사례에 해당한다. 을의 일탈 행동은 사회적으로 규정된 문화적 목표와 제도적 수단 간의 괴리로 인해 일탈 행위가 발생하는 머튼의 아노미 이론의 사례에 해당한다. 병의 일탈 행동은 1차적 일탈을 저지른 사람에 대한 낙인으로 인해 부정적 자아가 형성됨으로써 2차적 일탈의 발생 가능성이 높아지는 낙인 이론의 사례에 해당한다.
② 머튼의 아노미 이론은 문화적 목표와 제도적 수단의 괴리를 일탈 행동의 발생 원인으로 본다.
오답 피하기 ① 일탈자라는 부정적 의미 부여로 인해 오차적 일탈 행위를 한 사람은 병이다.
③ 병의 일탈 행동의 원인은 개인적 요인에 있다.
④ 구성원 간의 사회 작용 과정이 원인이 되어 일탈 행동을 한 사람은 갑이다.
⑤ 급속한 사회 변동에 따른 지배 규범의 부재는 갑, 을, 병의 일탈 행동과 관계 없다.

21 사회 집단과 사회 조직 답 ①

① ○○고등학교의 2학년부는 공식 조직 내 공식 조직 구성원들의 공통의 관심사에 따라 자발적으로 형성된 자발적 결사체가 아니라, 사회 집단 중 목표와 경계가 명확하고, 과업 수행을 위한 구성원들의 지위와 역할이 구분되어 있으며, 규범과 절차가 체계화되어 있는 공식 조직에 해당한다.
② 교육대학원은 공식적인 목표 달성을 위해 과업 지향적이며 규범과 절차가 체계화되어 있는 공식 조직에 해당한다.
③ 교내 건축 자율 동아리는 비공식 조직으로 공식 조직 구성원의 사기를 증진시켜 공식 조직 운영의 효율성을 높이는 데 기여할 수 있다.
④ 축구 동호회는 자발적 결사체로 가입과 탈퇴가 자유로우며, 친밀한 인간관계를 바탕으로 1차 집단의 성격이 강하게 나타난다.
⑤ 환경 보호 시민 단체는 자발적 결사체이면서 공식 조직에 해당해 집단 목표에 대한 구성원들의 신념이 뚜렷하고, 참여가 높으며, 2차 집단의 성격이 강하게 나타난다.

04 일차 문화와 일상 생활

기출 유사 42~45쪽

01 ④ 02 ⑤ 03 ⑤ 04 ⑤

01 문화의 속성 답 ④

문화는 시간이 흐르면서 그 형태나 내용, 의미가 변화하는 생활 양식이라는 A는 변동성에 해당한다. 문화는 세대 간 전승되며 새로운 요소가 추가되어 점점 더 풍부해지는 생활 양식이라는 B는 축적성에 해당한다. 문화는 한 사회의 구성원이 공통적으로 가지고 있는 생활 양식이라는 C는 공유성에 해당한다.
④ 공유성은 구성원의 공통의 사고와 행동의 동질성을 형성하여 원활한 사회적 상호 작용에 기여한다.

선택지 바로 보기

① A는 후천적으로 습득되는 생활 양식을 의미한다. (×)
→ 후천적으로 습득되는 생활 양식을 의미하는 것은 학습성이다.
② B는 상대방의 행동을 예측하고 대응하는 데 기여한다. (×)
→ 상대방의 행동을 예측하고 대응하는 데 기여하는 것은 공유성이다.
③ B는 여러 문화 구성 요소들이 상호 유기적으로 결합된 전체를 의미한다. (×)
→ 여러 문화 구성 요소들이 상호 유기적으로 결합된 전체를 의미하는 것은 전체성(총체성)이다.
④ C는 구성원의 공통의 사고와 행동의 동질성을 형성하여 원활한 사회적 상호 작용에 기여한다. (○)
⑤ C는 문화의 한 부분이 변동하면 다른 부분에 영향을 주어 연쇄적인 변동을 초래할 수 있음을 의미한다. (×)
→ 문화의 한 부분이 변동하여 다른 부분에 연쇄적인 변동을 초래할 수 있는 것은 전체성(총체성)에 해당한다.

02 문화 이해 태도 답 ⑤

갑의 태도는 각 문화가 해당 사회의 맥락에서 갖는 고유한 의미를 존중해야 한다고 보는 문화 상대주의이다. 을의 태도는 자신이 속한 문화의 우수성을 내세워 다른 문화를 낮게 평가하는 자문화 중심주의이다. 병의 태도는 우리 문화보다 우수한 선진국의 문화를 수용하여 낙후된 우리 문화를 발전시켜야 한다고 보는 문화 사대주의이다.
⑤ 국수주의로 변질될 수 있다는 비판을 받는 태도는 자문화 중심주의이다.
오답 피하기 ① 자국의 문화 정체성을 약화시킬 수 있는 태도는 문화 사대주의에 해당한다.

② 문화를 평가가 아닌 이해의 대상으로 보는 태도는 문화 상대주의이다.
③ 모든 문화가 동등한 가치를 지닌다고 보는 태도는 문화 상대주의이다.
④ 문화 다양성 보존에 기여하는 태도는 문화 상대주의이다.

03 하위문화와 전체 문화 답 ⑤

A 문화는 주류 문화, B 문화는 하위문화, C 문화는 반문화이다.
ㄴ. 하위문화는 전체 사회에 문화적 다양성을 제공한다.
ㄷ. 반문화를 공유하는 구성원도 주류 문화 요소 중 일부를 공유한다.
ㄹ. 하위문화와 반문화 모두 해당 문화를 누리는 구성원의 정체성 형성에 기여한다.

오답 피하기 ㄱ. 하위문화는 일부 구성원들만 공유하는 문화로, 하위문화의 총합으로 주류 문화를 설명할 수 없다.

04 문화 변동의 양상 답 ⑤

A국에서는 최초의 조명인 백열등이 발명되었다. B국에서는 고유의 토속 종교와 외래 종교가 결합하여 새로운 성격을 지닌 종교가 문화 융합의 형태로 만들어졌다. C국에서는 인접국과의 교류 과정에서 그들의 문자에 아이디어를 얻어 새로운 문자를 만들게 된 사례로 자극 전파에 해당한다.
⑤ 문화 융합이 나타난 B국과 자극 전파가 나타난 C국은 서로 다른 문화와의 접촉 과정에서 문화 변동이 나타났다. 즉 B국과 C국은 외재적 요인에 의해 문화 변동이 발생하였다.

선택지 바로 보기

① A국에서는 발견이 나타났다. (×)
→ A국에서는 발명이 나타났다.
② B국에서는 문화 병존이 나타났다. (×)
→ B국에서는 문화 융합이 나타났다.
③ C국에서는 직접 전파가 나타났다. (×)
→ C국에서는 자극 전파가 나타났다.
④ B국에서는 자발적 문화 접변, C국에서는 강제적 문화 접변이 나타났다. (×)
→ 제시된 자료만으로 B국에서는 자발적 문화 접변이, C국에서는 강제적 문화 접변이 나타났다고 볼 수 없다.
⑤ B국, C국에서는 서로 다른 문화와의 접촉 과정에서 문화 변동이 나타났다. (○)

기초력 집중드릴 46~51쪽

01 ③	02 ④	03 ②	04 ⑤	05 ⑤
06 ③	07 ③	08 ②	09 ⑤	10 ④
11 ⑤	12 ②	13 ⑤	14 ②	15 ④
16 ②	17 ④	18 ⑤	19 ②	20 ④
21 ⑤	22 ④			

01 문화의 의미 답 ③

㉠은 고상하거나 세련된 것, 고급스러운 것, 예술·교양 등 특별한 의미를 지닌 생활 양식을 가리킬 때 사용되는 좁은 의미의 문화이다. 반면 ㉡은 한 사회나 집단에서 나타나는 언어, 의식주, 가치 및 규범을 가리킬 때 사용되는 넓은 의미의 문화이다.
③ 좁은 의미로서의 문화는 넓은 의미로서의 문화와 달리 평가적 의미를 지닌 사회적 생활 양식을 뜻한다.

오답 피하기 ① '여가 문화'의 문화는 넓은 의미로 사용되었다.
② '문화 시설'의 문화는 좁은 의미로 사용되었다.
④ 좁은 의미와 문화와 넓은 의미의 문화 모두 성별과 같이 타고난 생물학적 특징은 포함되지 않는다.
⑤ 좁은 의미의 문화와 넓은 의미의 문화 모두 물질 문화와 비물질 문화에 포함된다.

02 축적성 답 ④

동물과 달리 상징 체계를 사용하는 인간은 이전 세대로부터 전승받은 문화에 새로운 것을 추가하여 더 정교하고 풍부한 문화로 발전시킬 수 있다는 점을 통해 문화의 속성 중 축적성을 파악할 수 있다.

오답 피하기 ① 학습성은 문화는 사회 구성원과의 상호 작용을 통해 후천적으로 학습되는 생활 양식임을 뜻한다.
② 공유성은 문화는 한 사회의 구성원 다수가 공통적으로 가지고 있는 생활 양식임을 뜻한다.
③ 전체성(총체성)은 문화는 여러 구성 요소들이 상호 유기적으로 결합된 하나로서의 총체이므로 부분이 아닌 전체로서의 의미를 갖는 생활 양식임을 뜻한다.
⑤ 변동성은 문화는 시간이 흐르면서 그 형태나 내용, 의미가 변화하는 생활 양식임을 뜻한다.

03 문화 사대주의 답 ②

자기 문화의 정체성이나 주체성을 상실할 우려가 있고, 고유문화가 외래문화에 의해 종속되거나 소멸될 수 있다는 점을 통해 A는 다른 문화의 우수성을 내세워 자기 문화의 가치를 낮게 평가하는 태도인 문화 사대주의에 해당한다. 문화 사대주의는 문화에 대한 우열 평가가 가능하다고 본다.

오답 피하기 ㄴ, ㄹ. 문화를 이해의 대상으로 간주하고, 다문화 사회를 이해하는 데 적합한 문화 이해 태도는 문화 상대주의이다.

04 상대론적 관점 답 ⑤

티베트인의 장례 문화 중 조장(鳥葬) 풍습을 해당 사회의 문화적 전통과 사회적 맥락 속에서 연구하므로 상대론적 관점에 해당한다.

ㄷ. 해당 문화를 향유하는 사회 구성원의 입장에서 문화의 의미를 파악하고자 하는 입장은 상대론적 관점이다.

ㄹ. 한 사회의 문화를 파악하기 위해서는 해당 사회의 맥락을 고려하여 분석해야 한다고 보는 입장은 상대론적 관점이다.

오답 피하기 ㄱ. 상대론적 관점은 문화를 평가의 대상으로 인식하기보다 이해와 존중의 대상으로 인식한다.

ㄴ 문화 간 비교를 통해 자기 문화를 객관적으로 이해하는 데 유용한 관점은 비교론적 관점이다.

05 반문화와 하위문화 답 ⑤

전체 사회의 지배적인 가치를 따르지 않는 문화로서 일탈 문화 또는 범죄 문화로 나타나기도 하고, 전체 사회의 지배적인 가치를 거부하면서 새로운 가치를 추구하는 문화로서 대항 문화 혹은 대안 문화로 나타나기도 하는 A 문화는 반문화이다. 반문화는 하위문화의 한 유형이므로 B는 하위문화에 해당한다.

⑤ 반문화와 하위문화 모두 해당 문화를 향유하는 구성원 간에 공통의 정체성 형성에 기여한다.

오답 피하기 ① A는 반문화이다.

② B는 하위문화이다.

③ 반문화와 하위문화 모두 주류 문화를 대체하기도 한다.

④ 하위문화와 반문화는 모두 전체 사회에 문화적 다양성을 제공하기도 한다.

더 알아보기 하위문화의 특징과 기능

구분	내용
특징	• 주류 문화의 범주를 어떻게 규정하느냐에 따라 하위문화의 범주가 상대적으로 결정됨 • 주류 문화 속에서 수많은 하위문화가 존재하며, 사회가 다원화될수록 더 많아짐 • 사회의 복잡화에 따른 다양한 사회 집단의 출현으로 현대 사회에서는 더 많은 하위문화가 등장하고 있음 • 일반적으로 전체 사회가 추구하는 가치에 부합하는 성격을 갖지만 전체 사회에 저항하는 반문화의 성격을 가지기도 함 • 주류 문화의 범주를 어떻게 규정하느냐에 따라 하위문화의 범주가 상대적으로 결정됨
순기능	• 주류 문화에서 누릴 수 없는 다양한 문화적 욕구 충족의 기회를 제공함 • 주류 문화에 역동성, 다양성을 제공하여 주류 문화의 획일성을 방지하는 데 기여함 • 새로운 문화 창조와 변화에 기여함 • 같은 하위문화를 공유하고 있는 집단 내에서 구성원들의 정체성을 형성하고 소속감 및 연대 의식을 강화시켜 주는 데 기여함
역기능	서로 다른 하위문화를 가진 집단 간의 대립이나 갈등을 초래할 수 있어 사회 통합을 저해할 수 있음

06 문화 동화 답 ③

제시문의 밑줄 친 '이것'은 문화 동화이다. 문화 동화는 한 사회의 문화가 다른 사회의 문화 체계 속에 흡수되어 정체성을 상실하는 현상이다. ③ 북아메리카 원주민이 이주해 온 유럽인의 문화와 접촉하면서 자기 문화를 상실한 것은 문화 동화의 사례에 해당한다.

오답 피하기 ① 인도의 불교 문화와 서양의 미술 문화가 만나서 간다라 미술이 형성된 것은 문화 융합의 사례에 해당한다.

② 우리 사회 내부에 불교, 천주교, 개신교 등이 종교 문화로서 함께 존재하는 것은 문화 병존의 사례에 해당한다.

④ 중국에 거주하는 조선족이 집 밖에서는 중국어를 사용하지만 가족끼리는 한국어를 사용하는 것은 문화 병존의 사례에 해당한다.

⑤ 멕시코 지역 토착 원주민의 전통과 에스파냐의 정복 문화가 결합하여 메스티소 문화가 나타난 것은 문화 융합의 사례에 해당한다.

07 대중 매체 답 ③

첫 번째 질문인 '음성 정보를 제공할 수 있는가?'에 '아니요'라고 한 C는 종이 신문에 해당한다. 두 번째 질문인 '정보 생산자와 소비자 간의 경계가 모호한가?'에 '예'라고 한 B는 인터넷에 해당한다. 따라서 두 질문을 종합해 볼 때 A는 음성 매체인 라디오, B는 뉴 미디어인 인터넷, C는 인쇄 매체인 종이 신문에 해당한다.

ㄴ. 인터넷은 종이 신문과 달리 쌍방향적 정보 전달이 가능하다.

ㄷ. 종이 신문은 라디오에 비해 심층적인 정보 전달에 유리하다.

오답 피하기 ㄱ. 라디오는 인터넷에 비해 정보 전달의 신속성이 낮다.

ㄹ. 라디오와 종이 신문은 전통적인 대중 매체에 해당하고, 인터넷은 현대 대중 매체에 해당한다.

08 문화 접변의 결과 답 ②

'자기 문화의 정체성 상실을 야기하는가?'라는 질문에 '예'라고 답변한 A는 문화 동화에 해당한다. 질문 (가)에 따라 B와 C는 문화 융합과 문화 병존 중 하나가 된다.

ㄱ. A는 한 사회의 문화가 다른 사회의 문화 체계 속에 흡수되어 정체성을 상실하는 현상인 문화 동화에 해당한다.
ㄷ. (가)에 '새로운 문화 요소가 만들어지는가?'가 들어가면, B는 외래문화와 기존의 문화가 결합하여 새로운 성격을 지닌 제3의 문화가 나타나는 현상인 문화 융합에 해당한다.
오답 피하기 ㄴ. 미국 내 차이나타운은 문화 병존의 사례이다.
ㄹ. 문화 병존과 문화 융합은 기존 문화의 정체성이 남아 있다는 공통점이 있다.

09 좁은 의미의 문화 답 ⑤

밑줄 친 문화는 좁은 의미의 문화에 해당한다. 좁은 의미의 문화는 고상하거나 세련된 것, 고급스러운 것, 예술·교양 등 특별한 의미를 지닌 생활 양식을 가리킬 때 사용되며, 문화를 평가의 대상으로 본다.
오답 피하기 ㄱ. 선천적·유전적·본능적으로 나타나는 행동은 문화에 해당하지 않는다.
ㄴ. 넓은 의미의 문화는 한 사회나 집단에서 나타나는 언어, 의식주, 가치 및 규범을 가리킬 때 사용된다. 대표적인 사례로 민족 문화, 대중문화, 청소년 문화, 지역 문화 등이 있다.

10 문화 변동 요인 답 ④

(가)를 통해 알 수 있는 문화 변동 요인은 간접 전파이다. 간접 전파는 사람들 간의 직접적인 접촉이 아닌 서적, 텔레비전, 인터넷 등의 매개체를 통해 간접적으로 문화 요소가 전달되어 정착되는 현상이다. (나)를 통해 알 수 있는 문화 변동 요인은 자극 전파이다. 자극 전파는 다른 사회의 문화 요소에서 아이디어를 얻어 새로운 문화 요소의 발명이 이루어지는 것이다. 따라서 (가)는 간접 전파, (나)는 자극 전파에 해당한다.

11 하위문화와 주류 문화 답 ⑤

한 사회에서 집단 및 영역과 상관없이 구성원들이 공유하는 문화인 A 문화는 주류 문화이다. 이와 달리 한 사회의 일부 구성원들만 공유하는 문화인 B 문화는 하위문화이다.
ㄷ. 특정 문화를 주류 문화와 하위문화로 규정하는 기준은 시대나 사회에 따라 상대적이다.
ㄹ. 주류 문화와 하위문화 모두 해당 문화를 향유하는 구성원의 정체성 형성 및 소속감 고취에 기여한다.
오답 피하기 ㄱ. 주류 문화에 저항하여 사회 갈등 및 혼란을 야기할 수 있는 것은 반문화에 해당한다.
ㄴ. 하위문화와 반문화 모두 전체 사회의 문화적 다양성을 형성하는 원천이다.

12 문화 접변의 결과 답 ②

(가)는 한 사회의 문화(전통문화 요소)가 다른 사회의 문화 체계(외래문화 요소)에 흡수되어 정체성을 상실하는 현상인 문화 동화에 해당한다. (나)는 서로 다른 사회의 문화(전통문화 요소와 외래문화 요소)가 한 사회의 문화 체계 속에서 나란히 존재하는 현상인 문화 병존에 해당한다. (다)는 외래문화 요소와 전통문화 요소가 결합하여 새로운 성격을 가진 제3의 문화가 나타나는 현상인 문화 융합에 해당한다. 따라서 (가)는 문화 동화, (나)는 문화 병존, (다)는 문화 융합에 해당한다.

13 문화 변동 요인 답 ⑤

문화 변동의 요인 중 (가)는 직접 전파, (나)는 간접 전파에 해당한다.
⑤ 직접 전파와 간접 전파 모두 다른 사회의 문화 체계와 접촉하거나 교류한 결과 다른 문화 요소가 전해져 문화 변동을 초래한 요인인 문화 변동의 외재적 요인에 해당한다.
오답 피하기 ① 발명은 문화 변동의 내재적 요인으로 존재하지 않았던 기술이나 사물 등을 새롭게 만들어 내는 행위나 그 결과물을 의미한다.
② 발견은 문화 변동의 내재적 요인으로 이미 존재하고 있었지만 알려지지 않았던 사물이나 원리 등을 찾아내는 행위나 그 결과물을 의미한다.
③ 자극 전파는 문화 변동의 외재적 요인으로 다른 사회의 문화 요소에서 아이디어를 얻어 새로운 문화 요소의 발명이 이루어지는 것을 의미한다.
④ 직접 전파와 간접 전파 모두 문화 변동의 외재적 요인인 문화 전파에 해당한다.

14 문화의 의미 답 ②

㉠은 한 사회나 집단에서 나타나는 인간의 사회적 생활 양식 중 고상하거나 세련된 것, 교양, 예술 등 특별한 생활 양식만 문화로 인식하는 좁은 의미의 문화이다. 반면 ㉡은 한 사회나 집단에서 구성원들이 공유하는 인간의 사회적 생활 양식을 문화로 인식하는 넓은 의미의 문화이다.
② '문화인'에서의 문화의 의미는 좁은 의미의 문화로 사용되었다.
오답 피하기 ① ㉠은 좁은 의미의 문화에 해당한다.
③ 문화를 이해의 대상이 아닌 평가의 대상으로 보는 것은 좁은 의미의 문화인 ㉠에 해당한다.
④ 문화를 정신적, 예술적으로 높은 수준에 도달한 것으로 인식하는 것은 좁은 의미의 문화인 ㉠에 해당한다.
⑤ 좁은 의미의 문화인 ㉠과 넓은 의미의 문화인 ㉡ 모두 인간의 본

능적인 행동이나 혼자만의 독특한 버릇을 문화로 인식하지 않는다.

15 대중 매체 답 ④

B와 C에 비해 정보 재가공성이 높은 A는 뉴 미디어인 인터넷에 해당한다. 그리고 A와 C에 비해 문맹자의 정보 획득 가능성이 낮은 B는 인쇄 매체인 종이 신문에 해당한다. 따라서 C는 영상 매체인 TV에 해당한다.

ㄴ. 종이 신문은 TV에 비해 심층적인 정보 제공에 유리한 인쇄 매체에 해당한다.

ㄹ. 인터넷과 TV는 인쇄 매체인 종이 신문과 달리 시각과 청각이 결합된 복합 감각의 정보를 전달할 수 있다.

오답 피하기 ㄱ. 인터넷은 종이 신문에 비해 정보 확산 속도가 빠르다.

ㄷ. 정보 전달의 양방향성이 강한 매체는 인터넷이다. TV와 종이 신문은 정보 전달의 일방향성이 강한 매체에 해당한다.

16 주류 문화, 하위문화, 반문화 답 ②

'사회 구성원 다수가 공유하는 문화인가?'라는 질문에 '예'라고 답한 B는 주류 문화에 해당한다. '한 사회의 지배적인 문화에 저항하는 문화인가?'라는 질문에 '예'라고 답한 A는 반문화에 해당한다. 따라서 C는 반문화 성격이 없는 하위문화에 해당한다.

② 반문화 성격이 없는 하위문화는 주류 문화와 문화적 공통 요소를 지니고 있다.

오답 피하기 ① 주류 문화는 한 사회의 구성원 대다수가 전반적으로 향유하는 문화이다. 반문화를 포함한 모든 하위문화를 합하더라도 사회 구성원 대다수가 향유하는 문화 요소가 도출되는 것은 아니다. 따라서 주류 문화는 모든 반문화의 총합으로 구성된다고 볼 수 없다.

③ 사회가 복잡해질수록 반문화 성격이 없는 하위문화가 주류 문화에 수렴된다고 볼 수 없다.

④ 반문화와 반문화 성격이 없는 하위문화 모두 해당 집단 구성원들의 소속감을 강화시킨다.

⑤ 반문화와 반문화 성격이 없는 하위문화 모두 주류 문화의 문화적 다양성에 기여하는 효과가 있다.

17 문화 이해의 태도 답 ④

A는 문화 상대주의, B는 자문화 중심주의, C는 문화 사대주의에 해당한다.

④ 문화 상대주의는 자문화 중심주의와 달리 문화의 다양성 보존에 기여한다.

자료 분석 +

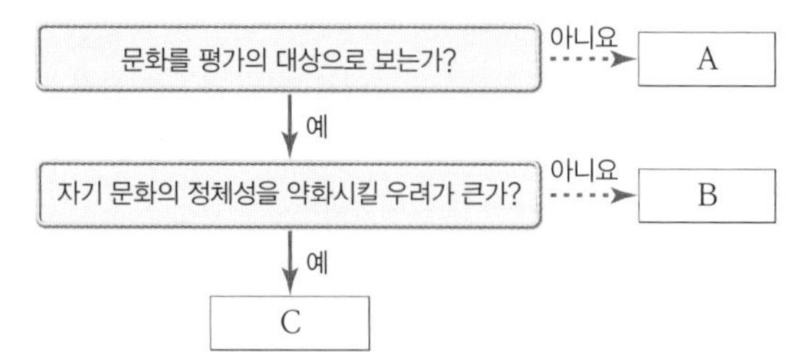

'문화를 평가의 대상으로 보는가?'라는 질문에 '아니요'라고 답한 A는 문화를 우열 평가가 아닌 이해의 대상으로 간주하며, 각 문화를 해당 사회의 역사적 배경과 사회적 맥락을 고려하여 이해하고 존중하려는 태도인 문화 상대주의이다. '자기 문화의 정체성을 약화시킬 우려가 큰가?'라는 질문에 '아니요'라고 답한 B는 자기 문화의 우수성을 지나치게 강조한 나머지 다른 문화를 부정적으로 여기고 낮게 평가하는 태도인 자문화 중심주의이다. 반면 해당 질문에 '예'라고 답한 C는 다른 문화의 우수성을 내세워 자기 문화의 가치를 낮게 평가하는 태도인 문화 사대주의이다.

오답 피하기 ① 문화 제국주의로 이어질 우려가 있는 문화 이해 태도는 자문화 중심주의이다.

② 타문화를 그 사회의 맥락 속에서 파악하려는 문화 이해 태도는 문화 상대주의이다.

③ 국제적 고립을 초래할 수 있는 문화 이해 태도는 자문화 중심주의이다.

⑤ 자문화 중심주의와 문화 사대주의 모두 문화의 우열을 정하는 기준이 존재한다고 본다.

18 하위문화 답 ⑤

제시문에서 언급된 1960년대 미국의 히피 문화는 미국 사회에 인권, 평화, 자연 등 새로운 가치를 확산시켰다. 1960년대 히피 문화는 한 사회의 구성원 대다수가 향유하고 있는 지배적인 문화에 대해 저항하고 적극적으로 도전하는 문화인 반문화에 해당한다. 반문화는 주류 문화에 저항하는 성격을 지니기에 사회 혼란 및 사회 갈등을 초래하는 역기능도 있지만, 사회 문제가 무엇인지 알려주는 역할을 해 사회의 새로운 가치를 확산시키고 사회 발전의 계기를 제공하는 순기능도 있다.

ㄷ. 반문화는 하위문화의 한 유형으로 전체 사회의 문화적 역동성을 높이는 밑바탕이 된다.

ㄹ. 반문화는 주류 문화에 저항하고 대립하는 과정을 통해 주류 문화의 문제점을 성찰하는 계기가 되기도 한다.

19 대중 매체 답 ②

정보 생산자와 소비자의 경계가 분명하다는 특징과 복합 감각 정보 제공이 가능하다는 특징을 통해 A는 영상 매체임을 알 수 있다. 복합 감각 정보 제공이 가능하다는 특징과 정보 사회에 새롭게 등장한 매체라는 특징을 통해 C는 뉴 미디어임을 알 수 있다. 따라서 B는 인쇄 매체에 해당한다.

ㄱ. 영상 매체는 인쇄 매체에 비해 정보의 심층성이 낮다.

ㄷ. 뉴 미디어는 영상 매체에 비해 정보의 복제와 재가공이 용이하다.

오답 피하기 ㄴ. 인쇄 매체는 뉴 미디어와 달리 일방향 정보 전달 매체이다.

ㄹ. A는 영상 매체, B는 인쇄 매체, C는 뉴 미디어에 해당한다.

20 문화를 바라보는 관점 답 ④

한국, 중국, 일본의 음식 문화를 조사하여 세 나라의 음식 문화에서 나타나는 공통점과 차이점을 탐구하려고 하는 갑의 관점은 비교론적 관점에 해당한다. 한편 ○○족의 장례 문화가 다른 문화 요소들과 어떻게 연관되었는지 탐구하려고 하는 을의 관점은 총체론적 관점에 해당한다.

④ 문화 향유자의 입장에서 문화를 이해하고자 하는 관점은 상대론적 관점에 해당한다.

더 알아보기 문화를 바라보는 관점

관점	내용
총체론적 관점	• 의미: 문화의 각 구성 요소가 갖는 의미를 다른 문화 요소 및 전체와의 유기적인 관련 속에서 파악함 • 의의: 문화 현상을 부분적인 측면에서 바라봄으로써 편협하고 왜곡된 이해가 초래되는 것을 방지하는 데 기여함
비교론적 관점	• 의미: 서로 다른 문화를 비교하면서 개별 문화가 가진 공통점과 차이점을 연구함 • 의의: 자기 문화를 보다 객관적이고 명료하게 이해할 수 있음
상대론적 관점	• 의미: 각 사회 구성원들이 처한 사회적·문화적·역사적 입장에서 해당 문화가 가지고 있는 고유한 의미를 파악함 • 의의: 서로 다른 문화가 가진 고유한 의미를 파악함으로써 인류 사회에서 문화 다양성이 갖는 가치를 인식하는 데 기여함

21 총체성 답 ⑤

오늘날 집은 단순한 구조물이 아니라 경제적인 의미이며 동시에 사회적 지위를 상징하기도 한다. 또한 집을 짓는 방식도 해당 사회의 생활 양식이나 자연 조건 등과 긴밀하게 관련되어 있다. 이를 통해 제시문에서 강조하는 문화의 속성은 총체성임을 알 수 있다.

⑤ 총체성은 문화는 여러 구성 요소들이 상호 유기적으로 결합된 하나로서의 총체이므로 부분이 아닌 전체로서 의미를 갖는 생활 양식임을 뜻한다.

오답 피하기 ① 문화가 서로 다른 문화 체계를 구분하는 기준으로 작용한다고 보는 문화의 속성은 공유성이다.

② 문화가 사회 구성원의 사고와 행동의 동질성을 형성하는 데 기여한다고 보는 문화의 속성은 공유성이다.

③ 문화가 세대 간 전승되면서 점점 더 풍부해진다고 보는 문화의 속성은 축적성이다.

④ 문화가 선천적인 것이 아니라 후천적인 학습 과정을 통해 습득된다고 보는 문화의 속성은 학습성이다.

22 문화 변동 요인 답 ④

문화 변동에 대한 설명이 옳은 경우에는 화살표가 시계 방향(A 방향)으로 한 칸 이동하고, 옳지 않은 경우에는 화살표가 시계 반대 방향(B 방향)으로 한 칸 이동한다. 1, 2, 4번은 옳지 않은 설명, 3번은 옳은 설명에 해당한다. 따라서 제시된 내용을 회전판에 적용한 결과 화살표의 이동 경로는 'ㄱ → ㅇ → ㅅ → ㅇ → ㅅ'이다.

자료 분석 +

• 조건 : '문화 변동'에 대한 설명이 옳은 경우 화살표가 시계 방향(A 방향)으로 한 칸 이동하고, 옳지 않은 경우에는 시계 반대 방향(B 방향)으로 한 칸 이동한다. 제시문 1~4에 따라 순서대로 실시하며, 화살표는 'ㄱ'에서 출발한다.

1. 불, 전기, 지하자원은 발명의 사례이다.
2. 활, 자동차, 컴퓨터 등은 발견의 사례이다.
3. 대중 매체 등에 의해 나타나는 문화 요소의 전파는 간접 전파이다.
4. 교역, 전쟁, 정복, 부족 간 혼인 등에 의해 나타나는 문화 요소의 전파는 자극 전파이다.

1. 불, 전기, 지하자원은 발견의 사례이다. 제시된 내용은 옳지 않은 설명으로, 회전판은 ㄱ에서 ㅇ으로 한 칸 이동한다.

2. 활, 자동차, 컴퓨터 등은 발명의 사례이다. 제시된 내용은 옳지 않은 설명으로, 회전판은 ㅇ에서 ㅅ으로 한 칸 이동한다.

3. 대중 매체 등에 의해 나타나는 문화 요소의 전파는 간접 전파이다. 제시된 내용은 옳은 설명으로 회전판은 ㅅ에서 ㅇ으로 한 칸 이동한다.

4. 교역, 전쟁, 정복, 부족 간 혼인 등에 의해 나타나는 문화 요소의 전파는 직접 전파에 해당한다. 제시된 내용은 옳지 않은 설명으로, 회전판은 ㅇ에서 ㅅ으로 한 칸 이동한다.

05 일차 사회 불평등

기출 유사 54~55쪽

01 ①	02 ②

01 사회 불평등 현상을 설명하는 이론 답 ①

갑은 계급 이론, 을은 계층 이론을 토대로 사회 불평등 현상을 바라보고 있다.

① 계급 이론은 집단을 구분하는 기준으로 생산 수단의 소유 여부만을 제시하는 일원론적 관점이다.

오답 피하기 ② 동일 계급 간 소속감을 강조하는 이론은 계급 이론이다.

③ 계층을 연속적으로 서열화되어 있는 범주로 파악하는 이론은 계층 이론이다.

④ 을은 지위 불일치 현상에 대해 이야기하고 있다.

⑤ 계급 이론은 사회 이동이 제한적이라고 주장하고, 계층 이론은 사회 이동이 자유롭다고 주장한다.

02 사회 불평등 현상을 바라보는 관점 답 ②

갑은 갈등론, 을은 기능론의 입장에서 사회 불평등 현상을 이해하고 있다.

② 갈등론에서는 사회 불평등 현상은 불공정하며 사회 발전을 저해하므로 사회 구조의 근본적 개혁을 통해 해결해야 할 대상으로 본다. 따라서 사회 불평등 현상을 보편적이지만 제거해야 할 대상으로 본다.

오답 피하기 ① 직업별 중요성의 차이가 존재한다고 보는 관점은 기능론이다.

③ 을은 차등 분배 구조에 대한 순기능을 강조하고 있다.

④ 사회 불평등이 지배와 피지배 관계에서 비롯된다고 보는 관점은 갈등론이다.

⑤ 가정 배경이나 권력 관계 등에 의해 사회적 희소가치가 분배된다고 보는 관점은 갈등론이다.

기초력 집중드릴 56~59쪽

01 ⑤	02 ②	03 ④	04 ⑤	05 ④
06 ②	07 ②	08 ⑤	09 ⑤	10 ①

01 사회 불평등 현상을 설명하는 이론 답 ⑤

다양한 사회적 자원의 소유 정도를 기준으로 상층, 중층, 하층으로 구분하는 A는 계층론이고, 생산 수단의 소유 여부를 기준으로 지배·피지배 계급으로 구분하는 B는 계급론이다.

ㄴ. 계급론은 경제적인 생산 수단만 소유하면 다른 분야에서도 지배 계급이 된다는 경제결정론적 입장을 취하고 있다.

ㄷ. 지위 불일치 현상을 설명하기에 적합한 이론은 계층론이다.

ㄹ. 계급론은 경제적 요인만, 계층론은 경제적 요인도 고려하기 때문에 계층론과 계급론 모두 경제적 요인을 고려한다.

오답 피하기 ㄱ. 계층론은 사회 계층화 현상을 사회 구성원들 간의 연속적인 서열화 현상이라고 본다. 계급론은 이분법적, 불연속적으로 사회 구성원의 위치를 구분한다.

02 사회 불평등 현상을 바라보는 관점 답 ②

ㄱ. '직업별 중요도에는 차이가 있습니까?'라는 질문에 '예'라고 답한 A는 기능론, '아니요'라고 답한 B는 갈등론이다.

ㄷ. 지배 집단에 의해 분배 기준이 정해진다고 보는 관점은 갈등론이다.

오답 피하기 ㄴ. 차등 보상이 성취 동기를 감소시킨다고 보는 관점은 갈등론이다.

ㄹ. 사회 불평등 현상이 불가피한 현상이라고 보는 관점은 기능론이다. (가)는 기능론과 갈등론이 모두 긍정의 답을 하는 질문이다. 따라서 '사회 불평등 현상이 보편적 현상입니까?'가 적합하다.

03 계급론 답 ④

제시문에서는 계급론에 대해 설명하고 있다.

④ 계급론에서는 비슷한 환경(동일 계급)에 있는 사람들 간의 연대 의식을 강조한다.

오답 피하기 ① 계급론은 경제적 요인인 생산 수단의 소유 여부라는 객관적 요인을 기준으로 집단을 구분한다.

② 계급론은 일원론적 관점(생산 수단의 소유 여부)에서 사회 불평등 현상을 바라본다.

③ 계급론은 경제적인 요인만을 강조한다.

⑤ 계급론에서는 서로 다른 두 집단을 불연속적으로 파악하여 설명한다.

04 갈등론 답 ⑤

그래프에서는 사회 발전 가능성과 균등 분배 정도를 비례 관계로 나타내고 있다. 이것은 균등 분배를 강조하는 갈등론의 입장을 표현하고 있다.

⑤ 갈등론에서는 개인의 노력보다 부모의 경제력이 개인의 사회적 지위 획득에 더 큰 영향력을 행사한다고 본다. 갈등론은 개인의 가정 배경이 사회 불평등 현상에 미치는 영향력을 중시한다.

오답 피하기 ① 사회 불평등의 원인이 개인에게 있다고 보는 관점은 기능론이다.

② 사회 불평등 현상을 긍정적으로 보는 관점은 기능론이다.

③ 기능론에서는 사회적 기여도를 바탕으로 직업을 서열화하여 차등 보상해야 한다고 주장한다. 기능론은 균등 분배가 아닌 차등 분배를 강조한다.

④ 기능론에서는 사회 구성원 간 합의에 의해 사회적 희소가치의 분배 기준이 정해진다고 본다.

05 사회 불평등 현상을 설명하는 이론 답 ④

(가)는 계급론과 계층론에 모두 적용되는 질문, (나)와 (다)는 계급론과 계층론 중 하나에만 적용되는 질문이다.

④ 지위 불일치 현상을 설명하는 데 적합한 이론은 계층론이다.

선택지 바로 보기

① (가)에는 '계층을 불연속적으로 구분하는가?'가 들어갈 수 있다. (×)
→ (가)에는 계급론과 계층론의 공통점에 대한 질문이 들어가야 한다. '계층을 불연속적으로 구분하는가?'는 계급론에 해당하는 질문이다.

② (나)에는 '경제적 요인을 고려하는가?'가 들어갈 수 있다. (×)
→ 계급론과 계층론은 모두 경제적 요인을 고려한다. 해당 질문은 (가)에만 들어갈 수 있다.

③ (다)에 '사회 계층 구조는 궁극적으로 양분화되는가?'가 들어간다면 A는 계급론, B는 계층론이다. (×)
→ 사회 계층 구조가 양분화된다고 보는 관점은 계급론이다. 따라서 A는 계층론, B는 계급론이 되어야 한다.

④ A가 계층론이라면 (나)에 '지위 불일치 현상을 설명하는 데 적합한가?'가 들어갈 수 있다. (○)

⑤ B가 계급론이라면 (가)에 '동일 계급 내 강한 연대 의식이 형성되는가?'가 들어갈 수 있다. (×)
→ 동일 계급 내 강한 연대 의식을 강조하는 이론은 계급론이다.

06 사회 불평등 현상을 설명하는 이론 답 ②

A는 계층론, B는 계급론이다. 따라서 '지위 불일치 현상을 설명하는 데 적합한가?'라는 질문에 (가)는 '예', (나)는 '아니요'가 들어가야 한다. '사회 계층화 현상이 연속적으로 서열화되어 있다고 보는가?'라는 질문에 (다)는 '예', (라)는 '아니요'가 들어가야 한다.

07 기능론 답 ②

제시문은 기능론적 관점에서 사회 불평등 현상을 이해하고 있다.

② 기능론적 관점에서는 사회 불평등 현상이 보편적, 필수 불가결한 현상이라고 본다.

오답 피하기 ① 가정 배경의 영향력을 강조하는 관점은 갈등론이다.

③ 기능론에서는 개인적 노력을 통한 계층 이동이 가능하다고 본다.

④ 기능론에서는 차등 분배 기대치가 높을수록 개인의 성취 동기도 높아진다고 본다.

⑤ 사회 불평등 현상을 극복하기 위한 구조적인 개혁을 주장하는 관점은 갈등론이다.

08 사회 불평등 현상을 설명하는 이론 답 ⑤

A는 계급론, B는 계층론이다.

⑤ 사회 계층에 대해 계급론은 불연속적으로, 계층론은 연속적으로 구분한다.

오답 피하기 ① '경제적 요인에 의해서만 계층화가 발생한다고 보는가?'라는 질문에 계급론의 입장에서는 부정, 계층론의 입장에서는 긍정적으로 답변할 것이다.

② '동일한 계층에 위치한 구성원 간 연대 의식이 약하다고 보는가?'라는 질문에 계급론의 입장에서는 부정, 계층론의 입장에서는 긍정적으로 답변할 것이다.

③ '계층 간 수직 이동이 자유롭다고 보는가?'라는 질문에 계급론의 입장에서는 부정, 계층론의 입장에서는 긍정적으로 답변할 것이다.

④ '중간 계층의 존재를 부정하는가?'라는 질문에 계급론의 입장에서는 긍정, 계층론의 입장에서는 부정적으로 답변할 것이다.

09 사회 불평등 현상을 보는 관점 답 ⑤

제시된 사회 현상에 대해 갑은 기능론, 을은 갈등론의 입장에서 바라보고 있다.

⑤ 기능론과 갈등론 모두 사회 불평등 현상을 보편적인 현상이라고 본다.

오답 피하기 ① 사회 불평등 현상을 제거해야 한다고 보는 관점은 갈등론이다.

② 균등 분배가 개인의 성취 동기를 저해한다고 보는 관점은 기능론이다.

③ 부모의 경제력이 개인의 성과에 절대적인 영향을 미친다고 보는 관점은 갈등론이다.

④ 기능론과 갈등론 모두 거시적 관점이기 때문에 제도적인 차원에서 사회 불평등 현상을 본다.

10 사회 불평등 현상을 설명하는 이론 답 ①

갑은 사회 불평등 현상에 생산 수단의 소유 여부와 권력, 위신 등도 영향을 미친다고 보므로 계층론의 입장이다. 을은 사회 불평등 현상은 생산 수단의 소유 여부에 따라 결정된다고 보므로 계급론의 입장이다.

① 다차원적인 관점에서 사회 불평등 현상을 바라보는 관점은 계층론이다.

오답 피하기 ② 개인의 노력에 의한 계층 이동 가능성을 긍정적으로 보는 관점은 계층론이다.

③ 개인의 능력을 과소평가하는 관점은 갈등론이다.

④ 사회 구성원의 합의에 의한 희소가치 배분을 주장하는 관점은 기능론이다.

⑤ 계급론과 계층론 모두 거시적 관점에서 사회 불평등 현상을 보고 있다.

06 일차 사회 계층과 사회 보장 제도

기출 유사 62~68쪽

01 ③ 02 ① 03 ③ 04 ④

01 계층 구조 답 ③

자녀 세대 B는 부모 세대보다 계층이 높을 수 없다는 것을 통해 하층임을 알 수 있다. 또한 C는 다이아몬드형 계층 구조에서 가장 비율이 높은 계층이라는 것을 통해 중층임을 알 수 있다. 따라서 A는 상층이다. 이를 정리하면 부모 세대의 계층 구조는 상층 20%, 중층 30%, 하층 50%인 피라미드형 계층 구조이고, 자녀 세대의 계층 구조는 상층 20%, 중층 60%, 하층 20%인 다이아몬드형 계층 구조임을 알 수 있다.

③ 다이아몬드형 계층 구조는 피라미드형 계층 구조에 비해 더 안정적인 계층 구조이다.

오답 피하기 ① 피라미드형 계층 구조라고 해서 무조건 폐쇄적 계층 구조는 아니다.

② 다이아몬드형 계층 구조라고 해서 무조건 개방적 계층 구조는 아니다.

④ 다이아몬드형 계층 구조와 피라미드형 계층 구조 중에서 전통 사회에서 지배적인 계층 구조는 피라미드형 계층 구조이다.

⑤ 정보 사회에 대한 긍정적 전망이 반영된 계층 구조는 타원형 계층 구조이다.

02 사회 이동 답 ①

① 계층 대물림한 인원과 수직(상승+하강) 이동 인원은 모두 50명으로 동일하다.

자료 분석 +

(단위 : %)

구분		부모 세대			
		상	중	하	계
자녀 세대	상	⑤	5	10	20
	중	5	㉕	20	50
	하	0	10	⑳	30
	계	10	40	50	100

모든 부모의 자녀는 1명씩이라는 단서를 토대로 전체를 100명으로 가정하면 된다. 제시된 계층 기본 표를 보면 계층 대물림은 50%, 상승 이동은 35%, 하강 이동은 15%이다.

오답 피하기 ② 하강 이동한 사람은 15명, 상승 이동한 사람은 35명이다.

③ 하강 이동한 사람이 15명이기 때문에 3배가 되려면 45명이 되어야 한다.

④ 자녀 세대 계층 대비 계층 대물림 비율은 상층($\frac{5}{20}\times100=25\%$), 중층($\frac{25}{50}\times100=50\%$), 하층($\frac{20}{30}\times100≒66.7\%$)이다.

⑤ 부모 세대 계층 대비 계층 대물림 비율은 상층($\frac{5}{10}\times100=50\%$), 중층($\frac{25}{40}\times100=62.5\%$), 하층($\frac{20}{50}\times100=40\%$)이다.

03 사회 보장 제도 답 ③

(가)는 금전적 지원을 원칙으로 하지 않으므로 사회 서비스에 해당한다. (나)는 금전적 지원을 원칙으로 하면서 강제 가입을 원칙으로 하지 않으므로 공공 부조이고, (다)는 금전적 지원을 원칙으로 하면서 강제 가입이 원칙이므로 사회 보험에 해당한다.

③ 미래의 위험을 보험의 방식으로 대체하는 것은 사전 예방적 성격을 가진 사회 보험이다.

오답 피하기 ① 가입자 간 상호 부조의 성격이 강한 것은 사회 보험이다.

② 공공 부조의 재원은 국가 부담을 원칙으로 한다.

④ 수혜자 부담 원칙은 사회 보험의 특징이다.

⑤ 공공 부조와 사회 보험 모두 소득 재분배 효과가 있다.

04 빈곤의 유형 답 ④

A는 절대적 빈곤, B는 상대적 빈곤이다.

④ 우리나라에서 절대적 빈곤은 가구 소득이 최저 생계비 미만, 상대적 빈곤은 가구 소득이 중위 소득의 50% 미만이면 해당된다. 절대적 빈곤과 상대적 빈곤 모두 객관적인 기준에 의해 규정되고 있다.

오답 피하기 ① A는 절대적 빈곤이다.

② 절대적 빈곤과 상대적 빈곤 모두 선진국과 후진국에서 발생할 가능성이 존재한다.

③ 절대적 빈곤과 상대적 빈곤은 모두 소득의 불평등 정도를 측정하는 데 활용될 수 있다.

⑤ 상대적 빈곤의 기준을 적용하면 기본적인 의식주가 충족된 가구라도 빈곤 가구에 포함될 수 있다. (가)에는 절대적 빈곤에 해당하는 질문만 들어가야 하므로, '기본적인 의식주가 충족된 가구라도 빈곤 가구에 포함되는가?'는 적절하지 않다.

기초력 집중드릴 69~75쪽

01 ④	02 ③	03 ⑤	04 ⑤	05 ⑤
06 ③	07 ⑤	08 ⑤	09 ④	10 ⑤
11 ⑤	12 ①	13 ③	14 ④	15 ②
16 ①	17 ⑤	18 ②	19 ①	20 ①

01 계층 구조 답 ④

A 계층은 상승, 하강 이동이 모두 가능하기 때문에 중층이고, B 계층은 상승 이동이 불가능하기 때문에 상층이다. C 계층은 하강 이동이 불가능하기 때문에 하층이다.

④ 갑국은 10년 전에는 상층이 20%, 중층이 50%, 하층이 30%인 다이아몬드형 계층 구조였지만, 현재는 상층이 10%, 중층이 30%, 하층이 60%인 피라미드형 계층 구조가 되었다.

오답 피하기 ① 폐쇄적 계층 구조와 개방적 계층 구조는 수직 이동 가능성을 기준으로 구분한 것이고, 피라미드형 계층 구조와 다이아몬드형 계층 구조는 계층별 구성원 비율을 기준으로 구분한 것이다. 따라서 피라미드형 계층 구조라고 해서 무조건 폐쇄적 계층 구조라고 볼 수는 없다.

② A 계층은 중층, B 계층은 상층, C 계층은 하층이다.

③ 완전 불평등형 구조는 수직형 계층 구조이다. 갑국은 10년 전 다이아몬드형으로 부분 평등형에 가깝다.

⑤ 피라미드형 계층 구조보다 다이아몬드형 계층 구조가 더 안정적인 계층 구조이다.

02 계층 구조 답 ③

제시된 내용을 통해 A는 다이아몬드형 계층 구조, B는 피라미드형 계층 구조임을 알 수 있다.

ㄴ. 봉건적 신분제 사회에서는 다이아몬드형보다 피라미드형 계층 구조가 더 일반적으로 나타났다.

ㄷ. 다이아몬드형 계층 구조는 피라미드형 계층 구조보다 더 안정적이다.

오답 피하기 ㄱ. 수직 이동의 가능 여부를 기준으로 하면 폐쇄적 계층 구조와 개방적 계층 구조로 나눌 수 있다.

ㄹ. 수직 이동의 가능 여부는 수직 이동 가능성을 기준으로 한 계층 구조 구분으로 판단해야 한다. 수평 이동은 모두 가능하다.

03 계층 구조와 사회 이동 답 ⑤

C가 피라미드형 계층 구조라는 단서를 토대로 (가)는 하층, (나)는 상층, (다)는 중층임을 알 수 있다. 이를 바탕으로 정리하면 A는 모래시계형, B는 다이아몬드형, C는 피라미드형 계층 구조이다.

⑤ B는 중산층이 가장 많아 안정적인 계층 구조이지만, A는 양극화, C는 다수의 하층으로 인해 불안이 큰 계층 구조이다.

선택지 바로 보기

① (가)는 상승 이동이 불가능한 계층이다. (×)
→ 제시된 자료에서는 상승 이동 여부를 알 수 없다.
② (나)는 상승 이동과 하강 이동이 모두 가능한 계층이다. (×)
→ (나)는 상층이기 때문에 더 이상의 상승 이동이 불가능하다.
③ (다)는 하강 이동이 불가능한 계층이다. (×)
→ (다)는 중층이기 때문에 상승 이동과 하강 이동이 모두 가능하다.
④ A는 B, C와 달리 정보 사회에 대한 긍정적 전망과 관련이 있는 계층 구조이다. (×)
→ A는 모래시계형 계층 구조로, 정보 사회에 대한 부정적 전망과 관련이 있는 계층 구조이다.
⑤ B는 A, C에 비해 사회 통합 및 안정에 더 유리한 계층 구조이다. (○)

04 사회 이동 유형 답 ⑤

A는 이동 범위, B는 이동 방향, ㉠은 세대 간 이동, ㉡은 구조적 이동, ㉢은 수직 이동이다.

⑤ 산업 구조의 변화(㉡ 구조적 이동)로 인해 부모보다 높은 계층으로 이동(㉠ 세대 간 이동, ㉢ 수직 이동)한 사례는 ㉠, ㉡, ㉢ 모두에 해당된다.

오답 피하기 ① A는 이동 범위, B는 이동 방향이다.

② 초등학생에서 중학생이 된 것은 세대 내 이동이다.

③ 도박에 빠진 것은 개인적인 이유이기 때문에 구조적 이동이라고 볼 수 없다.

④ 영업부 부장에서 기획부 부장으로 이동한 것은 수평 이동이다.

05 사회 이동 유형 답 ⑤

천민(백정)의 아들이었던 갑은 갑오개혁(구조적 이동)으로 인해 신분제가 철폐되어 일반 시민이 되었다. 이 과정에서 아버지 세대와 아들 세대 간에 신분의 차이가 있기 때문에 세대 간 이동과 갑의 세대 내 이동이 동시에 나타나고 있다.

오답 피하기 ㄱ. 제시된 사례에서 수평 이동은 나타나지 않았다.

06 계층 구조 답 ③

(가)는 다이아몬드형 계층 구조, (나)는 피라미드형 계층 구조이다.

③ 현대 사회에서는 전문직의 증가로 인한 중산층이 늘어나 다이아몬드형 계층 구조가 피라미드형 계층 구조보다 일반화되고 있다.

오답 피하기 ① 정보 사회에 대한 부정적인 전망은 모래시계형 계층 구조이다.

② 수직 이동 여부는 알 수 없다.

④ 사회 안정에 더 유리한 계층 구조는 다이아몬드형 계층 구조이다.

⑤ 귀속 지위 중심의 계층 구조인지는 알 수 없다. 과거 신분제 사회일수록 피라미드형 계층 구조가 일반적이기 때문에 다이아몬드형 계층 구조보다는 귀속 지위가 더 중요했다고 볼 수 있다.

07 빈곤의 유형 답 ⑤

A는 절대적 빈곤, B는 상대적 빈곤이다. 우리나라에서 절대적 빈곤선은 최저 생계비, 상대적 빈곤선은 중위 소득(모든 가구를 소득 순으로 나열했을 때 가장 중간에 위치한 가구의 소득액)의 50%로 정하고 있다.

ㄷ. 절대적 빈곤은 사회 구성원들의 경제적인 생활 수준이 높아지면 줄어드는 경향이 있다.

ㄹ. 절대적 빈곤은 최저 생계비, 상대적 빈곤은 중위 소득의 50%와 같은 객관적 기준에 의해 파악된다.

오답 피하기 ㄱ. 우리나라에서는 최저 생계비를 절대적 빈곤선으로 정하고 있다.

ㄴ. 우리나라에서는 중위 소득의 50%를 상대적 빈곤선으로 정하고 있다.

08 빈곤의 유형 답 ⑤

A는 절대적 빈곤, B는 상대적 빈곤이다.

⑤ (가)에는 상대적 빈곤에 대한 질문이 들어가야 하기 때문에 '소득이 중위 소득의 50% 미만입니까?'가 들어갈 수 있다.

오답 피하기 ① 절대적 빈곤은 주로 소득 수준이 낮은 나라에서 많이 나타난다.

② 기본적인 인간다운 삶을 누리지 못하는 상태는 절대적 빈곤 상태이다.

③ 소득의 불평등 정도를 측정하는 데는 상대적 빈곤이 많이 사용된다.

④ 절대적 빈곤과 상대적 빈곤 모두 객관적인 기준에 따라 분류된다.

09 복지 이념의 변화 답 ④

ㄴ. 전통 사회에서는 빈곤에 처한 사람들을 대상으로 최소한의 구제를 하는 사후 처방적 성격의 복지를 시행했다면, 현대 사회에서는 빈곤에 직면하기 전에 예방하는 사전 예방적 차원에서의 복지를 강조한다.

ㄹ. 전통 사회에서는 빈곤의 원인으로 개인의 무능이나 게으름 등을 강조하였다.

오답 피하기 ㄱ. 사회 복지를 국민의 권리로 인식한 것은 현대 복지 국가에서이다.

ㄷ. 빈곤층에 한정된 사회 복지 정책을 실시하고자 한 것은 전통 사회의 복지 이념이다.

10 사회 보장 제도 답 ⑤

(가)는 사회 서비스, (나)는 공공 부조, (다)는 사회 보험이다.
ㄷ. 사회 보험은 비용을 부담하는 사람과 수혜자가 일치하지만, 공공 부조는 비용 부담자와 수혜자가 다르기 때문에 소득 재분배 효과가 가장 크다.
ㄹ. 모든 국민을 대상으로 하는 사회 보험이 공공 부조에 비해 수혜 대상자의 범위가 넓다.
오답 피하기 ㄱ. 사전 예방적 성격이 강한 것은 사회 보험이다.
ㄴ. 사회 서비스의 성격을 가진 것은 (가)이다.

11 사회 보장 제도 답 ⑤

A는 사회 서비스, B는 공공 부조, C는 사회 보험이다.
ㄷ. 의료 급여는 공공 부조의 종류이다.
ㄹ. 고용 보험은 사회 보험의 종류이다.
오답 피하기 ㄱ. 사회 서비스는 비금전적 지원을 원칙으로 한다.
ㄴ. 소득 재분배 효과는 공공 부조가 가장 크다.

12 사회 보장 제도 답 ①

제시된 그림에서 B는 국가 재정 의존도가 A보다 높고, 소득 재분배 효과도 A보다 크므로 B는 공공 부조이고, A는 사회 보험임을 알 수 있다. ① 사회 보험은 사전 예방, 공공 부조는 사후 처방적 성격이 강하다.
오답 피하기 ② 수혜자 부담의 원칙이 적용되는 것은 사회 보험이다.
③ 공공 부조의 대상자는 사회적 위험에 직면한 사람들이기 때문에 일반적으로 그 수가 많지 않다. 따라서 수혜자의 범위는 사회 보험이 공공 부조에 비해 넓다.
④ 의무 가입을 원칙으로 하는 것은 사회 보험이다. 공공 부조는 조건을 충족하는 사람이 직접 신청해야 한다.
⑤ 비금전적 지원을 원칙으로 하는 것은 사회 서비스이다. 사회 보험과 공공 부조는 금전적 지원을 원칙으로 한다.

13 미래 사회의 계층 구조 답 ③

제시된 글에서 갑은 미래 사회에 대해 부정적으로 전망하고 있고, 을은 긍정적으로 전망하고 있다. 미래 정보 사회에 대해 부정적인 전망을 하는 사람들은 중산층의 몰락으로 인한 모래시계형 계층 구조를 강조한다. 반면에 긍정적인 전망을 하는 사람들은 중산층이 두터워지는 타원형 계층 구조를 강조한다. 따라서 갑은 모래시계형 계층 구조를, 을은 타원형 계층 구조를 제시할 것이다.
③ 미래 사회에 대해 부정적으로 평가하는 갑은 정보 격차로 인해 상층과 하층 간의 불평등이 심화되고 중층 비율이 현저히 감소할 것으로 본다.
오답 피하기 ① 수직 이동 가능성에 대한 내용은 제시문에 없다.
② 을은 미래 사회가 타원형 계층 구조가 될 것으로 예측하고 있다.
④ 갑, 을 모두 계층 구조의 변화를 예측한다.
⑤ 제시문에서 신분제 사회에 대한 내용을 찾아볼 수 없다.

14 성 불평등 문제 답 ④

제시문에서는 과거에 비해 성인지 감수성 및 양성 평등 의식이 많이 좋아졌지만 아직도 여러 분야, 특히 경제적인 부분(임금)에서 여성이 남성에 비해 불평등한 대우를 받고 있다고 주장한다. 이를 해결하기 위해서 구속력이 있는 방안의 필요성도 함께 주장하고 있다.
오답 피하기 ㄱ. 제시문에서 개인의 의식 개선으로 성 불평등 문제를 해결할 수 없다는 내용은 찾아볼 수 없다.
ㄷ. 제시문에서 성 불평등 문제의 해결을 위해 생물학적 차이를 부정하는 내용은 찾아볼 수 없다.

15 사회적 소수자 답 ②

ㄱ. 제시된 신문 기사에서 ㉠은 적극적 우대 조치의 사례이다.
ㄷ. 법률을 통한 사회 제도적인 차원에서 사회적 소수자 문제를 해결하고자 하였다.
오답 피하기 ㄴ. ㉡의 대표적인 사례가 비장애인에 대한 역차별이다.
ㄹ. 제도의 부작용이 더 크다면 보완할 수 있는 방안을 통해 부작용을 줄이기 위해 노력해야 한다.

16 계층 구조 및 사회 이동 답 ①

제시된 표를 보면 부모 세대는 피라미드형, 자녀 세대는 다이아몬드형 계층 구조이다.
ㄱ. 계층 대물림한 자녀는 상층 5명, 중층 15명, 하층 15명으로 총 35명이다.
ㄴ. 세대 간 상승 이동 인구는 40(=5+10+25)명, 세대 간 하강 이동 인구는 25(=10+5+10)명이다.
오답 피하기 ㄷ. 자녀 세대 계층 대비 부모 세대 계층 일치 비율은 중층은 30($=\frac{15}{50}\times100$), 하층은 50($=\frac{15}{30}\times100$)이므로 하층이 더 크다.
ㄹ. 부모 세대 계층 대비 자녀 세대 계층 일치 비율은 하층은 30($=\frac{15}{50}\times100$), 중층은 50($=\frac{15}{30}\times100$)이므로 중층이 더 크다.

자료 분석 +

(단위 : %)

구분		부모 세대			
		상층	중층	하층	계
자녀 세대	상층	⑤	5	10	20
	중층	10	⑮	25	50
	하층	5	10	⑮	30
	계	20	30	50	100

상승 이동 / 하강 이동

'~세대 계층 대비'라는 표현이 나오면 그 세대는 분모, '~세대 계층 일치 비율'의 세대는 분자로 놓고 계산한다. ⓔ '부모 세대 계층 대비 자녀 세대 계층의 일치 비율은 상층이…' ☞ 부모 상층인 20을 분모에, 그 중 자녀 상층인 5를 분자로 계산하면 $\frac{5}{20}\times100=25\%$가 된다.

17 계층 구조 및 사회 이동 답 ⑤

제시된 자료를 표로 정리하면 다음과 같다.

(단위 : %)

구분		부모 세대			
		상	중	하	계
자녀 세대	상	⑧	2	0	10
	중	3	㉜	5	40
	하	19	6	㉕	50
	계	30	40	30	100

⑤ 세대 간 상승 이동한 인구는 7(=2+5+0)명, 하강 이동한 인구는 28(=3+19+6)명이다.

오답 피하기 ① 부모 세대 계층 구조는 다이아몬드형이다.

② 자녀 세대 계층 구조는 피라미드형이다.

③ 계층 대물림 인구는 65(=8+32+25)명, 계층 이동 인구는 35(=7+28)명이다.

④ 개방적 계층 구조에서 폐쇄적 계층 구조로의 변화는 알 수 없다.

18 빈곤의 유형 답 ②

A는 상대적 빈곤, B는 절대적 빈곤이다.

② 상대적 빈곤은 가구 소득이 중위 소득의 50% 미만이면 해당되기 때문에 중위 소득이 200만 원일 경우에는 100만 원보다 적으면 상대적 빈곤에 속하게 된다.

오답 피하기 ① 최저 생계비와 관련이 있는 것은 절대적 빈곤이다.

③ 절대적 빈곤은 주로 경제 수준이 낮은 나라에서 많이 발생한다.

④ 스스로 빈곤하다고 인식하는 주관적인 개념을 '주관적 빈곤'이라고 한다.

⑤ 전체 빈곤율은 절대적 빈곤율과 상대적 빈곤율 중 더 높은 것으로 정한다.

19 사회 보장 제도 답 ①

(가)는 국민 건강 보험, (나)는 국민 기초 생활 보장 제도, (다)는 노령연금이다. (가)는 사회 보험, (나)와 (다)는 공공 부조의 사례이다.

ㄱ. 사회 보험은 공공 부조보다 소득 재분배 효과가 작다.

ㄴ. 사회 보험은 국가와 고용주, 피보험자(본인)가 비용을 분담한다.

오답 피하기 ㄷ. 의무 가입 원칙이 적용되는 제도는 사회 보험이다.

ㄹ. 모든 국민이 수급 대상자가 되는 제도는 사회 보험이다.

20 계층 구조 및 사회 이동 답 ①

제시된 자료를 표로 정리하면 다음과 같다.

(단위 : %)

구분		부모 세대			
		상	중	하	계
자녀 세대	상	⑩	10	0	20
	중	10	⑮	35	60
	하	0	5	⑮	20
	계	20	30	50	100

ㄱ. 자녀 세대는 상층 20%, 중층 60%, 하층 20%로 다이아몬드형 계층 구조이다.

ㄴ. 중층의 계층 대물림 인구는 15명, 하층의 계층 대물림 인구도 15명으로 동일하다.

오답 피하기 ㄷ. 세대 간 상승 이동 인구는 45(=10+0+35)명, 세대 간 하강 이동 인구는 15(=10+0+5)명이다.

ㄹ. 자녀 세대 계층 대비 부모와 자녀의 계층 일치 비율은 상층은 $50(=\frac{10}{20}\times100)$, 중층은 $25(=\frac{15}{60}\times100)$, 하층은 $75(=\frac{15}{20}\times100)$로 하층이 가장 높다.

자료 분석 +

계층 대물림 (단위 : %)

구분		부모 세대			
		상	중	하	계
자녀 세대	상	⑩	10	0	20
	중	10	⑮	35	60
	하	0	5	⑮	20
	계	20	30	50	100

상승 이동 / 하강 이동

모든 부모의 자녀는 1명씩이기 때문에 전체를 100명으로 가정하고 문제를 풀어도 된다.

〈자료1〉 부모 세대에서 상층+중층이 하층과 같은 값이기 때문에 하층은 50%임을 알 수 있다. 그리고 나머지 상층과 중층의 비가 2:3이기 때문에 상층 20%, 중층 30%, 하층 50%로 피라미드형 계층 구조가 나온다. 자녀 세대 역시 상층+중층이 하층보다 4배 많기 때문에 하층이 20%임을 알 수 있고, 나머지 상층과 중층의 비가 1:3이기 때문에 상층 20%, 중층 60%, 하층 20%

인 다이아몬드형 계층 구조가 나온다.
〈자료2〉 '부모 세대 계층 대비'라는 표현이 나오기 때문에 상층의 대물림은 20의 50%인 10%, 중층은 30의 50%인 15%, 하층은 50의 30%인 15%가 나오게 된다. 이후 부모 세대 상층에서 자녀 세대 하층으로 이동한 인구와 부모 세대 하층에서 자녀 세대 상층으로 이동한 인구를 0으로 놓고 나머지 계층의 비율을 계산하면 된다.

07 일차 현대 사회의 사회 변동

기출 유사 78~81쪽

01 ④ 02 ③ 03 ⑤ 04 ①

01 진화론 답 ④

제시된 그림을 보면 시간의 흐름에 따라 발전 정도가 높아지고 있다. 이것은 진화론의 주장을 나타낸 것이다.
④ 진화론은 시간의 흐름에 따라 사회는 발전한다고 주장하기 때문에 현대 사회가 과거 사회보다 모든 분야에서 우수하다고 본다.
오답 피하기 ① 사회는 필연적으로 소멸한다고 보는 관점은 순환론이다.
② 사회 변동에 대한 운명론적 관점이라는 비판을 받는 관점은 순환론이다.
③ 미래 사회의 변동을 예측하기 어렵다는 비판을 받는 관점은 순환론이다.
⑤ 역사적 사실을 바탕으로 과거 여러 나라들의 흥망성쇠를 설명하기 용이한 관점은 순환론이다.

02 개혁적 사회 운동 답 ③

사회 운동은 구체적인 사회 문제를 해결하거나 사회 체제를 근본적으로 변화시키기 위하여 대중이 자발적으로 하는 집단적, 지속적인 행위를 말한다. 밑줄 친 ㉠은 우리나라 근현대사에 의미 있는 사회 운동 중 하나인 6월 민주 항쟁이다. 6월 민주 항쟁은 학생들과 시민들이 자발적으로 참여하여 대통령 직선제를 이끌어냄으로써 우리나라 민주주의 발전에 크게 이바지한 사건이다.
오답 피하기 ① 6월 민주 항쟁은 개혁적 사회 운동이다.
②, ④, ⑤ 일반적으로 사회 운동은 사회 구성원들이 뚜렷한 목표를 가지고 이를 달성하기 위한 구체적인 계획이 존재한다. 우발적이고 일시적인 움직임이 아닌, 구성원들 간에 비교적 지속적인 상호 작용이 이루어지고 체계적인 조직과 공식적 역할 분담이 나타나는 경우가 많다.

03 정보화 답 ⑤

밑줄 친 '이 현상'은 정보화를 의미한다. 정보화 시대에는 비대면 접촉과 다품종 소량 생산 방식의 확산, 뉴 미디어를 통한 양방향 정보 전달, 사이버 공간을 활용한 시민들의 정치 참여 증가와 같은 현상이 나타난다.
오답 피하기 ㄱ. 정보화 시대에는 비대면 접촉의 비중이 커진다.

ㄴ. 소품종 대량 생산 방식은 산업 사회의 생산 방식이다. 정보화 사회에서는 다품종 소량 생산 방식이 나타난다.

04 저출산·고령화 답 ①

t년의 15~64세 인구를 100명으로 가정하면 노년 인구는 10명, 유소년 인구는 25명이다. t+30년의 15~64세 인구도 같기 때문에 같은 방법으로 연령별 인구를 구하면 다음 표와 같다.

(단위 : 명)

구분	t년	t+30년
유소년 인구(0~14세)	25	20
부양 인구(15~64세)	100	100
노년 인구(65세 이상)	10	40
총인구	135	160

① 유소년 인구는 t년이 25명, t+30년이 20명이다.

오답 피하기 ② 노년 인구는 t년 10명, t+30년 40명이다.

③ t년에는 15~64세 인구 10명이 노년 인구 1명을 부양해야 한다.

④ t+30년에는 15~64세 인구 5명이 유소년 인구 1명을 부양해야 한다.

⑤ 15~64세 인구 1명이 부양해야 하는 노년 인구는 t년 0.1명, t+30년은 0.4명이다.

기초력 집중드릴 82~87쪽

01 ③	02 ③	03 ④	04 ④	05 ⑤
06 ④	07 ①	08 ①	09 ②	10 ⑤
11 ②	12 ④	13 ⑤	14 ④	15 ④
16 ②	17 ⑤	18 ①	19 ③	20 ④

01 사회 변동의 방향을 보는 관점 답 ③

두 사람 모두 순환론적 관점에서 사회 변동을 이야기하고 있다.

ㄴ. 순환론은 모든 사회는 반드시 소멸한다는 운명론적 관점에서 사회 변동을 보고 있다.

ㄷ. 순환론이 주장하는 '생성-성장-쇠퇴-소멸'의 과정은 비교적 장기간에 걸쳐 나타나는 현상이다. 따라서 단기적으로 발전하는 사회 현상에 대해 설명하지 못한다는 한계가 있다.

오답 피하기 ㄱ. 단선적인 사회 발전 경로는 진화론에서 강조한다.

ㄹ. 미래 사회 변동을 예측하고 준비하는 데 적합한 관점은 진화론이다.

02 사회 변동의 방향을 보는 관점 답 ③

제시된 그래프의 A는 진화론, B는 순환론을 나타낸 것이다.

③ 단선적인 발전 경로를 중시하는 관점은 진화론이다.

오답 피하기 ① 운명론적 시각은 순환론의 입장이다.

② 사회 변동이 발전을 의미한다고 보는 관점은 진화론이다.

④ 개발 도상국이 선진국으로 발전하는 현상은 진화론으로 설명하기에 용이하다.

⑤ 진화론과 순환론 모두 거시적 관점에서 사회 변동을 바라본다.

03 사회 변동의 방향을 보는 관점 답 ④

(가)는 순환론, (나)는 진화론이다.

ㄱ. 순환론은 사회란 '생성-성장-쇠퇴-소멸'의 과정을 반복한다고 주장하기 때문에 반드시 소멸한다는 운명론적 관점을 가지고 있다.

ㄴ. 진화론은 서구 사회가 진보된 사회라고 본다.

ㄹ. 진화론은 서구 국가들의 제국주의 역사를 정당화시키는 우려가 있다.

오답 피하기 ㄷ. 사회 변동에 일정한 방향이 존재한다고 보는 관점은 진화론이다.

04 사회 변동을 바라보는 관점 답 ④

갑은 갈등론, 을은 기능론적 관점에서 사회 변동을 바라보고 있다.

ㄴ. 협동과 조화에 의한 균형을 중시하는 관점은 기능론이다.

ㄹ. 기능론과 갈등론 모두 거시적 관점이다.

오답 피하기 ㄱ. 갈등을 일종의 병리 현상이라고 보는 관점은 기능론이다.
ㄷ. 점진적인 사회 변동을 설명하는 데 유용한 관점은 기능론이다. 갈등론은 급진적인 사회 변동을 설명하기에 유용하다.

05 사회 변동의 방향을 보는 관점 답 ⑤

갑과 을은 모두 진화론적 관점에서 사회 변동을 보고 있다.
⑤ 진화론은 모든 사회가 동일한 단계를 거쳐 단선적으로 진화·발전한다고 본다.
오답 피하기 ① 진화론은 사회 변동 자체가 발전이라고 본다.
② 사회가 필연적으로 소멸한다고 보는 관점은 순환론이다.
③ 흥망성쇠를 경험한 국가를 사례로 드는 관점은 순환론이다.
④ 진화론은 사회 변동은 발전과 진보를 의미한다고 본다.

06 사회 변동을 바라보는 관점 답 ④

사회 변동을 바라보는 관점 중 A는 갈등론, B는 기능론에 해당한다.
④ 갈등론은 사회 질서의 이면에 숨겨진 모순과 갈등을 강조하므로 급격한 사회 변동을 설명하기에 유용하다.
오답 피하기 ① 사회 변동의 결과 '생성-성장-쇠퇴-소멸'을 반복한다고 보는 것은 순환론의 주장이다.
② 사회 변동이 항상 단순한 것에서 복잡한 것으로 변한다고 보는 것은 진화론의 입장이다.
③ 사회 구성 요소들의 상호 의존성에 주목하는 것은 기능론의 입장이다.
⑤ 기능론과 갈등론은 사회 변동을 사회 구조적인 측면에서 파악하므로 거시적 관점이다.

07 산업 사회와 정보 사회의 특징 답 ①

제시된 표를 보면 대면 접촉 가능성과 가정과 일터의 분리 정도가 B가 A보다 높다. 정보 사회는 정보 통신 기술의 발달로 인해 산업 사회에 비해 비대면 접촉과 재택 근무 형태가 더 많아지고 있다. 따라서 A는 정보 사회, B는 산업 사회이다.
ㄱ. 2차 산업의 비중은 정보 사회보다 산업 사회가 더 높다.
ㄴ. 직업의 종류는 산업 사회보다 정보 사회에서 더 다양하게 나타난다.
오답 피하기 ㄷ. 산업 사회에서는 수직적 인간 관계의 비중이 더 크다. 수평적 인간 관계의 비중이 더 큰 사회는 정보 사회이다.
ㄹ. 정보 사회에서는 다품종 소량 생산 방식이 더 보편적이다. 소품종 대량 생산 방식은 산업 사회의 특징이다.

08 산업 사회와 정보 사회의 특징 답 ①

제시된 그림에서 사회 조직의 관료제화 정도가 높은 것은 산업 사회이다. 따라서 A는 정보 사회, B는 산업 사회이다. (가)에는 정보 사회의 특징이, (나)에는 산업 사회의 특징이 들어가야 한다.
① 직업의 분화 정도는 정보 사회가 산업 사회보다 더 높다.
오답 피하기 ② 가정과 일터의 분리 정도는 정보 사회보다 산업 사회가 더 높다.
③ 정보 사회는 생산자와 소비자 간의 경계가 모호해지는 특징이 있다.
④ 대면 접촉 비중은 산업 사회에서 더 높게 나타난다.
⑤ 다품종 소량 생산 방식은 정보 사회의 특징이다.

더 알아보기 산업 사회와 정보 사회의 비교

가정과 일터의 분리 정도	산업 > 정보
관료제 조직의 비중	산업 > 정보
구성원의 비대면 접촉 정도	정보 > 산업
구성원 간의 익명성 정도	정보 > 산업
직업의 동질성 정도	산업 > 정보
사회의 다원화 정도	정보 > 산업

09 사회 운동 답 ②

ㄱ. (가)는 사회 운동, (나)는 일시적인 집단 행동이다.
ㄷ. 사회 운동을 수행하는 사람들은 일시적인 집단 행동과 달리 지속적인 상호 작용을 통해 자신들의 목적을 달성하고자 한다.
오답 피하기 ㄴ. (가), (나) 모두 특정한 목표를 달성하기 위한 행동이다.
ㄹ. 구성원 간 역할이 뚜렷한 것은 사회 운동이다.

10 산업 사회와 정보 사회의 특징 답 ⑤

제시된 그림에서 B가 직업의 동질성이 높다는 것으로 보아 A는 정보 사회, B는 산업 사회이다.
⑤ (가)에는 정보 사회의 특징이 들어가야 하기 때문에 '비대면 접촉 정도'가 들어갈 수 있다.
오답 피하기 ① 수직적 인간 관계의 비중은 정보 사회보다 산업 사회에서 더 크다.
② 3차 산업의 비중은 산업 사회보다 정보 사회에서 더 크다.
③ 산업 사회와 정보 사회 모두 관료제 조직은 존재한다. 그리고 산업 사회에서도 관료제 조직이 아닌 여러 형태의 조직이 존재한다.
④ 지식과 정보가 부의 원천이 되는 사회는 정보 사회이다. 산업 사회에서는 자본이 부의 원천이 된다.

11 산업 사회와 정보 사회의 특징 답 ②

제시된 자료에서 노동과 자본이 부가 가치의 주요 원천이 되는 사회는 산업 사회이다. 따라서 긍정의 답변을 하면 '산업 사회'이고, 부정의 답변을 하면 '정보 사회'이다.

② B가 정보 사회라면 '2차 산업 중심의 사회인가?'라는 질문에 '아니요'라고 대답할 것이다. 2차 산업 중심의 사회는 산업 사회이다. 따라서 (다)에 들어갈 질문으로 적합하다.

선택지 바로 보기

① A가 산업 사회라면 (가)는 '아니요'이다. (×)
→ A가 산업 사회라면 (가)는 '예'가 되어야 한다.
② B가 정보 사회라면 (다)에는 '2차 산업 중심의 사회인가?'가 들어갈 수 있다. (○)
③ (나)가 '예'라면 A는 B보다 비대면적 접촉 정도가 낮다. (×)
→ (나)가 '예'라면 A는 정보 사회, B는 산업 사회이다. 비대면적 접촉 정도는 정보 사회에서 더 높다.
④ (가)가 '예'라면 (다)에 '양방향 대중 매체가 보편적으로 사용되는 사회인가?'가 들어갈 수 있다. (×)
→ (가)가 '예'라면 A는 산업 사회이다. 양방향 대중 매체가 보편적으로 사용되는 사회는 정보 사회이므로 (다)에 들어갈 수 없다.
⑤ (나)가 '아니요'라면 A가 B보다 다품종 소량 생산 방식이 보편화되었다. (×)
→ (나)가 '아니요'라면 B는 정보 사회, A는 산업 사회이다. 다품종 소량 생산 방식은 정보 사회의 생산 방식이다.

12 다문화 사회 답 ④

A는 동화주의 혹은 용광로 이론을 토대로 한 이민자 정책이고, B는 다문화주의 혹은 샐러드 볼 이론을 토대로 한 이민자 정책이다.

ㄴ. 동화주의는 이민자들이 주류 사회의 문화로 빠르게 진입하도록 유도하고, 다문화주의는 이민자들의 문화 정체성을 모두 인정하고 다양성에 주목한다.

ㄹ. 다문화주의는 동화주의보다 기존 구성원들의 관용 의식 고취에 더 적극적이다.

오답 피하기 ㄱ. 동화주의는 자문화 중심주의, 다문화주의는 문화 상대주의를 바탕으로 한다.

ㄷ. 동화주의는 주류 집단의 전통 문화의 정체성이 강해지는 요인이 된다.

13 산업 사회와 정보 사회의 특징 답 ⑤

제시된 표의 특징을 정리해 보면 A는 산업 사회, B는 정보 사회이다.

ㄷ. 직업 간 동질성은 산업 사회가 정보 사회보다 높다.

ㄹ. 다품종 소량 생산 방식의 비중은 정보 사회에서 더 높다.

오답 피하기 ㄱ. 산업 사회에서는 2차 산업의 비중이 높다.

ㄴ. 사회의 다원화 정도는 산업 사회에 비해 정보 사회에서 더 높다.

14 저출산·고령화 답 ④

ㄴ. t+10년에는 0~14세 인구와 65세 이상 인구가 전체 인구에서 차지하는 비율이 30%로 동일하기 때문에 두 집단의 인구수는 같다.

ㄹ. t+10년에는 전체 인구 중 0~14세 인구와 65세 이상 인구가 차지하는 비율이 각각 30%씩이므로, 15~64세 인구가 40%를 차지한다. 따라서 총인구에서 15~64세 인구가 차지하는 비율이 가장 높다.

오답 피하기 ㄱ. 매년 인구가 어떻게 변했는지 그림에 나와 있지 않기 때문에 t년과 t+20년의 65세 이상 인구 규모를 단순 비교할 수 없다.

ㄷ. 매년 인구가 어떻게 변했는지 그림에 나와 있지 않기 때문에 서로 다른 해의 인구수를 직접 비교할 수 없다.

15 저출산·고령화 답 ④

제시된 자료에서 t년의 15~64세 인구를 100명으로 가정하면 다음과 같이 정리할 수 있다.

(단위 : 명)

구분	t년	t+10년
유소년 인구(0~14세)	40	45
부양 인구(15~64세)	100	150
노인 인구(65세 이상)	20	105
총인구	160	300

④ 총인구 대비 15~64세 인구 비율은 t년은 $62.5(=\frac{100}{160}\times100)\%$, t+10년은 $50(=\frac{150}{300}\times100)\%$이다.

선택지 바로 보기

① 총인구는 t년과 t+10년이 같다. (×)
→ 총인구는 t년은 160명, t+10년은 300명이다.
② 0~14세 인구는 t년이 t+10년보다 많다. (×)
→ 0~14세 인구는 t년은 40명, t+10년은 45명이다.
③ 65세 이상 인구는 t+10년이 t년의 3.5배이다 (×)
→ 65세 이상 인구는 t년은 20명, t+10년은 105명으로 5.25배이다.
④ 총인구 대비 15~64세 인구 비율은 t년이 t+10년보다 크다. (○)
⑤ t+10년의 0~14세 인구는 t년의 65세 이상 인구의 1.5배이다. (×)
→ t+10년의 0~14세 인구는 45명, t년의 65세 이상 인구는 20명으로 2.25배이다.

16 전쟁과 테러 답 ②

A는 테러, B는 전쟁이다.

② 전쟁은 승리를 위해 자국의 이익만을 생각한다.

오답 피하기 ① 테러는 주로 종교적인 이유로 일어나지만 종교 외에도 다양한 사유로 인해 발생하기도 한다.
③ 일반적으로 전쟁이 테러보다 규모가 크다.
④ 전쟁과 테러 모두 현재 세대뿐만 아니라 미래 세대에도 큰 피해를 준다.
⑤ 전쟁과 테러 모두 이해관계가 없는 불특정 다수에게 피해를 준다. 다만 테러가 그 성향이 더 강하다고 볼 수 있다.

17 사회 운동 답 ⑤

갑은 개혁적 사회 운동, 을은 복고(반동)적 사회 운동, 병은 혁명적 사회 운동을 조사하였다.
⑤ 가장 급진적인 사회 운동은 병이 조사한 혁명적 사회 운동이다.
오답 피하기 ①, ②, ③ 갑은 개혁적, 을은 복고적, 병은 혁명적 사회 운동을 조사하였다.
④ 기존의 질서를 유지하고자 하는 사회 운동은 을이 조사한 복고적 사회 운동이다.

18 저출산·고령화 답 ①

인구 비율은 전체 인구 중에서 해당 연령층이 차지하는 비율을 의미한다. 즉 t년 인구를 100명이라고 가정하면, 0~14세 인구 비율이 20%이기 때문에 20명이고, 65세 이상 인구는 10명, 15~64세 인구는 70명이 된다. 갑국의 총인구수가 매년 같다는 단서 조항을 근거로 갑국의 인구를 100명이라고 가정하면 다음 표와 같이 정리할 수 있다.

(단위 : 명)

구분	t년	t+5년	t+10년
유소년 인구(0~14세)	20	15	10
부양 인구(15~64세)	70	70	70
노인 인구(65세 이상)	10	15	20
총인구	100	100	100

① 유소년 인구는 t년 20명, t+5년 15명, t+10년 10명으로 매년 감소했다.
오답 피하기 ② t년 유소년 부양비($\frac{20}{70}\times100$)는 노년 부양비($\frac{10}{70}\times100$)의 2배이다.
③ t+5년과 t+10년 사이에 노년 인구가 5명 증가하였다. t+5년 노년 인구가 15명이기 때문에 증가율은 약 33%이다.
④ t+10년에는 생산 가능 인구 3.5명이 노년 인구 1명을 부양해야 한다.
⑤ t+5년에는 유소년 인구 1명을 부양하기 위해 생산 가능 인구 약 4.7명이 필요하다.

19 저출산·고령화 답 ③

제시된 자료에서 갑국과 을국의 15~64세 인구를 모두 100명으로 가정하면 다음 표와 같이 정리할 수 있다.

(단위 : 명)

구분	갑국	을국
유소년 인구(0~14세)	20	20
부양 인구(15~64세)	100	100
노인 인구(65세 이상)	20	40
총인구	140	160

ㄴ. 65세 이상 인구는 갑국이 20명, 을국이 40명이다.
ㄷ. 갑국의 65세 이상 인구는 20명, 을국의 0~14세 인구는 20명이다.
오답 피하기 ㄱ. 0~14세 인구는 갑국이 20명, 을국이 20명으로 같다.
ㄹ. 전체 인구에서 15~64세 인구가 차지하는 비율은 갑국($\frac{100}{140}\times100$), 을국($\frac{100}{160}\times100$)으로 갑국이 더 크다.

20 세계화 답 ④

A는 세계화이다. (가)에는 세계화의 특징이 들어가야 한다.
④ 세계화 시대에는 여러 나라와 교류하며 다양한 문화를 접할 기회가 증가한다.
오답 피하기 ① 세계화 시대에는 선진국과 개발 도상국 간의 관계에서 개별 국가의 자율성을 보장받지 못할 가능성이 존재한다.
② 세계화 시대에는 국제 사회에서 자국의 이익을 위해 힘의 논리가 지배할 가능성이 존재한다.
③ 세계화 시대에는 해외 기업의 국내 진출은 물론 국내 기업의 해외 진출이 쉬워진다.
⑤ 세계화를 통해 인류의 보편적 가치가 널리 확산될 수 있다.

08 일차 누구나 100점

● 1회 1~2쪽

1 ②	2 ①	3 ③	4 ②	5 ③
6 ④	7 ④	8 ①	9 ⑤	10 ④

1 자연 현상과 사회·문화 현상의 특징 답 ②

㉠과 ㉢은 인간의 의지와 무관하게 발생하는 현상이므로 자연 현상이고, ㉡과 ㉣은 인간의 의지가 개입되어 발생하는 현상이므로 사회·문화 현상이다.

2 사회·문화 현상을 바라보는 관점 답 ①

제시된 대화에서 갑은 기능론적 관점, 을은 갈등론적 관점, 병은 상징적 상호 작용론적 관점에서 노인 문제를 바라보고 있다.

① 기능론은 사회가 유기체와 같이 여러 부분이 밀접한 연관을 갖고 통합되어 있다고 본다.

오답 피하기 ② 사회 안정과 통합을 강조하는 관점은 기능론적 관점이다.

③ 상징적 상호 작용론적 관점은 미시적 관점이다.

④ 기능론적 관점과 갈등론적 관점은 모두 거시적 관점이다.

⑤ 상징적 상호 작용론적 관점은 갈등론과 달리 행위자의 주관적인 동기나 의미를 중시한다.

3 사회·문화 현상의 탐구 태도 답 ③

제시문에서는 사회·문화 현상을 탐구할 때 해당 현상이 사회적으로 어떤 의미를 갖는지 반성적으로 탐구해야 함을 강조하고 있다.

③ 사회·문화 현상을 보이는 그대로 받아들이기보다 현상의 이면에 담겨 있는 발생 원인이나 원리, 그것이 초래할 결과 등에 대하여 적극적·능동적으로 살펴보려는 태도는 성찰적 태도이다.

오답 피하기 ① 개방적 태도는 사회·문화 현상의 연구 방법이나 연구 관점이 다양할 수 있으므로 자신의 주장과 다른 주장이 존재할 수 있음을 인정하고, 자신의 주장에 대한 비판을 허용하는 태도이다.

② 객관적 태도는 탐구 과정에서 연구자가 자신의 주관적 가치나 편견, 이해관계 등을 배제하고 사회·문화 현상이 가진 사실로서의 특성만을 파악하는 태도이다.

④ 상대주의적 태도는 사회·문화 현상을 탐구할 때 연구자 자신의 문화적 맥락이나 배경을 떠나 사회·문화 현상이 발생한 맥락이나 배경을 고려하여 연구하려는 태도이다.

⑤ 가치 중립적 태도는 사회·문화 현상을 탐구할 때 연구자가 주관적 가치와 이해관계를 배제하는 태도이다.

4 자료 수집 방법 답 ②

제시된 〈자료1〉에서 갑이 주로 사용한 자료 수집 방법은 참여 관찰법이다. 참여 관찰법은 생생한 현장 자료를 수집할 수 있으며, 인위적인 조작을 가하지 않으므로 자료의 실제성이 보장된다. 또한 의사소통이 불가능한 대상에게서도 자료를 수집할 수 있다. 하지만 시간과 비용이 많이 들고, 연구자의 주관이 개입될 가능성이 크며, 예상하지 못한 상황에 대한 대처가 어려운 단점이 있다.

오답 피하기 ① 법칙 발견에 유리한 자료 수집 방법은 실험법이다.

③ 참여 관찰법은 돌발 상황이 발생할 경우 통제하기 어려운 단점이 있다.

④, ⑤ 무성의한 응답 가능성, 문맹자에게 실시 곤란 등은 질문지법의 단점에 해당한다.

5 사회·문화 현상의 연구 방법 답 ③

A는 현상을 측정하여 나타나는 수치화된 자료를 분석하여 결과를 얻는 연구이므로 양적 연구이다. 반면, B는 수치화되지 않은 형태로 된 자료를 해석하여 결과를 얻는 연구이므로 질적 연구이다.

③ 양적 연구는 사회·문화 현상을 자연 현상과 동일한 방법으로 연구할 수 있다는 방법론적 일원론, 질적 연구는 사회·문화 현상은 자연 현상과 다른 방법으로 연구해야 한다는 방법론적 이원론에 기초하고 있다.

선택지 바로 보기

① A는 감정 이입적 이해 기법을 중시한다. (×)
→ 감정 이입적 이해 기법과 연구자의 직관적 통찰을 중시하는 것은 질적 연구이다.

② B는 변인 간의 관계를 밝히는 것을 목적으로 한다. (×)
→ 변인 간의 관계를 밝히는 것을 목적으로 하는 것은 양적 연구이다.

③ A는 방법론적 일원론, B는 방법론적 이원론에 기초한 연구 방법을 활용하였다. (○)

④ A와 달리 B는 사회·문화 현상의 연구에 자연 과학적 연구 방법을 사용한다. (×)
→ 사회·문화 현상의 연구에 자연 과학적 연구 방법을 사용하는 것은 양적 연구이다.

⑤ A는 B보다 연구 대상자의 주관적 가치 및 행위 동기를 파악하는 데 유리하다. (×)
→ 연구 대상자의 주관적 가치 및 행위 동기를 파악하는 데 유리한 것은 질적 연구이다.

6 사회 실재론 답 ④

제시문은 사회를 구성하는 개별 요소들은 사회를 떠나서 의미를 가질 수 없다고 주장하고 있다. 따라서 사회 실재론의 관점에서 개인과 사회의 관계를 바라보고 있음을 알 수 있다.

④ 사회 실재론은 사회가 실제로 존재하는 실체이므로 개인에 외재하며 독자성을 갖는다고 본다.

오답 피하기 ①, ②, ③, ⑤는 사회 명목론의 입장이다. 사회 명목론은 사회는 실제로 존재하지 않으며, 실제로 존재하는 것은 자유 의지에 따라 행동하는 개인뿐이라고 주장한다.

7 지위의 유형 답 ④

A는 귀속 지위, B는 성취 지위이다.

④ 산업 사회 이전의 전통 농업 사회에서는 귀속 지위가 중시되었으나, 산업 사회에 들어서면서 귀속 지위보다 성취 지위가 중시되었다.

선택지 바로 보기

① 한 개인이 갖는 A는 여러 개일 수 없다. (×)
→ 한 개인은 동시에 여러 가지 성취 지위와 귀속 지위를 가질 수 있다.
② 아버지는 A, 딸은 B에 해당한다. (×)
→ 아버지, 어머니는 성취 지위이고, 딸, 아들은 귀속 지위이다.
③ A와 달리 B는 역할 갈등을 초래할 수 있다. (×)
→ 역할 갈등은 성취 지위와 귀속 지위 모두에서 발생할 수 있다.
④ 산업 사회에 들어서면서 A보다 B가 중시되었다. (○)
⑤ 한 개인이 소속된 집단이 많을수록 A의 수는 증가하고, B의 수는 감소한다. (×)
→ 한 개인이 소속된 집단이 많을수록 성취 지위의 수는 증가한다.

8 문화 이해의 태도 답 ①

제시된 그림에서 A는 서로 다른 문화를 비교 평가할 수 있는 절대적인 기준이 존재하지 않는다고 보는 태도이므로 문화 상대주의이다. 반면 B는 자기 문화의 정체성을 유지하는 데 긍정적이지 않은 태도이므로 문화 사대주의이다. 따라서 C는 자문화 중심주의이다.

9 아노미 이론 답 ⑤

제시된 표에서 A는 뒤르켐, B는 머튼이다.

ㄷ. 뒤르켐의 아노미 이론에서는 일탈 행동의 해결을 위해 사회 규범의 통제력 회복을 주장하므로, (가)에는 해당 내용이 들어갈 수 있다.

ㄹ. 머튼의 아노미 이론에서는 일탈 행동의 해결을 위해 문화적 목표를 이룰 수 있는 적합한 수단의 제공을 주장하므로, (나)에는 해당 내용이 들어갈 수 있다.

오답 피하기 ㄱ. A는 뒤르켐, B는 머튼이다.

ㄴ. 머튼과 뒤르켐 모두 거시적 관점에서 일탈 행동을 설명한다.

10 사회 집단과 사회 조직 답 ④

④ 가족과 달리 시민 단체, 사내 동호회는 모두 이익 사회로 분류된다. 한편 가족, 사내 동호회와 달리 시민 단체는 공식 조직에 해당한다.

● 2회 3~4쪽

1 ④	2 ④	3 ③	4 ③	5 ②
6 ②	7 ④	8 ①	9 ②	10 ②

01 문화 변동 결과 답 ④

문화 변동의 결과 B는 제3의 문화 요소가 나타나므로 문화 융합에 해당한다. C는 자문화의 정체성이 유지되지 않으므로 문화 동화에 해당한다. 따라서 A는 문화 병존이다.

ㄱ. 문화 사대주의가 강한 나라에서는 문화 동화가 나타날 수 있다.

ㄴ. 새로운 문화 요소가 만들어지는 문화 융합은 외래문화로 대체되는 문화 동화와는 달리 한 사회의 문화 다양성을 높이는 데 기여한다.

ㄹ. 문화 동화는 문화 병존이나 문화 융합과 달리 문화의 획일화를 초래할 수 있다.

오답 피하기 ㄷ. 강제적 문화 접변은 일반적으로 문화 병존보다는 문화 동화를 목적으로 한다.

2 계층 이론 답 ④

계층 이론에서 계층은 경제적(계급), 정치적(권력), 사회적(지위) 요인이 복합적으로 작용하여 연속적으로 서열화되어 있는 범주로 본다. 따라서 계층 이론에 대해 옳게 설명한 학생은 정이다.

오답 피하기 갑, 을, 병, 무는 계급 이론의 특징에 대해 설명하였다.

3 기능론 답 ③

제시문의 A 관점은 사회 유기체설을 바탕으로 사회 불평등 현상을 설명하므로 기능론에 해당한다.

③ 기능론은 사회적 희소가치가 사회 구성원의 합의를 거쳐 만들어진 정당한 기준에 의해 분배된다고 본다.

선택지 바로 보기

① 사회 불평등 현상은 불가피한 현상이 아니다. (×)
→ 기능론은 사회 불평등 현상이 불가피한 현상이라고 본다.
② 사회 계층화로 인해 구성원 간 경쟁이 제한된다. (×)
→ 기능론은 사회 계층화로 인해 구성원 간 경쟁이 촉진된다고 본다.
③ 사회적 희소가치는 정당한 기준에 의해 분배된다. (○)
④ 직업별 중요도의 차이는 지배 집단에 의해 규정된다. (×)
→ 직업별 중요도의 차이가 지배 집단에 의해 규정된다고 보는 관점은 갈등론이다.
⑤ 사회 불평등 현상은 후천적 요인보다 선천적 요인에 의해 좌우된다. (×)
→ 사회 불평등 현상이 후천적 요인보다 선천적 요인에 의해 좌우된다고 보는 관점은 갈등론이다.

4 계층 구조 답 ③

A 사회는 귀속 지위가 사회적 성공에 미치는 영향이 높고, 수직 이동 및 세대 간 이동 가능성이 낮은 것으로 보아 계층 구조의 폐쇄성이 상대적으로 높다고 볼 수 있다. B 사회는 귀속 지위가 사회적 성공에 미치는 영향이 낮고, 수직 이동 및 세대 간 이동 가능성이 높은 것으로 보아 계층 구조의 개방성이 상대적으로 높다고 볼 수 있다.

오답 피하기 ① 피라미드형 계층 구조는 전근대적인 신분제 사회나 저개발국에서 주로 나타나고, 다이아몬드형 계층 구조는 산업 사회나 현대 복지 국가에서 주로 나타난다. 따라서 계층 구조의 폐쇄성이 높은 사회에서는 피라미드형 계층 구조가 나타날 가능성이 높다.
② 계층 구조의 개방성이 상대적으로 높은 사회에서는 성취 지위가 더 중요하게 인식된다.
④ 근대 이전 사회는 계층 구조의 폐쇄성이 높은 사회에, 근대 이후 사회는 계층 구조의 개방성이 높은 사회에 가깝다.
⑤ 신분제 사회의 계층 구조는 계층 구조의 폐쇄성이 높다.

5 사회적 소수자 답 ②

사회적 소수자는 신체적, 문화적 특징으로 인해 사회의 다른 구성원들로부터 불평등한 대우를 받으며, 스스로도 차별받는 집단에 속해 있음을 인식하는 사람이다. 사회적 소수자의 기준은 절대적인 것이 아니라 상황에 따라 달라질 수 있는 상대적 개념이다.
② 사회적 소수자는 수적으로 반드시 소수(小數)를 의미하는 것이 아니다.

6 국민 건강 보험 제도 답 ②

밑줄 친 '이 제도'는 국민 건강 보험 제도이다. 국민 건강 보험 제도는 의무 가입자로 하여금 비용 부담 능력에 따라 보험료를 납부하도록 하며 건강상의 문제가 발생하였을 때 의료비의 지출 부담을 경감하기 위한 것이다.
② 국민 건강 보험 제도는 비용 부담 능력에 따라 보험료를 납부하고 필요한 경우에만 의료비 경감 혜택을 누리도록 하므로, 상호 부조의 원리를 구현할 수 있다.

7 사회 변동의 방향을 바라보는 관점 답 ④

제시된 그림은 시간의 흐름에 따라 사회의 발전 정도가 상승, 하락을 반복하고 있음을 나타낸다. 따라서 순환론의 관점에서 사회 변동의 방향을 바라보고 있음을 알 수 있다.
ㄴ. 순환론은 사회가 생성과 성장을 거쳐 결국 쇠퇴와 소멸의 과정으로 귀결된다고 보므로 사회 변동을 운명론적 관점으로 바라본다.
ㄹ. 순환론은 사회 구조가 어떠한 이유로 변하는지, 현대 사회가 순환 과정에서 어디에 위치하는지 설명하지 못하므로 사회 변동의 방향을 예측하고 대응하는 데에 한계가 있다.

8 사회 운동 답 ①

밑줄 친 '이것'은 사회 운동이다. 사회 운동은 사회 문제를 해결하거나 사회 체제를 근본적으로 변혁하기 위하여 대중이 자발적으로 하는 집단적이고 지속적인 행위이다. 사회 운동의 사례로는 노동 운동, 환경 운동, 소비자 운동, 인권 운동, 민주화 운동 등이 있다. 사회 운동의 특징으로는 뚜렷한 목표, 목표를 달성하기 위한 구체적인 활동 방법, 목표와 활동 방식을 정당화하는 이념, 체계적인 조직 등을 들 수 있다.
① 사회 운동은 조직적이고 지속적으로 행해진다.

더 알아보기 다양한 유형의 사회 운동

구분	내용
복고적(반동적) 사회 운동	현상 유지를 고수하고 이미 일어나고 있는 변화에 저항하려는 운동 ㉠ 구한말 위정척사 운동
개혁적 사회 운동	전반적인 사회 구조를 파괴하지 않고 특정 부분에 대한 개혁을 추구하는 운동 ㉠ 사형제 폐지 운동
혁명적 사회 운동	현재의 사회 구조 전체를 근본적으로 바꾸고자 하는 운동 ㉠ 근대 시민 혁명

9 인구 부양비 답 ②

(가)는 총부양비, (나)는 유소년 부양비, (다)는 노년 부양비, (라)는 노령화 지수이다.
① 총부양비는 유소년 부양비와 노년 부양비의 합을 의미한다. 유소년 부양비는 생산 가능 인구(15~64세)에 대한 유소년 인구(0~14세인구)의 비(比)를 의미하며 '(0~14세 인구/15~64세 인구)×100'으로 측정한다. 노년 부양비는 생산 가능 인구(15~64세)에 대한 고령 인구(65세 이상)의 비(比)를 의미하며 '(65세 이상 인구/15~64세 인구)×100'으로 측정한다. 그리고 노령화 지수는 유소년 인구(0~14세)에 대한 고령 인구(65세 이상)의 비(比)를 의미하며 '(65세 이상 인구/0~14세 인구)×100'으로 측정한다.

10 정보 사회의 문제점 답 ②

제시된 대화를 통해 정보 접근 및 활용에서 발생하는 정보 불평등 현상인 정보 격차를 해소하기 위해 정부는 복지 제도를 시행하고 있으나, 정보 통신 기술의 발달로 인하여 정보 격차는 줄어들지 않고 있음을 알 수 있다.
② 새로운 정보 통신 기술 및 고가의 IT 기기 등장으로 인하여 정보 불평등 현상이 확대되고 있다.

09 일차 수능 기초 예상 문제

1회 5~10쪽

1 ③	2 ③	3 ④	4 ②	5 ③
6 ⑤	7 ②	8 ⑤	9 ④	10 ④
11 ③	12 ③	13 ②	14 ⑤	15 ②
16 ③	17 ②	18 ②	19 ①	20 ①

1 자연 현상과 사회·문화 현상의 특징 답 ③

㉠, ㉡, ㉣은 인간의 의지가 개입되어 나타난 현상이므로 사회·문화 현상이고, ㉢은 인간의 의지가 개입되어 나타난 현상이 아니므로 자연 현상이다.

③ 사회·문화 현상은 개연성과 확률의 원리를, 자연 현상은 필연성과 확실성의 원리를 따른다.

오답 피하기 ① ㉠과 ㉡은 모두 사회·문화 현상이다. 사회·문화 현상은 통제된 실험과 예측이 가능하긴 하지만 자연 현상에 비해 완벽하게 통제된 실험이나 정확한 예측은 불가능하므로 통제된 실험과 예측이 용이하다고 볼 수 없다.

② ㉠과 ㉡은 모두 사회·문화 현상으로 당위 법칙을 따른다.

④ 자연 현상은 보편성을 지니는 반면, 사회·문화 현상은 보편성과 특수성을 지닌다.

⑤ 질적 연구는 인간의 행위 속에 담긴 의미를 해석하는 연구이므로 자연 현상에 적용하기 어렵다.

2 참여 관찰법 답 ③

제시된 연구에서 사용된 자료 수집 방법은 참여 관찰법이다. 참여 관찰법은 비구조화, 비표준화된 방식으로, 자료의 실제성을 확보하기 용이하며, 문맹자나 의사소통이 어려운 연구 대상에게도 실시할 수 있다. 하지만 자료 해석 과정에서 연구자의 주관적 가치가 개입될 우려가 있다.

③ 참여 관찰법은 심층적인 연구를 위해 비교적 장기간에 걸쳐 수행되는 경우가 많아서 시간과 비용이 많이 소요되는 단점이 있다.

3 양적 연구 방법과 질적 연구 방법 답 ④

제시된 표에서 A는 일반적으로 가설을 설정하는 과정을 거치며, 자연 현상과 사회·문화 현상이 본질적으로 동일하다고 보므로 양적 연구 방법이며, B는 질적 연구 방법이다.

④ 변인과 변인 간의 관계를 설명하는 데 유용한 방법은 양적 연구 방법이다. 따라서 ㉠은 '예', ㉡은 '아니요'이다.

오답 피하기 ① 인간 행위의 외적 결과보다 내적 동기를 중시하는 것은 질적 연구 방법이다.

② 양적 연구 방법과 질적 연구 방법 모두 사회·문화 현상의 연구 방법에 해당한다.

③ 연구자의 주관적 가치가 개입될 가능성이 낮은 연구 방법은 양적 연구 방법이다.

⑤ 연구 대상을 연구자와 분리시켜 객관화하는 연구 방법은 양적 연구 방법이므로 ㉠은 '예', ㉡은 '아니요'이다.

4 사회·문화 현상을 바라보는 관점 답 ②

제시된 자료의 갑은 기능론적 관점, 을은 갈등론적 관점, 병은 상징적 상호 작용론적 관점에서 세대 간 갈등 문제에 접근하고 있다.

ㄱ. 기능론적 관점은 갈등론적 관점과 달리 사회 구성 요소 간의 상호 의존성이 약화될 때 갈등이 발생한다고 본다.

ㄷ. 기능론적 관점과 갈등론적 관점은 미시적 관점인 상징적 상호 작용론과 달리 사회·문화 현상을 사회 구조적 맥락에서 접근하는 거시적 관점에 해당한다.

오답 피하기 ㄴ. 상징적 상호 작용론은 사회·문화 현상의 본질은 구성원의 해석에 따라 달라진다고 본다.

ㄹ. 사회 질서가 사회적 합의에 기초한다고 보는 것은 기능론적 관점이다.

5 양적 연구의 단계 답 ③

(가)는 가설 설정, (나)는 가설 검증 및 결론 도출, (다)는 연구 주제 설정, (라)는 연구 설계, (마)는 자료 수집 및 분석 단계이다.

③ 연구 주제 선정 단계에서는 사회·문화 현상의 발생 원인이나 원리에 대해 능동적으로 살펴보는 성찰적 태도가 요구되며, 자료 수집 및 분석 단계에서는 연구자의 주관적 가치가 개입되지 않는 객관적 태도가 요구된다.

오답 피하기 ① (가)에서 (나)로 이어지는 단계는 연역적 방법으로 진행된다.

② (다)와 달리 (나)에서는 연구자의 엄격한 가치 중립적 태도가 요구된다.

④ 일반적으로 (다)-(가)-(라)-(마)-(나) 단계로 연구가 진행된다.

⑤ 질적 연구에서는 일반적으로 가설 설정, 개념의 조작적 정의, 통계 분석, 가설 검증 과정이 나타나지 않는다.

6 개인과 사회의 관계를 바라보는 관점 답 ⑤

제시된 대화에서 갑은 사회 실재론, 을은 사회 명목론의 관점에서 개인과 사회의 관계를 바라보고 있다.

ㄷ. 개인보다 사회의 우월성을 강조하는 사회 실재론은 인간의 주체적인 행위를 설명하기 곤란하다는 비판을 받는다.
ㄹ. 사회는 개인들의 집합체에 불과하다고 보는 사회 명목론은 개개인의 속성이 전체 사회의 특성을 결정한다고 본다.
오답 피하기 ㄱ. 개인의 발전이 사회의 발전이라고 보는 것은 사회 명목론의 입장이다.
ㄴ. 사회를 개인의 총합 이상의 것으로 보는 것은 사회 실재론의 입장이다.

7 사회화 기관 답 ②

제시된 표에서 가족과 회사는 모두 비공식적 사회화 기관에 해당한다. 또한 가족은 1차적 사회화 기관에 해당하고, 회사는 2차적 사회화 기관에 해당한다. 따라서 A는 비공식적 사회화 기관, B는 1차적 사회화 기관, C는 2차적 사회화 기관, D는 공식적 사회화 기관이다. 학교는 공식적 사회화 기관에 해당하면서 2차적 사회화 기관에 해당한다.

8 관료제와 탈관료제 답 ⑤

제시된 그림에서 A는 의사 결정 권한의 집중보다 분산을 지향하므로 탈관료제이며, B는 관료제이다.
⑤ 관료제는 능력보다 연공서열에 따라 보상이 이루어지므로 (가)에는 해당 질문이 들어갈 수 있다.
오답 피하기 ① 외부 환경 변화에 대한 대처가 용이한 사회 조직은 탈관료제이다.
② 탈관료제보다 관료제에서 중간 관리자의 역할이 중시된다.
③ 상향식 의사 결정이 활성화되는 사회 조직은 탈관료제이다.
④ 탈관료제와 관료제 모두 2차적 인간관계가 중시된다.

9 일탈 이론 답 ④

제시된 대화에서 갑은 낙인 이론, 을은 머튼의 아노미 이론, 병은 차별 교제 이론의 관점에서 A의 일탈 행동을 설명하고 있다.
④ 낙인 이론은 미시적 관점에서, 머튼의 아노미 이론은 거시적 관점에서 일탈 행동의 원인과 해결책을 설명한다.
오답 피하기 ① 일탈 행동의 해결책으로 사회 규범의 통제력 회복을 주장하는 이론은 뒤르켐의 아노미 이론이다.
② 일탈 행동이 타인과의 상호 작용을 통해 학습된다고 보는 이론은 차별 교제 이론이다.
③ 일탈 행동의 발생 원인으로 지배적 규범의 부재를 강조하는 이론은 뒤르켐의 아노미 이론이다.
⑤ 일탈 행동에 대한 객관적 기준이 존재하지 않는다고 보는 이론은 낙인 이론이다.

10 총체성 답 ④

제시문에서 ○○족의 음식 문화는 그들이 살고 있는 지역의 자연 기후, 연료 공급의 용이성 등과 같은 여러 문화 요소들이 상호 유기적으로 영향을 미친 결과이다. 따라서 제시문에서 부각된 문화의 속성은 총체성이다.
④ 문화는 여러 문화 요소들이 상호 유기적으로 결합된 하나의 총체이다. 즉 문화는 전체 속에서 다른 것들과 관련을 맺으며 존재하는 것이다.
오답 피하기 ①은 문화의 속성 중 학습성, ②, ③은 공유성, ⑤는 축적성에 대한 설명이다.

11 문화 변동의 요인 답 ③

제시된 그림에서 A는 발명 및 발견, B는 자극 전파, C는 간접 전파, D는 직접 전파이다.
③ 자극 전파는 외부로부터 문화 요소가 전파되어 이것이 새로운 문화 요소를 등장하게 하는 현상을 의미한다. 자극 전파의 사례에는 신라의 이두 문자나 체로키 문자 등이 해당된다.
오답 피하기 ① A는 발명 및 발견, B는 자극 전파, C는 간접 전파, D는 직접 전파이다.
② 물질문화와 비물질 문화 모두 발명 및 발견의 대상이 된다.
④ 뉴 미디어의 확산은 간접 전파에 의한 문화 변동을 촉진시키는 요인이다.
⑤ 직접 전파는 사람이 다른 문화와 직접 접촉하여 문화 요소가 전해지는 것으로, 정복이나 식민 지배 등의 강제적 요인에 의해서만 나타나는 것은 아니다.

12 계급 이론과 계층 이론 답 ③

제시된 자료에서 '이분법적인 구분을 통해 사회 계층화 현상을 설명하는가?'라는 질문에 A는 '예'라고 답했으므로 계급 이론이며, B는 '아니요'라고 답했으므로 계층 이론이다.
③ 계급 이론은 경제적 요인에 의해서만 계급을 구분하므로 오늘날의 다양한 계층 분화 현상을 설명하기 어렵다는 비판을 받는다. 따라서 ㉠은 '예', ㉡은 '아니요'이다.
오답 피하기 ① 계층 이론은 사회 계층화 현상을 연속적으로 서열화되어 있는 상태로 파악한다.
② 계급 이론은 계층 내부 구성원 간의 연대 의식이 강하다고 본다.
④ '경제적 불평등과 정치적 불평등의 발생 기원이 다르다고 보는가?'라는 질문에 계급 이론은 '아니요', 계층 이론은 '예'의 대답을

할 것이다.
⑤ '정치·사회·문화의 불평등이 경제적 불평등에 종속되는가?'라는 질문에 계급 이론은 '예', 계층 이론은 '아니요'의 대답을 할 것이다.

13 문화 변동에 따른 문제점 답 ②

ㄱ. 아노미 현상이란 사회가 변동하는 과정에서 지배적인 가치관과 전통 규범이 통제력을 잃거나 새로운 규범이 부재하여 발생하는 혼란을 의미한다. 갑국에서는 문화 변동 과정에서 아노미 현상이 나타나고 있다.
ㄷ. 병국에서는 비물질 문화의 변동 속도에 비해 물질문화의 변동 속도가 빨라 문화 지체 현상이 나타나고 있다.
오답 피하기 ㄴ. 을국의 현상은 자국 내 문화 사대주의가 확산될 때 나타날 수 있다.
ㄹ. 병국과 정국 모두 문화 지체 현상이 나타나고 있다.

14 정보 사회의 문제점 해결 방안 답 ⑤

ㄷ. 지식과 정보가 부의 원천이 되는 정보 사회에서 정보 격차는 빈부 격차로 이어지게 된다. 이를 극복하기 위해서 정보 소외 계층에게 정보 통신 기기를 보급하고 활용법을 알려주면 정보 격차를 완화할 수 있다.
ㄹ. 익명성으로 인한 비방과 욕설은 지속적인 정보 윤리 교육 강화와 다양한 제도적인 정책을 동원하여 줄여갈 수 있다.
오답 피하기 ㄱ. 개인 정보 유출 문제는 정보 이용자의 저변 확대로는 해결할 수 없다.
ㄴ. 가짜 뉴스의 유통을 줄이는 방법으로 정보 접근 기회의 확대는 적합하지 않다.

15 빈곤의 유형 답 ②

A는 절대적 빈곤, B는 상대적 빈곤이다.
② 상대적 빈곤 상태에 있는 사람들은 상대적 박탈감을 느낄 가능성이 높고, 이것은 사회 통합의 저해 요인으로 작용할 수 있다.
오답 피하기 ① (가)는 최저 생계비, (나)는 중위 소득이다.
③ 절대적 빈곤이 감소한다고 해서 상대적 빈곤이 함께 감소하는 것은 아니다.
④ 절대적 빈곤과 상대적 빈곤 모두 객관적 기준에 의해 정의된다.
⑤ 산업화의 과정에서 감소하는 경향이 있는 것은 절대적 빈곤이다.

16 사회 보장 제도 답 ③

제시된 그림에서 수혜자 간 상호 부조의 원리를 바탕으로 하는 것은 사회 보험이다. 또한 수혜로 인한 부정적인 낙인이 발생하는 것은 공공 부조이다. 따라서 A는 사회 보험, B는 사회 서비스, C는 공공 부조이다.
③ 공공 부조는 주로 저소득층을 대상으로 하므로 사회 보험에 비해 수혜 대상자의 범위가 작고, 소득 재분배 효과가 크다.
오답 피하기 ① 사회 보험은 경제적 능력에 따라 보험료를 차등 부담한다.
② 강제 가입의 원칙이 적용되는 사회 보장 제도는 사회 보험이다.
④ 빈곤층의 최저 생활 보장을 목적으로 하는 사회 보장 제도는 공공 부조이다.
⑤ 사회 보험과 공공 부조는 금전적 지원이 원칙이고, 사회 서비스는 비금전적 지원이 원칙이다.

17 사회 변동 이론 답 ②

사회 변동 이론은 사회 변동의 방향에 따라 진화론과 순환론으로, 사회 변동에 대한 구조적 관점으로 기능론과 갈등론으로 분류할 수 있다.
ㄱ. 순환론은 과거 역사 속에서 반복되는 사회 변동을 설명하는 데 유용하므로 (가)에 해당 질문이 들어가면, A는 순환론이다.
ㄹ. 진화론은 사회 변동은 일정한 방향을 가지고 있으며, 사회 변동은 바람직한 방향으로의 변화, 즉 진보와 발전을 의미한다고 전제하므로 (나)에 해당 질문이 들어가면, B는 진화론이다.
오답 피하기 ㄴ. (가)가 '사회 변동의 방향에 대한 관점인가?'이면, B는 기능론과 갈등론 중 하나이다.
ㄷ. (나)가 '사회 질서 이면에 숨어 있는 모순과 갈등을 통해 급격한 사회 변동을 설명하기 용이한가?'이면, A는 기능론, B는 갈등론이다.

18 사회 운동 답 ②

제시된 표에서 t시기 사회 운동은 이념이나 이익의 대립 관계에서 발생하는 기존의 사회 운동이며, t+1시기 사회 운동은 경제 성장과 이념 대립 구도의 약화를 배경으로 탄생한 신사회 운동이다.
ㄱ. 사회 운동은 자신의 신념과 가치를 실현하기 위하여 다수의 사람들이 자발적으로 하는 집단적이고 지속적인 행동으로서, 기존의 사회 운동과 신사회 운동 모두 지속성을 갖고 조직적으로 수행하는 행동이다.
ㄹ. 기존의 사회 운동에 비해 신사회 운동은 세계 시민 사회에 대한 인식의 확산으로 국제적인 연대 활동이 활발하게 이루어진다.
오답 피하기 ㄴ, ㄷ. 기존의 사회 운동과 신사회 운동 모두 현대 사회에서 다양한 사회 문제와 사회 갈등을 해소하고 발전적인 방향으로 사회 변동을 일으키는 요인으로 작용할 수 있다.

19 인구 부양비 답 ①

제시된 표에서 '(0~14세 인구/15~64세 인구)×100'은 유소년 부양비이며, '(65세 이상 인구/15~64세 인구)×100'은 노년 부양비이다. 갑국의 15~64세 인구를 100명이라고 가정하면 제시된 자료는 다음과 같이 나타낼 수 있다.

(단위 : 명)

구분	2000년	2010년	2020년
65세 이상 인구	10	20	30
15~64세 인구	100	100	100
0~14세 인구	30	20	10
총 인구	140	140	140

① 갑국의 15~64세 인구를 100명이라고 가정할 때 전체 인구는 140명으로 변함이 없다.
② 갑국의 15~64세 인구를 각각 100명이라고 할 때, 0~14세 인구는 2000년 30명, 2010년 20명, 2020년 10명으로 감소하였다.
③ 2010년 15~64세 인구를 100명이라고 할 때, 2010년 0~14세 인구와 65세 이상 인구는 20명으로 같다.
④ 갑국의 15~64세 인구를 각각 100명이라고 할 때, 65세 이상 인구는 2020년이 30명으로 2000년의 10명보다 3배 많다.
⑤ 전체 인구에서 15~64세 인구가 차지하는 비율은 약 71% {=(100/140)×100}로 제시된 연도에서 모두 같다.

20 산업 사회와 정보 사회의 특징 답 ①

ㄱ. 매체의 다양성, 매체 간 융합 현상은 산업 사회보다 정보 사회에서 더 활발히 나타난다.
ㄴ. 정보 사회에서는 탈관료제 조직의 비중이 높고, 직업의 다양성이 증대된다.

오답 피하기 ㄷ. (가)가 정보 확산의 속도라면 A는 산업 사회, B는 정보 사회이다. 정보 사회에서 다품종 소량 생산 방식이 확산된다.
ㄹ. 저작권 보호의 중요성이 크고, 일터와 가정의 결합 정도가 높은 사회는 정보 사회이다. 따라서 A는 산업 사회, B는 정보 사회이다. 2차 산업의 비중은 산업 사회가 정보 사회보다 높다.

2회 (11~16쪽)

1 ③	2 ②	3 ⑤	4 ⑤	5 ④
6 ⑤	7 ③	8 ⑤	9 ③	10 ①
11 ⑤	12 ②	13 ①	14 ④	15 ②
16 ③	17 ③	18 ③	19 ④	20 ④

1 자연 현상과 사회·문화 현상의 특징 답 ③

제시된 〈자료1〉에서 ㉠, ㉣은 인간의 의지가 개입되어 나타난 현상이므로 사회·문화 현상이고, ㉡, ㉢은 인간의 의지가 개입되어 나타난 현상이 아니므로 자연 현상이다.
③ 사회·문화 현상은 개연성의 원리가 적용되므로 '예'에는 ㉠, ㉣이, '아니요'에는 ㉡, ㉢이 해당한다.

오답 피하기 ①, ② 인과 관계가 확실하고 존재 법칙의 지배를 받는 것은 자연 현상이다. 따라서 '예'에는 ㉡, ㉢이, '아니요'에는 ㉠, ㉣이 들어가야 한다.
④, ⑤ 보편성보다 특수성이 강하게 나타나고, 인간의 의지가 개입되어 나타나는 것은 사회·문화 현상이다. 따라서 '예'에는 ㉠, ㉣이, '아니요'에는 ㉡, ㉢이 들어가야 한다.

2 사회·문화 현상을 바라보는 관점 답 ②

제시된 대화에서 갑은 기능론적 관점, 을은 갈등론적 관점, 병은 상징적 상호 작용론적 관점에서 노사 문제를 바라보고 있다.
② 기능론적 관점과 갈등론적 관점은 거시적 관점에서 사회·문화 현상에 접근한다. 이에 반해 미시적 관점에서 사회·문화 현상을 이해하고자 하는 상징적 상호 작용론적 관점은 사회·문화 현상 속에서 자율성을 지니고 행동하는 능동적인 존재로서의 인간에 관심을 가진다.

오답 피하기 ① 현존하는 질서가 특정 계급의 필요를 반영한다고 보는 관점은 갈등론이다.
③ 인간이 상황 정의에 기초하여 행동한다고 보는 관점은 상징적 상호 작용론적 관점이다.
④ 사회 제도에 주목하는 관점은 기능론적 관점과 갈등론적 관점이다.
⑤ 사회 구성 요소들 간에 유기적 관계가 형성된다고 보는 관점은 기능론적 관점이다.

3 질적 연구 방법 답 ⑤

제시된 대화에서 을은 행위자들의 주관적 감정과 의미, 동기를 이해하기 위해 감정 이입과 해석의 과정을 중시하므로 질적 연구 방법을 강조함을 알 수 있다.
ㄴ. 양적 연구 방법과 질적 연구 방법 모두 경험적 자료를 활용하여

연구한다.

ㄷ. 질적 연구 방법에서는 주로 참여 관찰법과 심층 면접을 통해 행위 속에 담긴 의미를 이해하고자 한다.

ㄹ. 질적 연구 방법은 감정 이입적 이해와 직관적 통찰을 통해 인간 행위의 이면을 이해하려고 한다.

오답 피하기 ㄱ. 질적 연구 방법은 자연 현상과 다른 방법으로 사회·문화 현상을 연구해야 한다는 방법론적 이원론에 기초하고 있다.

4 자료 수집 방법 답 ⑤

면대면 대화를 통해 깊이 있는 정보를 수집하는 것은 면접법이며, 대규모 집단을 대상으로 계량화된 자료를 수집하는 것은 질문지법이다. 상황을 통제하고 조작하여 그 효과를 측정하는 것은 실험법이고, 연구자가 현장에서 직접 체험하면서 조사하는 것은 참여 관찰법이다. 따라서 A는 면접법, B는 질문지법, C는 실험법, D는 참여 관찰법이다.

⑤ 질문지법과 실험법은 양적 연구에, 면접법과 참여 관찰법은 질적 연구에 주로 사용된다.

오답 피하기 ① 질문지법이 면접법에 비해 시간과 비용이 절약된다.

②, ③ 실험법은 인과 관계를 명확하게 확인할 수 있어 가설 검증에 용이하지만, 윤리적 문제가 발생할 가능성이 높다.

④ 참여 관찰법은 예상하지 못한 변수를 통제하기 어려운 단점이 있다.

5 실험법을 사용한 양적 연구 답 ④

제시된 연구 사례는 연구 대상을 두 집단으로 나누어 사전 검사를 실시하고 한 집단에만 특정 처치를 한 후 사후 검사를 하여 처치의 효과를 비교하는 연구이므로 실험법을 통한 양적 연구이다. 실험 연구는 독립 변인 외의 다른 변인을 통제한 후 연구 대상자에게 독립 변인을 처치하고 그로 인해 나타나는 종속 변인의 변화를 파악하는 연구이다.

ㄱ. 실험 처치가 가해지는 B 집단이 실험 집단이고, 실험 처치가 가해지지 않은 A 집단은 통제 집단이다.

ㄴ. 사전 검사는 실험 처치의 효과가 있는지 여부를 정확히 알기 위한 조치이다.

ㄹ. 사전 검사와 사후 검사에 차이가 없다면 가설은 채택될 것이다.

오답 피하기 ㄷ. 국어과에 대한 학습 흥미 및 학업 성취도는 제시된 연구와 관련 없다.

6 개인과 사회의 관계를 바라보는 관점 답 ⑤

사회는 개인들의 집합체에 붙여진 이름에 불과하다고 보는 A 관점은 사회 명목론이다. 한편 사회는 개인의 외부에 실제로 존재하며, 독자적인 특성을 지닌다고 보는 B 관점은 사회 실재론이다. (가)는 사회 명목론이 긍정의 답변을 할 질문이, (나)는 사회 실재론이 긍정의 답변을 할 질문이 적합하다.

⑤ 사회 실재론은 개인의 행동이 사회에 의해 규제되고 구속된다고 본다.

오답 피하기 ① 사회 문제의 원인이 사회 구조나 제도에 있다고 보는 관점은 사회 실재론이다.

② 인간의 주체적인 행위를 설명하기 곤란한 관점은 사회 실재론이다.

③ 극단적 개인주의 초래 우려는 사회 명목론의 단점이다.

④ 사회 현상은 개인의 심리 상태로 환원될 수 있다는 보는 관점은 사회 명목론이다.

7 지위와 역할, 사회화 답 ③

역할은 지위에 따르는 행동 양식이고, 역할 행동은 개인마다 역할이 실제로 수행되는 것을 의미한다.

① ㉡은 갑의 역할 행동에 대한 보상이다.

② ㉢은 역할 간에 충돌이 일어난 것이 아니므로 역할 갈등에 해당하지 않는다.

④ ㉥은 갑의 준거 집단에 해당한다.

⑤ ㉠은 귀속 지위, ㉤은 성취 지위이다.

③ 예기 사회화는 미래에 자신이 속할 집단에서 요구되는 행동 양식을 미리 습득하는 과정이다. 입시 학원은 대학 입시에 필요한 고등학교 교육 과정을 다시 집중적으로 학습하는 곳으로, 대학이 필요로 하는 행동 양식을 미리 습득하는 것은 아니기 때문에 예기 사회화로 볼 수 없다.

8 사회 조직 답 ⑤

제시된 자료에서 A는 비공식 조직, B는 공식 조직, C는 자발적 결사체이다.

⑤ 자발적 결사체에는 공식 조직도 있지만, 자발적 결사체가 공식 조직에 속한다고 볼 수 없다. 그리고 비공식 조직의 구성원은 공식 조직의 구성원이다.

오답 피하기 ① 고등학교는 공식 조직에 해당한다.

② 교직원 등산 동호회는 자발적 결사체이면서 비공식 조직이다.

③ 동네 조기 축구회는 비공식 조직에 해당하지 않는다.

④ 공식 조직은 과업 달성을 목적으로 하는 조직이다.

9 일탈 이론 답 ③

(가)에는 세 이론 중 한 이론의 입장에서만 긍정의 답변을 하는 질문이 들어가면 된다.

③ '법규 위반에 대한 우호적 가치의 습득을 일탈 행동의 원인으로 보는가?'는 차별 교제 이론에서 보는 일탈 행동의 원인에 해당하므로 이 질문이 (가)에 들어갈 경우 낙인 이론, 뒤르켐의 아노미 이론, 머튼의 아노미 이론은 모두 '아니요'로 답변할 것이므로 제시된 표가 성립할 수 없다.

오답 피하기 ① (가)에 '일탈 행동의 객관적인 기준이 없다고 보는가?'가 들어갈 경우 A는 낙인 이론, B와 C는 각각 뒤르켐의 아노미 이론과 머튼의 아노미 이론 중 하나에 해당한다.

② (가)에 '1차적 일탈에 대한 부정적 낙인이 2차적 일탈을 초래한다고 보는가?'가 들어갈 경우 A는 낙인 이론, B와 C는 각각 뒤르켐의 아노미 이론과 머튼의 아노미 이론 중 하나에 해당한다.

④ (가)에 '문화적 목표와 제도적 수단의 불일치로 인해 일탈이 발생한다고 보는가?'가 들어갈 경우 A는 머튼의 아노미 이론, B와 C는 각각 뒤르켐의 아노미 이론과 낙인 이론 중 하나에 해당한다.

⑤ (가)에 '급속한 사회 변동으로 인한 가치관의 혼란을 일탈 행동의 원인으로 보는가?'가 들어갈 경우 A는 뒤르켐의 아노미 이론, B와 C는 각각 머튼의 아노미 이론과 낙인 이론 중 하나에 해당한다.

10 계급 이론과 계층 이론 답 ①

A는 경제 문제를 모든 문제의 핵심으로 보고 있으므로 A는 계급 이론이며, B는 경제적 지위뿐만 아니라 정치적·사회적 지위에 의해 계층을 구분하는 다원론적인 관점이므로 계층 이론이다.

① 계급 이론은 계층 이론과 달리 생산 수단을 소유한 자본가 계급과 그렇지 못한 노동자 계급 간의 위계가 불연속적이라고 본다.

오답 피하기 ② 동일한 계층적 위치에 속한 구성원 간의 귀속 의식을 강조하는 관점은 계급 이론이다.

③ 현대 사회의 지위 불일치 현상을 설명하기에 용이한 관점은 계층 이론이다.

④ 서로 다른 계층에 속한 구성원에 대해 적대감이 있다고 보는 관점은 계급 이론이다.

⑤ 사회 불평등 현상에 대해 계급 이론은 경제적 요인으로만, 계층 이론은 경제·정치·사회적 요인으로 설명한다.

11 문화 접변 양상 답 ⑤

제시된 그림에서 A는 문화 변동의 결과 자국 문화의 정체성이 상실되었으므로 문화 동화이며, B와 C는 각각 문화 병존과 문화 융합 중 하나이다.

⑤ C의 사례로 그리스 문화와 동방 문명이 만나 생겨난 간다라 미술 양식을 들 수 있다면, C는 문화 융합, B는 문화 병존이다.

오답 피하기 ① 문화 동화는 자발적 문화 접변을 통해서도 나타날 수 있다.

② '외래문화 요소가 정착되는 과정에서 변형되었는가?'에 긍정의 답변을 했다면 B는 문화 융합이다.

③ '문화 접변의 결과 새로운 문화 요소가 나타나는가?'에 부정의 답변을 했다면 C는 문화 병존이다.

④ 우리나라에 다양한 종교가 함께 존재하는 것은 문화 병존의 사례이다. 따라서 B가 문화 병존이면, C는 문화 융합이다.

12 주류 문화와 하위문화 답 ②

A는 하위문화, B는 주류 문화이다.

② 풍부한 하위문화는 해당 사회 전체 문화의 역동성과 다양성에 기여할 수 있다.

오답 피하기 ① 반문화는 한 사회 구성원 대다수가 향유하는 지배적인 문화에 대해 저항하거나 대립하는 문화로, 하위문화의 한 유형이다.

③ 대중문화는 한 사회 내에 존재하는 다양한 집단을 초월하여 불특정 다수가 공유하면서 향유하는 문화로, 한 사회의 주류 문화와 많은 부분에서 공통점을 갖는다.

④ 한 사회의 주류 문화는 여러 하위문화들을 통틀어서 일컫는 개념이 아니다. 따라서 한 사회의 하위문화의 합이 주류 문화라고 할 수 없다.

⑤ 하위문화와 주류 문화의 범주는 상대적으로 규정된다.

13 사회 불평등 현상을 바라보는 관점 답 ①

제시된 자료에서 갑은 기능론적 관점, 을은 갈등론적 관점에서 사회 불평등 현상을 바라보고 있다.

ㄱ. 기능론적 관점에서는 사회 불평등 현상이 개인의 성취 동기를 극대화하여 개인과 사회가 최선의 기능을 하도록 유도한다고 본다.

ㄴ. 기능론적 관점과 갈등론적 관점 모두 희소가치의 차등 분배에 따라 사회 불평등 현상이 나타난다고 본다.

오답 피하기 ㄷ. 사회 불평등 현상이 사회 존속을 위해 보편적이고 불가피한 현상이라고 보는 관점은 기능론적 관점이다.

ㄹ. 사회적으로 합의된 기준에 의해 사회적 희소가치가 배분된다고 보는 관점은 기능론적 관점이다.

14 계층 구조와 사회 이동 답 ④

제시된 자료는 다음 표와 같이 나타낼 수 있다.

(단위 : %)

구분	갑국		을국	
	2019년	2020년	2019년	2020년
상층	20	30	25	40
중층	30	20	50	20
하층	50	50	25	40

④ 2020년 갑국과 을국의 계층 구조는 모두 모래시계형 계층 구조이다.

오답 피하기 ① 2020년 갑국의 상층 비율은 전년 대비 10%p 증가했다.

② 2020년 을국의 상층 인구 비율이 전년 대비 15%p 증가하였다.

③ 2019년 갑국은 피라미드형 계층 구조, 을국은 다이아몬드형 계층 구조이다.

⑤ 갑국과 을국의 전체 인구를 알 수 없으므로 상승 이동한 갑국 인구와 하강 이동한 을국 인구는 알 수 없다.

15 문화 이해의 태도 답 ②

제시된 그림에서 A는 문화 상대주의이고, B와 C는 각각 문화 사대주의와 자문화 중심주의 중 하나이다.

ㄱ. 문화 상대주의는 타문화의 고유한 가치를 존중한다.

ㄷ. 외래문화 수용에 적극적인 태도는 문화 사대주의이므로 (가)에 해당 질문이 들어가면 B는 자문화 중심주의, C는 문화 사대주의이다.

오답 피하기 ㄴ. 문화의 다양성을 보존하는 데 기여하는 문화 이해 태도는 문화 상대주의이다. B와 C는 문화 사대주의나 자문화 중심주의이므로 (가)의 질문이 적합하지 않다.

ㄹ. 자문화 중심주의는 자기 문화의 정체성 강화에 기여한다.

16 사회 보장 제도 답 ③

제시된 자료에서 A는 모든 국민을 대상으로 하여 노령, 장애, 사망 시 본인이나 유족의 생활 안정을 목적으로 하는 제도이므로 국민 연금 제도이며, B는 65세 이상 인구 중 일정 소득 수준 이하인 자의 생활 안정을 목적으로 하므로 기초 연금 제도이다. 국민 연금 제도는 사회 보험에, 기초 연금 제도는 공공 부조에 해당한다.

③ 사회 보험에 해당하는 국민 연금 제도보다 공공 부조에 해당하는 기초 연금이 사후 처방의 성격이 강하다.

오답 피하기 ① 기초 연금 제도는 공공 부조로서 국가와 지방 자치 단체의 재정을 통해 비용을 부담하는 것을 원칙으로 한다.

② 공공 부조는 사회 보험보다 소득 재분배 효과가 크다.

④ 사회 보험은 공공 부조와 달리 상호 부조의 원리를 따른다.

⑤ 국민 연금 제도의 수급자 중에서는 남자의 비율이 높고, 기초 연금 제도의 수급자 중에서는 여자의 비율이 높다.

17 사회 변동의 방향을 바라보는 관점 답 ③

제시된 그림에서 갑은 진화론, 을은 순환론에 근거하여 사회 변동의 방향을 바라보고 있다.

진화론은 사회 변동을 연속적인 진보의 과정으로 파악하지만, 현대 사회가 전통 사회에 비해 모든 면에서 우월한 것은 아니라는 비판을 받는다. 순환론은 사회 변동을 반복적인 순환의 과정으로 보고 사회가 필연적으로 쇠퇴의 과정에 이를 것이라고 주장한다.

③ 운명론적 시각이 나타나는 관점은 순환론이다.

18 사회적 소수자 답 ③

신체적이나 문화적으로 다른 집단과의 식별 가능성, 정치·경제·사회적 권력의 열세, 사회적 차별 대우의 대상, 스스로 차별받는 집단의 구성원이라는 집합적 정체성을 충족해야 사회적 소수자로 간주된다.

ㄴ. 일제 강점기 당시 우리 민족의 수는 다수였고 일본인은 소수였지만 사회적 소수자는 일본인이 아니라 우리 민족이었던 것을 통해 사회적 소수자의 규정은 사회 구성원의 수가 아니라 사회적 권력과 사회적 영향력 등의 크기에 있음을 알 수 있다.

ㄷ. (가)에서는 종교의 차이로, (나)에서는 민족의 차이로 인해 차별을 받았던 사회적 소수자들을 찾아볼 수 있으며, 이를 통해 사회적 소수자를 규정하는 요인은 다양함을 알 수 있다.

오답 피하기 ㄱ. 청교도들이 역차별을 받은 것은 아니다. 역차별은 소수자 집단을 위해 마련한 제도나 장치로 인해 오히려 소수자가 아닌 사람들이 차별받는 것을 말한다.

ㄹ. (가)는 사회적 소수자 개념의 상대성을 보여주는 사례이다.

19 저출산 현상 답 ④

제시문에서는 저출산 현상의 근본적인 원인이 여성의 사회 진출 증가 때문이 아니라 남녀 차별의 문화와 관련되어 있음을 설명하고 있다. 따라서 가정과 일 양립 정책과 가사와 육아의 남녀 분담 등 가정과 직장 내에서 남녀 차별을 없애는 것이 저출산 현상을 극복하는 길임을 강조하고 있다.

④ 제시문에서 가정과 일 양립 정책, 가사와 육아의 남녀 분담, 직장 내 남녀 차별을 없애는 정책 등을 강조하고 있다는 점에서, 저출산 현상의 해결을 위해 가족과 기업의 양성평등 문화의 조성이 필요하다는 것을 알 수 있다.

20 정보 사회로의 변화 답 ④

제시된 그림은 산업 사회에서 정보 사회로의 변화를 나타낸다. 제1차 산업 혁명에서 제4차 산업 혁명으로 변동하면서 지식과 정보가 중요한 부의 원천으로 인식되고, 정보 통신 기술이 비약적으로 발달한다.

④ 산업 사회에서는 정보의 생산자와 소비자의 경계가 분명하지만, 정보 사회에서는 정보의 생산자와 소비자 간의 경계가 모호해진다.

오답 피하기 ① 산업 사회에서 정보 사회로 변화하면 비대면 접촉의 비중은 확대된다.

② 산업 사회에서 정보 사회로 변화하면 가정과 일터의 결합 정도가 높아진다.

③ 산업 사회에서 정보 사회로 변화하면 다품종 소량 생산의 비중이 높아진다.

⑤ 산업 사회에서 정보 사회로 변화하면 부가 가치를 창출하는 원천으로 노동보다 지식과 정보가 중시된다.

memo

memo

memo

memo

정답은
이안에
있어!

배움으로 행복한 내일을 꿈꾸는

천재교육 커뮤니티 안내

교재 안내부터 구매까지 한 번에!

천재교육 홈페이지

천재교육 홈페이지에서는 자사가 발행하는 참고서,
교과서에 대한 소개는 물론 도서 구매도 할 수 있습니다.
회원에게 지급되는 별을 모아 다양한 상품 응모에도
도전해 보세요.

구독, 좋아요는 필수! 핵유용 정보 가득한

천재교육 유튜브 <천재TV>

신간에 대한 자세한 정보가 궁금하세요?
참고서를 어떻게 활용해야 할지 고민인가요?
공부 외 다양한 고민을 해결해 줄 채널이 필요한가요?
학생들에게 꼭 필요한 콘텐츠로 가득한 천재TV로 놀러 오세요!

다양한 교육 꿀팁에 깜짝 이벤트는 덤!

천재교육 인스타그램

천재교육의 새롭고 중요한 소식을 가장 먼저 접하고 싶다면?
천재교육 인스타그램 팔로우가 필수!
누구보다 빠르고 재미있게 천재교육의 소식을 전달합니다.
깜짝 이벤트도 수시로 진행되니 놓치지 마세요!